KB076620

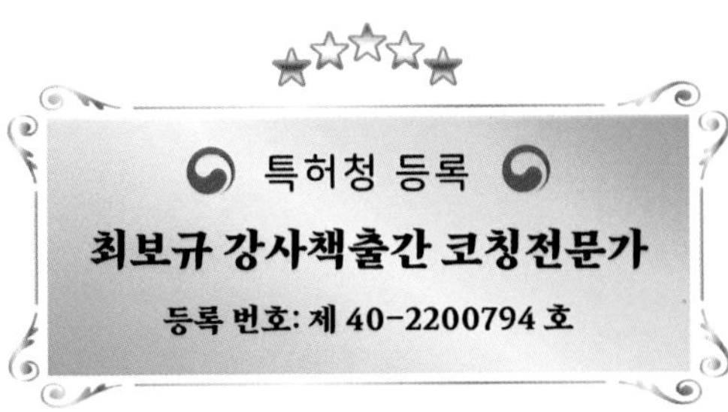
특허청 등록
최보규 강사책출간 코칭전문가
등록 번호: 제 40-2200794 호

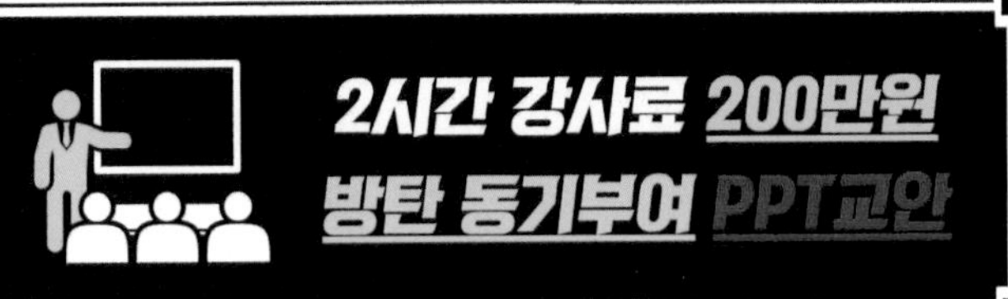
2시간 강사료 200만원
방탄 동기부여 PPT교안

책으로 PPT 만들기 1
책으로 100년 수입 창출 시스템 PPT 교안 만들기
2시간 강사료 200만원
방탄 동기부여 PPT교안
최보규 방탄강사 코칭전문가
서윤희 방탄강사 코칭전문가
BOOKK
책으로 PPT 만들기 1
BOOKK

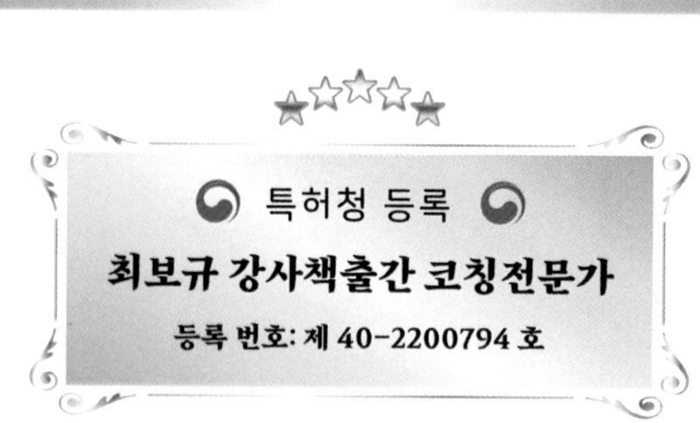
특허청 등록
최보규 강사책출간 코칭전문가
등록 번호: 제 40-2200794 호

책으로
100년 수입 창출 시스템
PPT 교안 만들기

★★★★★
누군가는 책만 출간한다.
누군가는 출간한 책으로 디지털 콘텐츠
교육, 강의, 코칭 교안을 만들어서
지속적인 수입 창출을 한다!
1
2
3
책으로 PPT 만들기 1
책으로 PPT 만들기 2
책으로 PPT 만들기 3

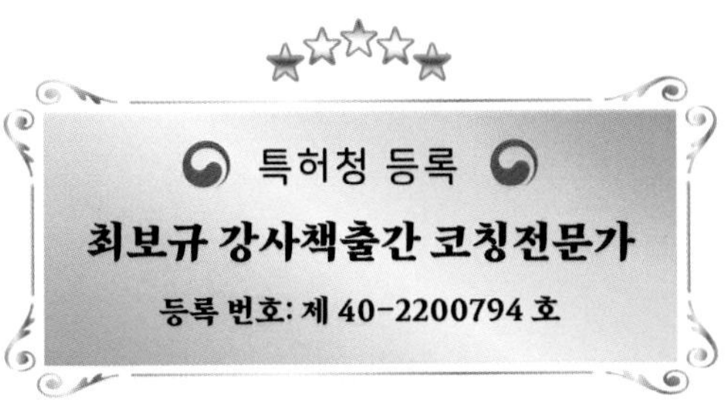
특허청 등록
최보규 강사책출간 코칭전문가
등록 번호: 제 40-2200794 호

책으로
100년 수입 창출 시스템
PPT 교안 만들기

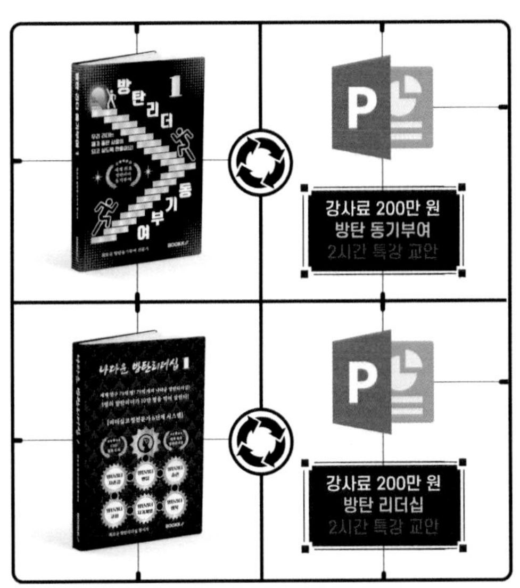
강사료 200만 원
방탄 동기부여
2시간 특강 교안
강사료 200만 원
방탄 리더십
2시간 특강 교안

"최초"
책으로 PPT 만들기
사용 설명서

"최초"
책으로 교안 만들기
사용 설명서

"최초"
작가, 강사
필독 도서

세계 최초! 출판계 혁신!
방탄
book
특허청 등록
최보규 강사책출간 코칭전문가
등록 번호: 제 40-2200794 호
책만 출간하고 끝나는 것이 아닌 자신 분야와 출간 한 책을 연결하여 6가지 수입을 발생시킬 수 있는 기술력과 100년 지속할 수 있는기술력을 마스터 한다.
우리는 이것을 방탄book기술력이라 부른다.

방탄자기계발사관학교
최보규 참모총장
지금처럼이 아닌 지금부터 살게 해주겠습니다.
때를 기다리는 사람이 아닌 때를 만들어가는
사람으로 변화시켜 주겠습니다.
세상에는 최보규 코칭전문가 보다
코칭을 잘 하는 사람 많습니다.
하지만 세상에서 최보규 코칭전문가 만큼
함께 하는 사람을
자립할 수 있을 때까지 케어해주는 사람은 없을 것입니다!
최보규 방탄자기계발사관학교 참모총장

특허청 등록
최보규 강사책출간 코칭전문가
등록 번호: 제 40-2200794 호

책 심폐소생술
머리말

20,000명 심리 상담, 코칭 하면서 알게 된 현실! 책을 출간 한 90%의 사람들이 책을 활용 못해서 3개월이 지나면 대부분 라면 냄비 받침대 취급해 버린다. 책 가치를 잃어버려서 책이 죽어가는 것을 방치한다!
책 출간! 인고의 시간을 통해 출간 한 책 너무 소중해! 5,000만 명에게 홍보 시작!
3개월 지나니 책 살 사람은 다 산거 같다. 홍보 끝! 책 활용은 필요 없어!
책 출간

자신 책을
자신이 죽이는
작가?
강사?
최보규 지음
자신 책을 죽이는 강의
체크리스트
책은 죽지 안는다!
다만 책을 죽이는
작가, 강사만 있다!
Google 자기계발아마존
YouTube 방탄자기계발
NAVER 방탄book기술력
NAVER 최보규

자신 책을 죽이는 강의

☑ 체크리스트

- ☑ 파워포인트 없이 강의를 한다.
- ☑ 파워포인트내용에 이미지 없이 텍스트만으로 강의한다.
- ☑ 시작동기부여, 아이스브레이킹, 스토리텔링기법
  강의 중간 스트레칭기법, 피크앤드기법...
  강의기법을 전혀 하지 않는다.
- ☑ 트랜드에 맞는 강의를 안 한다.
- ☑ 교육 담당자, 청중이 좋아하는 강의를 안 한다.
- ☑ 청중이 좋아하는 3D, 4D 강의가 무엇인지 모른다.

Google 자기계발아마존 | YouTube 방탄자기계발 | NAVER 방탄book기술력 | NAVER 최보규

자신 책을 죽이는 강의

☑ 체크리스트

- ☑ 청중들의 강의 듣는 심리 상황을 모르고 강의한다.
- ☑ 강의에 퍼포먼스가 전혀 없다.
- ☑ 강의 끝난 후 자신 책과 연결고리가 전혀 없다.
- ☑ 1개월~1년 강의할 수 있는 커리큘럼, 교안이 없다.

책 그렇게 쓰면 책 다 죽어!!!
책 출간 후 그렇게 강의하면 책 다 죽어!!!
책 출간 후 그렇게 홍보 하면 책 다 죽어!!!

3개 이상
해당 되시는
작가, 강사님 들은
자신 책 심폐소생술
해야 할 상태라는
것 명심하세요!
Google 자기계발아마존
YouTube 방탄자기계발
NAVER 방탄book기술력
NAVER 최보규

나쁜 직원은 없다! 나쁜 리더만 있다!
나쁜 자녀는 없다! 나쁜 부모만 있다!
나쁜 개는 없다! 나쁜 보호자만 있다!

나쁜 책은 없다!
책을 죽이는 강의를 하는
나쁜 작가, 강사만 있다!
책 심폐소생술!

Google 자기계발아마존 | YouTube 방탄자기계발 | NAVER 방탄book기술력 | NAVER 최보규

작가님, 강사님
자신 책 죽이면 되겠습니까?
어떻게 해서 출간 한건데?
세계 최초! 공개합니다!
자신 책을 살리는
강의를 하기 위한
체크리스트
Google 자기계발아마존
YouTube 방탄자기계발
NAVER 방탄book기술력
NAVER 최보규

자신 책을 살리는 강의를 하는

☑ 체크리스트

☑ 시각적인 효과! 파워포인트 원 슬라이드 원 메시지, 원사진 공식을 지킨다!

☑ 가성비강의를 한다! (즐거움+메시지+스토리텔링+감동+실천 동기부여+실천 동기부여 도구)

☑ 강의기법 공식으로 강의한다!
인사스팟-마음을 여는 집중기법-시작 동기부여-스팟기법-스트레칭기법-메시지기법-스토리텔링기법-피크앤드기법

NAVER 방탄book기술력

자신 책을 살리는 강의를 하는

☑ 체크리스트

- ☑ 트랜드에 맞는 강의! 교육 담당자, 청중들이 좋아하는 강의, 강의 듣는 청중들의 심리 상태까지 공부해서 강의를 한다.
- ☑ 강의 끝난 후 간접영업을 할 수 있는 연결고리를 만든다. 유튜브, SNS, 블로그...
- ☑ 책 내용을 전부 강의 교안으로 만들어 1개월 ~ 1년을 할 수 있는 커리큘럼 제안서로 단타 강의가 아닌 장기적인 강의를 할 수 있도록 준비를 해논다.

NAVER 방탄book기술력

세상에
자신 책 죽이고 싶어하는
사람은 없습니다.
단지 책을 살리는
방법, 강의기법을 모를뿐이다.
방탄 book
NAVER 방탄book기술력
Google 자기계발아마존
YouTube 방탄자기계발
NAVER 방탄book기술력
NAVER 최보규

목차

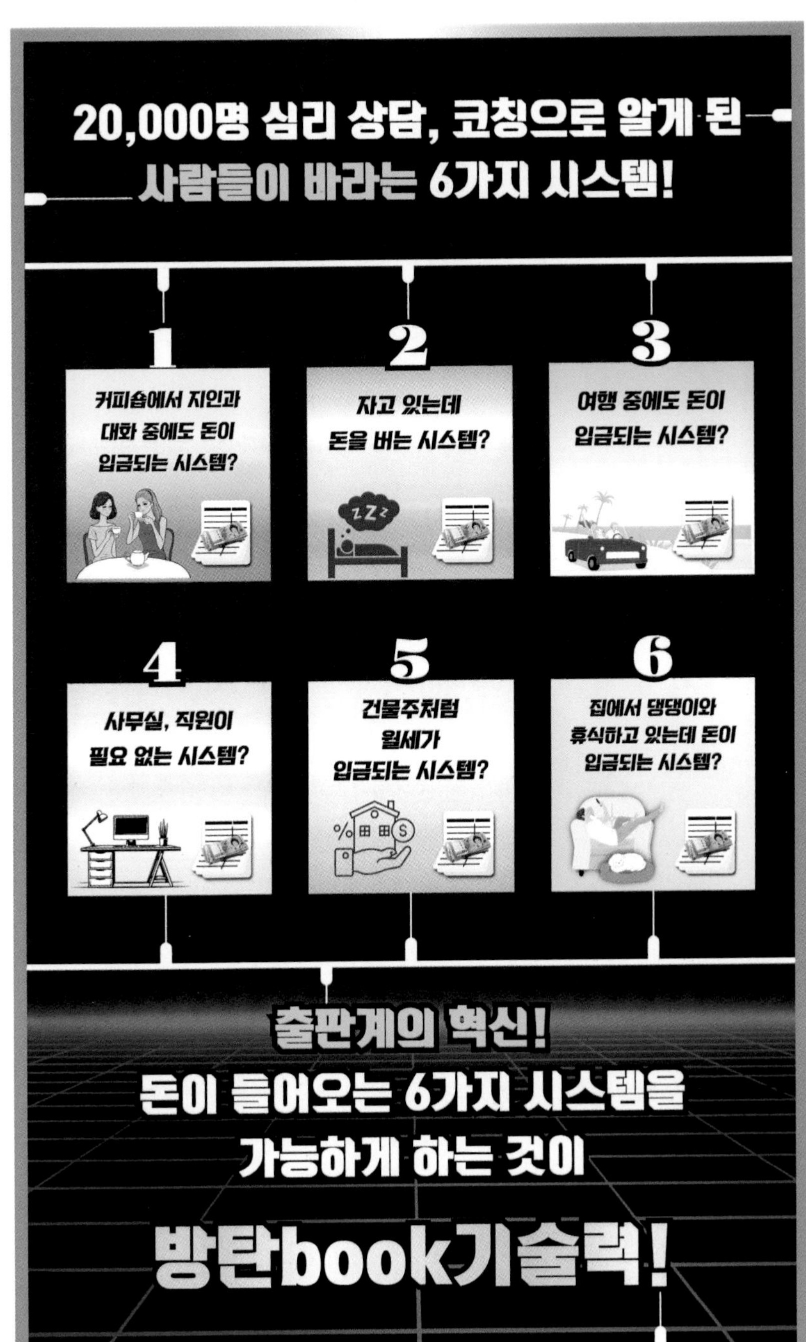
20,000명 심리 상담, 코칭으로 알게 된
사람들이 바라는 6가지 시스템!
1
커피숍에서 지인과
대화 중에도 돈이
입금되는 시스템?
2
자고 있는데
돈을 버는 시스템?
3
여행 중에도 돈이
입금되는 시스템?
4
사무실, 직원이
필요 없는 시스템?
5
건물주처럼
월세가
입금되는 시스템?
6
집에서 댕댕이와
휴식하고 있는데 돈이
입금되는 시스템?
출판계의 혁신!
돈이 들어오는 6가지 시스템을
가능하게 하는 것이
방탄book기술력!

책으로 PPT 만들기 매뉴얼 1

특허청 등록
최보규 리더동기부여 코칭전문가
등록 번호: 제 40-2128786 호

강사료 200만 원
방탄 동기부여
2시간 특강 교안

책을 출간하면 저자 특강을 하거나 출간 한 책으로 강의, 교육, 코칭을 해서 수입 창출을 한다. 출간한 책으로 PPT 교육, 강의, 코칭 자료를 만들어서 해야지만 수입이 올라가고 전문성을 인정받는 것은 아니다. 하지만 몸값을 올리는 사람, 삼성(진정성, 전문성, 신뢰성)을 인정받는 사람들은 출간 한 책으로 PPT 교육, 강의, 코칭 자료를 만든다는 것을 명심해야 한다.

★ 세상 무엇과도 바꿀 수 없는 출간한 책을 자기 자신이 죽인다!

20,000며 심리 상담, 코칭 하면서 알게 된 것은 책을 출간하는 목적이 크게 3가지다.

책을 출간하는 목적 3가지!
첫 번째, 소장용. (50%)
수입 창출 목적이 아닌 오로지 자신의 만족을 위해서 출간을 한다.

두 번째, 자신 분야 삼성(진정성, 전문성, 신뢰성) 향상 (49%)
자신 분야 책을 출간해서 자신 분야 전문성을 높여 몸값을 올리기 위해서 자신 분야 전문 서적을 출간한다.

세 번째, 자신 분야 삼성(진정성, 전문성, 신뢰성) 향상과 수입 창출할 수 있는 매개체와 연결하여 100년 지속적인 수입 발생. (1%)
자신 분야 전문 서적을 출간하여 자신 분야 삼성(진정성, 전문성, 신뢰성)도 올리고 지속적인 제2수입, 제3수입까지 발생시켜 세상 모든 전문가들이 말하는 최고의 은퇴 준비, 노후 준비인 100세 현역으로 살아갈 수 있는 책 출간을 한다.

당신이라면 몇 번째를 선택할 것인가? 누구에게 물어봐도 세 번째를 선택할 것이다. 방탄book기술력 코칭 할 때 늘 하는 말이 있다. "한 가지를 하더라도 한 가지만 하고 끝나는 것이 아니라 여러 가지를 연결시킬 수 있는 행동이 있어야만 자신 분야에서 살아남을 수 있다." 같은 환경 속에서 누군가는 한 가지만 하는 사람이 있고 누군가는 한 가지를 하면서 6가지를 연결시켜 수입을 창출하는 사람이 있다.

책 출간도 마찬가지이다. 책 한 권 출간하고 끝나는 것이 아니라 책 한 권 출간으로 여러 가지를 연결시킬 수 있는 책 출간을 해야 된다는 것이다. 지금 시대는 시간은 금이 아니라 시간은 다이아몬드이다. 3고(고물가, 고환율, 고금리) 시대에서는 시간과 돈 낭비를 줄일 수 있는 효율적인 행동을 해야 된다.

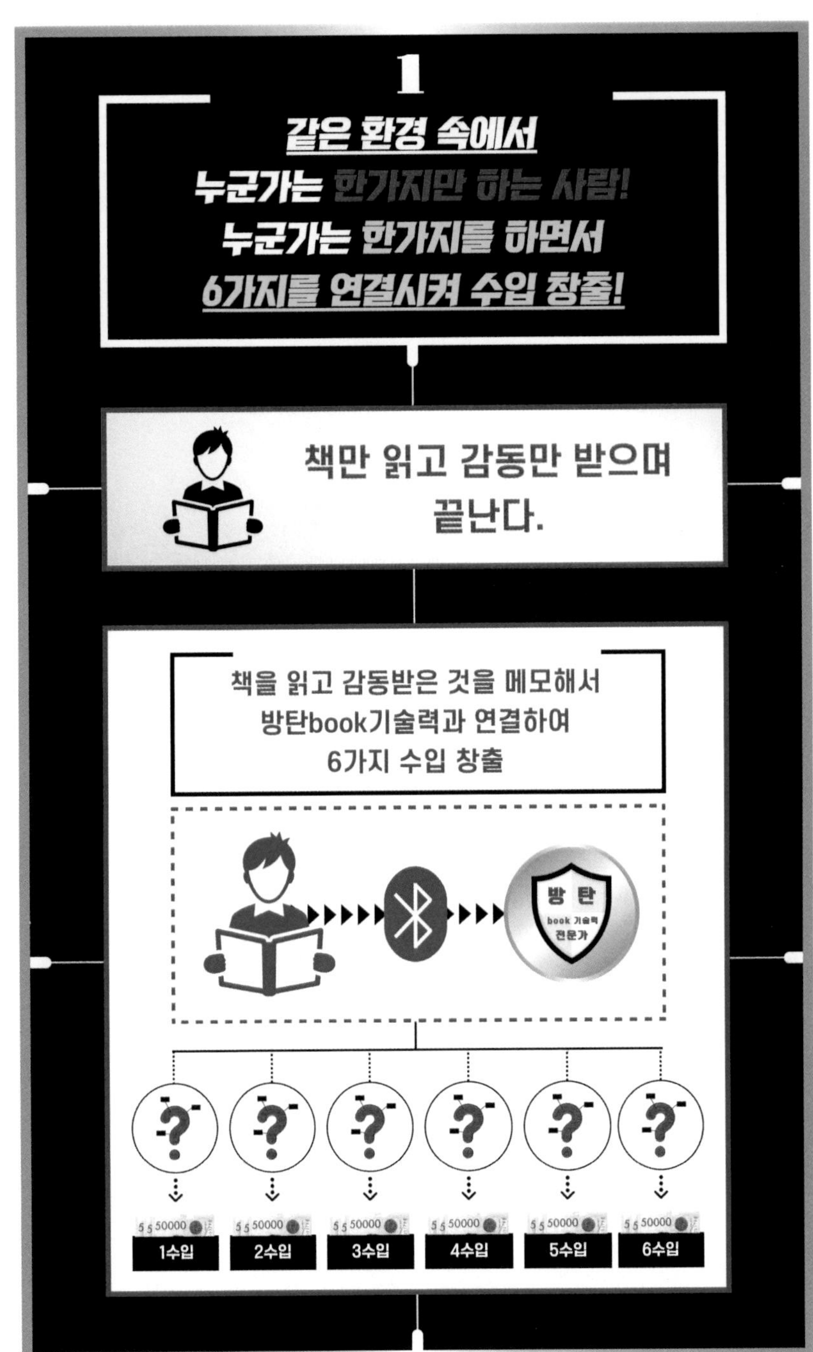
1
같은 환경 속에서
누군가는 한가지만 하는 사람!
누군가는 한가지를 하면서
6가지를 연결시켜 수입 창출!
책만 읽고 감동만 받으며
끝난다.
책을 읽고 감동받은 것을 메모해서
방탄book기술력과 연결하여
6가지 수입 창출
방 탄
book 기술력
전문가
1수입
2수입
3수입
4수입
5수입
6수입

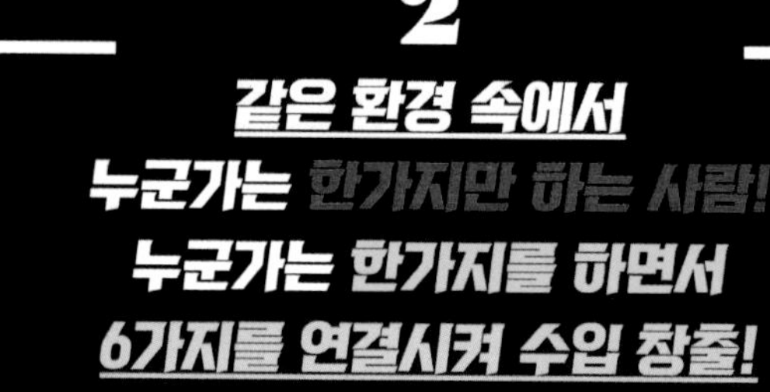

메모만 하고
활용을 하지 않는다.

메모한 것으로 책을 출간 해서
방탄book기술력과 연결하여 6가지 수입 창출

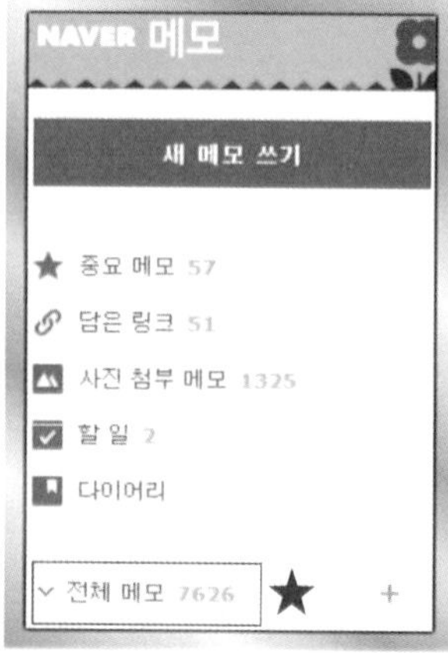

15년 7,626개 메모

종이책 150권, 전자책 200권
총 400권 출간

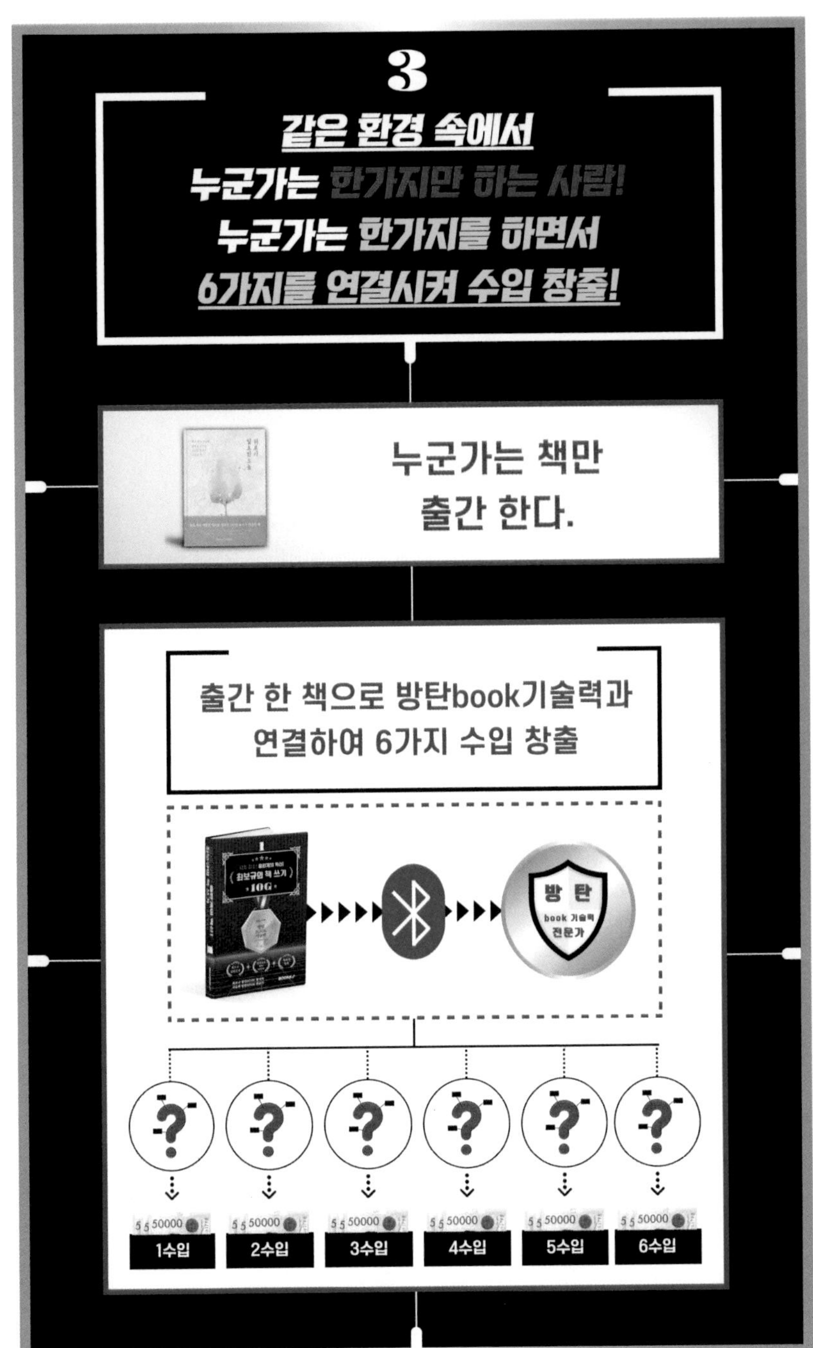
3
같은 환경 속에서
누군가는 한가지만 하는 사람!
누군가는 한가지를 하면서
6가지를 연결시켜 수입 창출!
누군가는 책만
출간 한다.
출간 한 책으로 방탄book기술력과
연결하여 6가지 수입 창출
최보규의 책 쓰기
10G
방탄
book 기술력
전문가
1수입
2수입
3수입
4수입
5수입
6수입

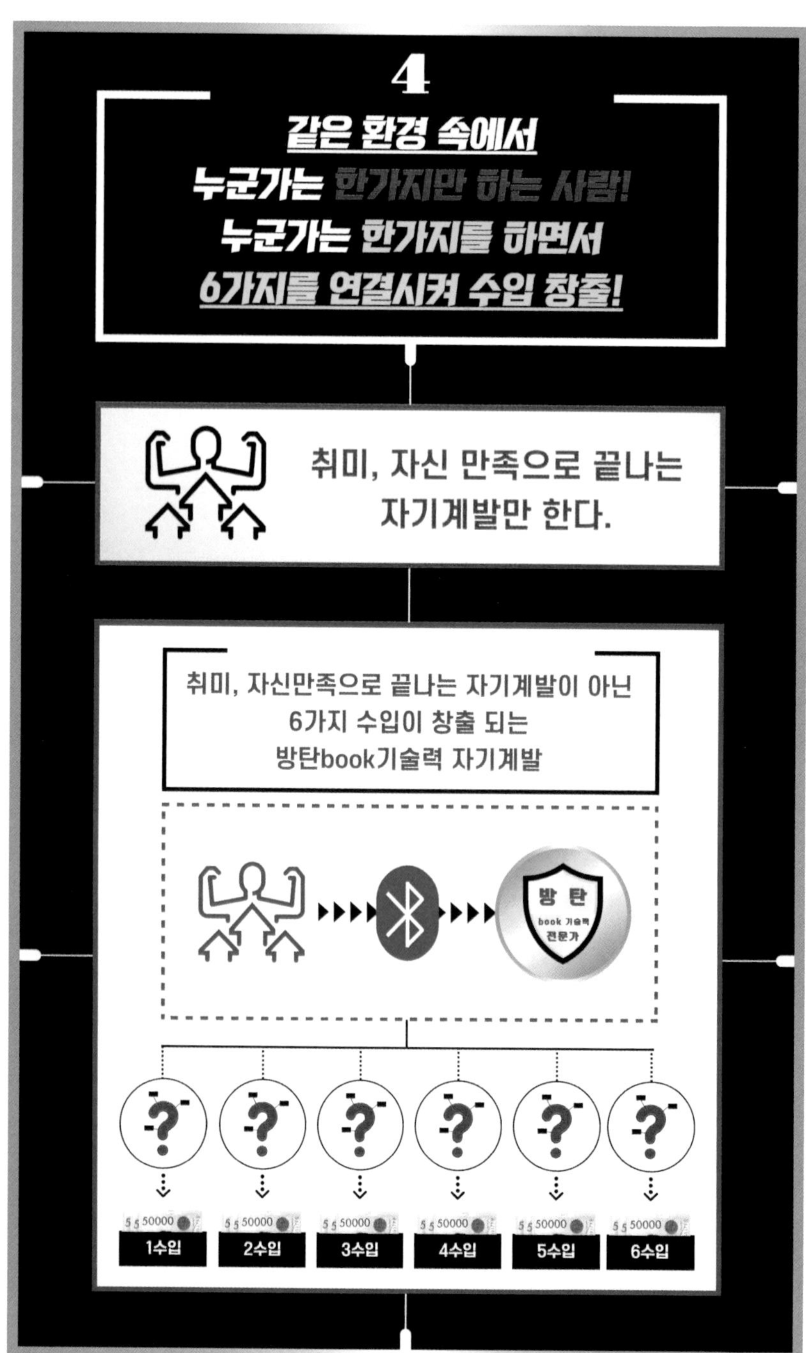
4
같은 환경 속에서
누군가는 한가지만 하는 사람!
누군가는 한가지를 하면서
6가지를 연결시켜 수입 창출!
취미, 자신 만족으로 끝나는
자기계발만 한다.
취미, 자신만족으로 끝나는 자기계발이 아닌
6가지 수입이 창출 되는
방탄book기술력 자기계발
방 탄
book 기술력
전문가
1수입
2수입
3수입
4수입
5수입
6수입

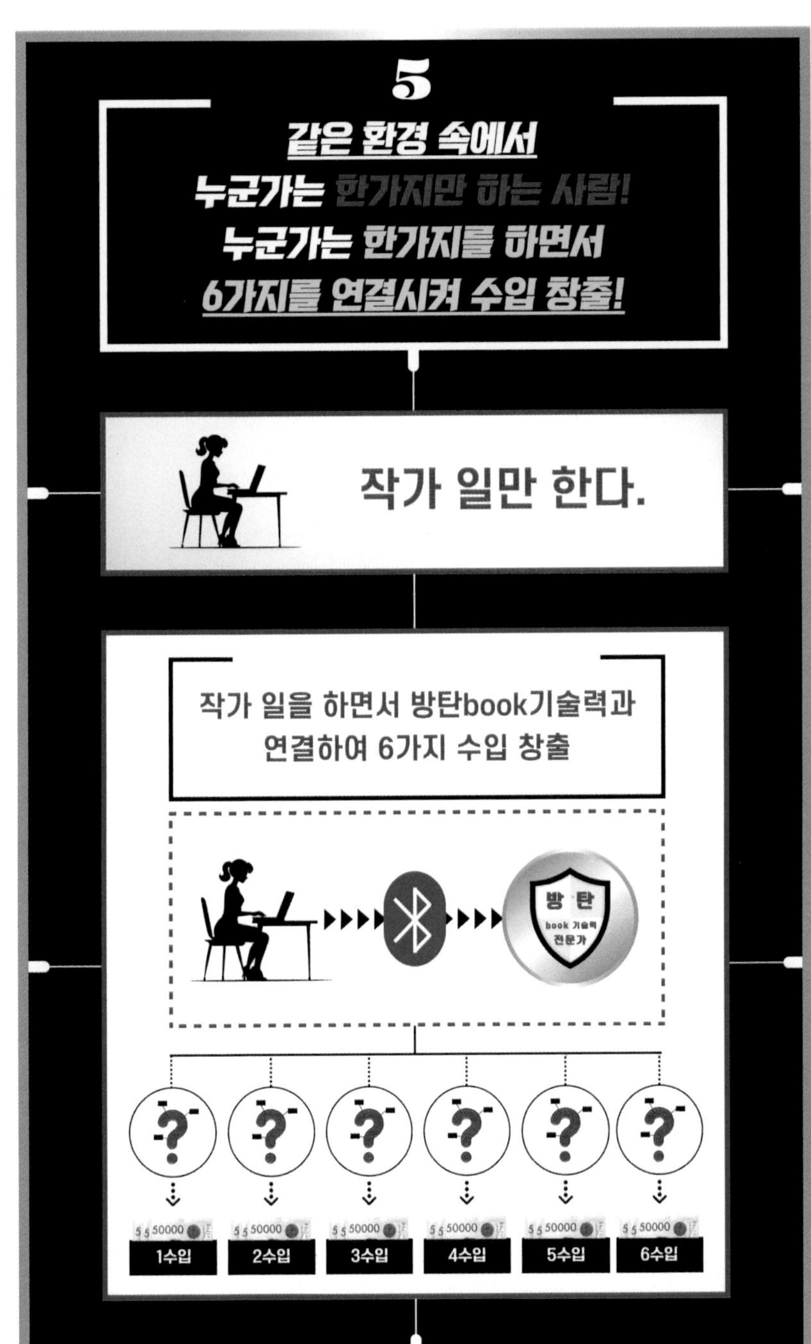
5
같은 환경 속에서
누군가는 한가지만 하는 사람!
누군가는 한가지를 하면서
6가지를 연결시켜 수입 창출!
작가 일만 한다.
작가 일을 하면서 방탄book기술력과
연결하여 6가지 수입 창출
방탄
book 기술력
전문가
1수입
2수입
3수입
4수입
5수입
6수입

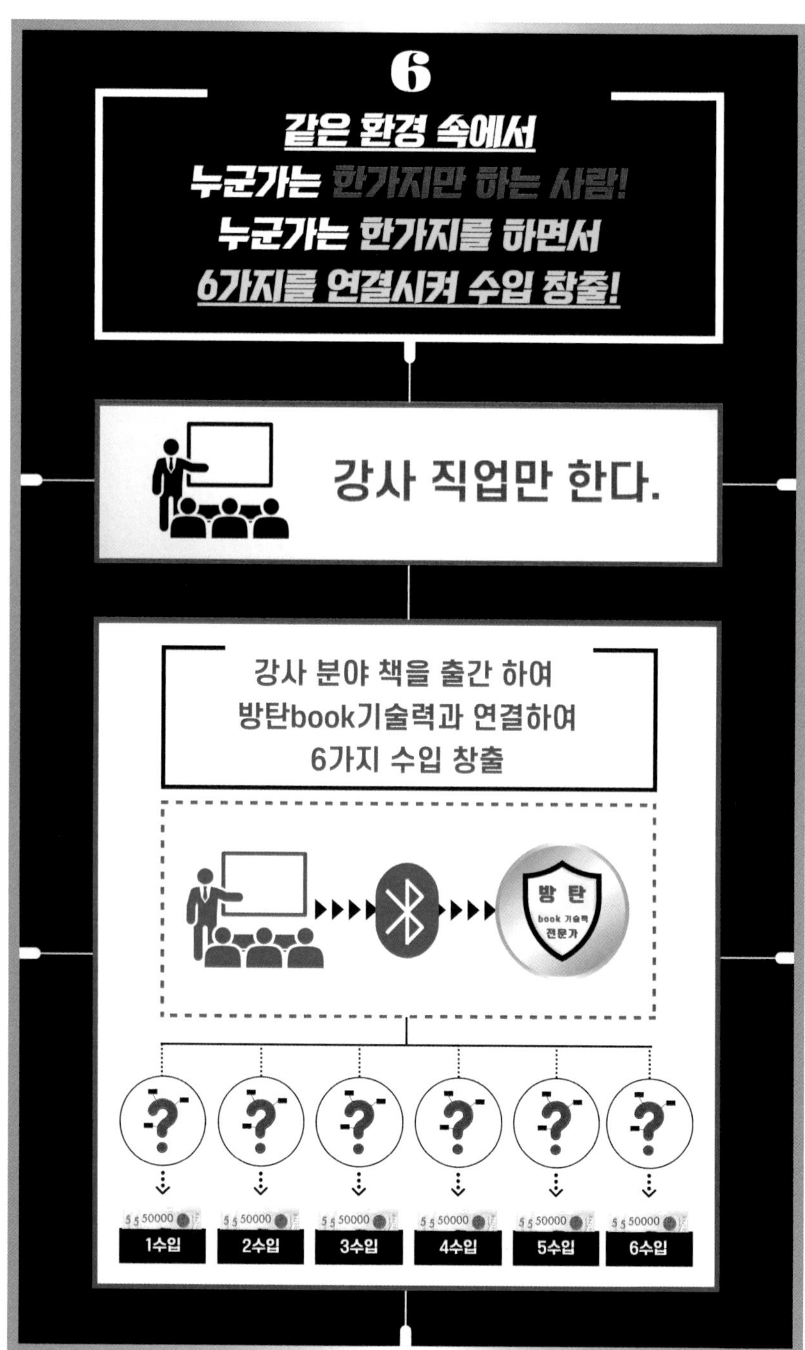
6
같은 환경 속에서
누군가는 한가지만 하는 사람!
누군가는 한가지를 하면서
6가지를 연결시켜 수입 창출!
강사 직업만 한다.
강사 분야 책을 출간 하여
방탄book기술력과 연결하여
6가지 수입 창출
방 탄
book 기술력
전문가
1수입
2수입
3수입
4수입
5수입
6수입

7
같은 환경 속에서
누군가는 한가지만 하는 사람!
누군가는 한가지를 하면서
6가지를 연결시켜 수입 창출!
유튜버만 한다.
제작한 영상 콘텐츠로 책을 출간해서
방탄book기술력과 연결하여
6가지 수입 창출
방 탄
book 기술력
전문가
1수입
2수입
3수입
4수입
5수입
6수입

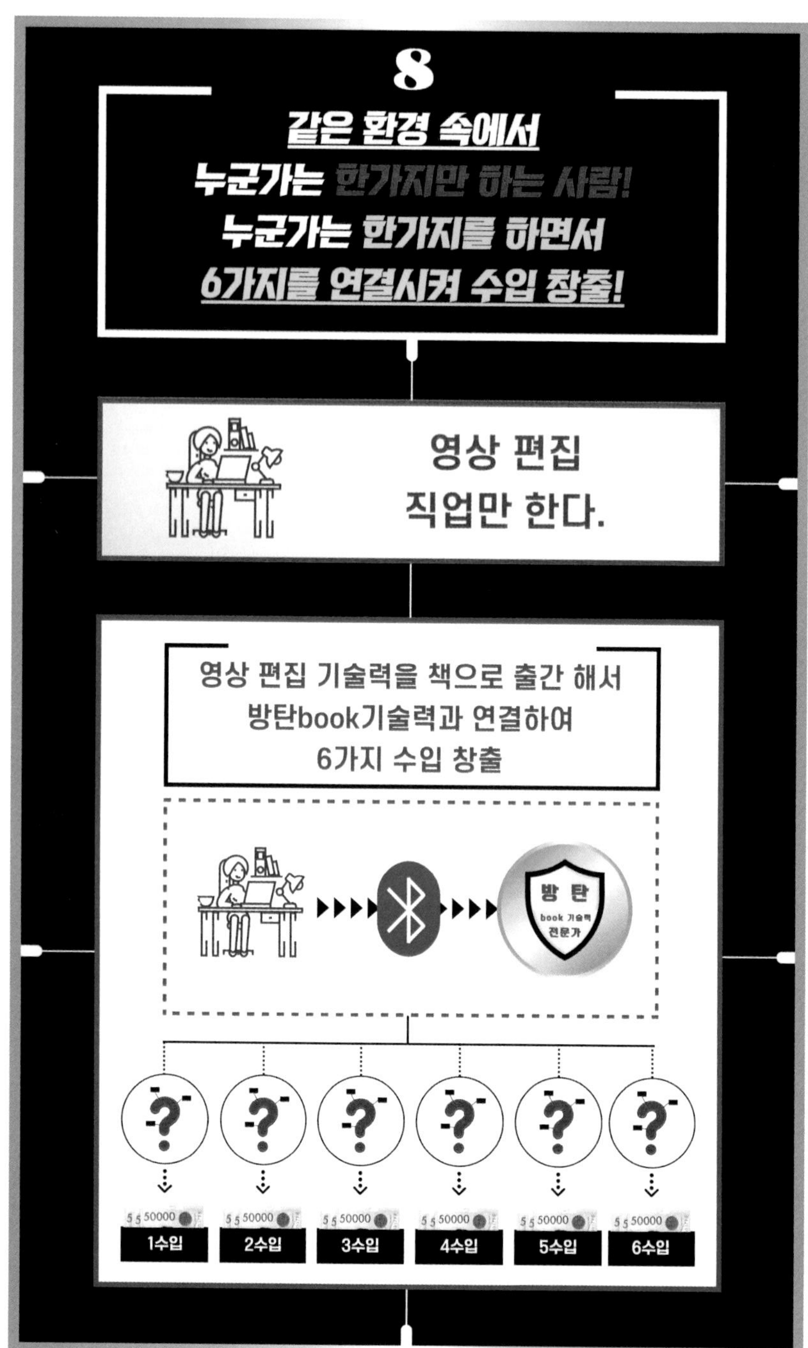
8
같은 환경 속에서
누군가는 한가지만 하는 사람!
누군가는 한가지를 하면서
6가지를 연결시켜 수입 창출!
영상 편집
직업만 한다.
영상 편집 기술력을 책으로 출간 해서
방탄book기술력과 연결하여
6가지 수입 창출
방 탄
book 기술력
전문가
1수입
2수입
3수입
4수입
5수입
6수입

9
같은 환경 속에서
누군가는 한가지만 하는 사람!
누군가는 한가지를 하면서
6가지를 연결시켜 수입 창출!
디자인 직업만 한다.
디자인 분야 책을 출간 해서
방탄book기술력과 연결하여
6가지 수입을 창출
방 탄
book 기술력
전문가
1수입
2수입
3수입
4수입
5수입
6수입

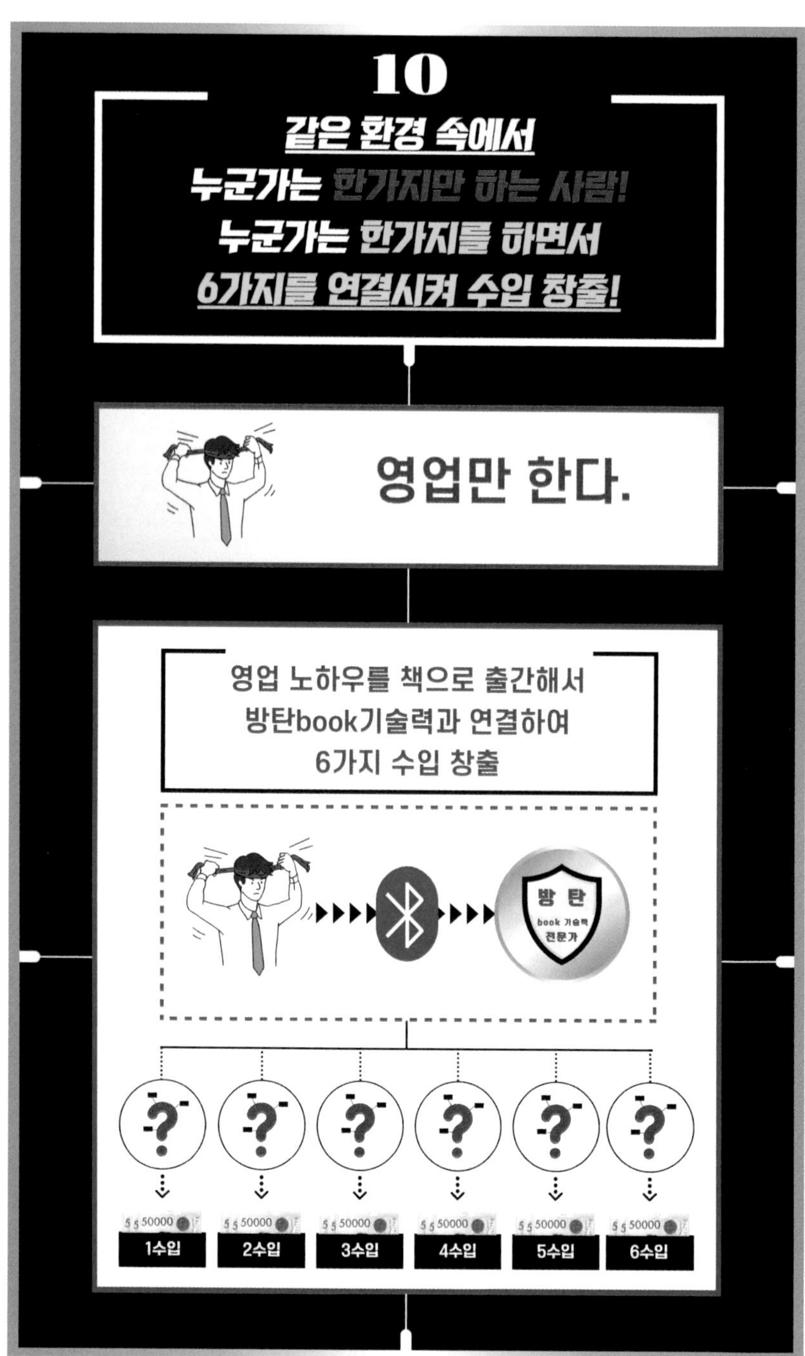
10
같은 환경 속에서
누군가는 한가지만 하는 사람!
누군가는 한가지를 하면서
6가지를 연결시켜 수입 창출!
영업만 한다.
영업 노하우를 책으로 출간해서
방탄book기술력과 연결하여
6가지 수입 창출
방 탄
book 기술력
전문가
1수입
2수입
3수입
4수입
5수입
6수입

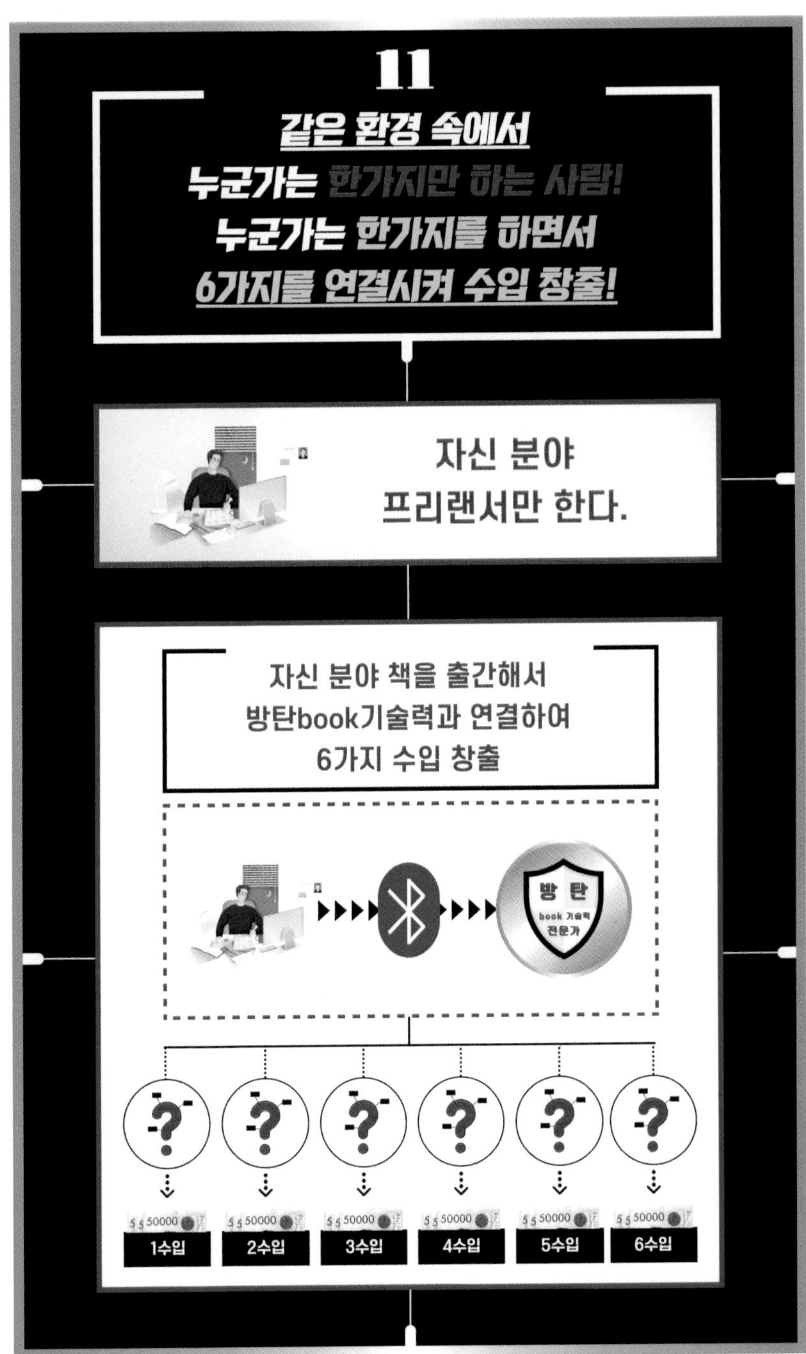
11
같은 환경 속에서
누군가는 한가지만 하는 사람!
누군가는 한가지를 하면서
6가지를 연결시켜 수입 창출!
자신 분야
프리랜서만 한다.
자신 분야 책을 출간해서
방탄book기술력과 연결하여
6가지 수입 창출
방 탄
book 기술력
전문가
1수입
2수입
3수입
4수입
5수입
6수입

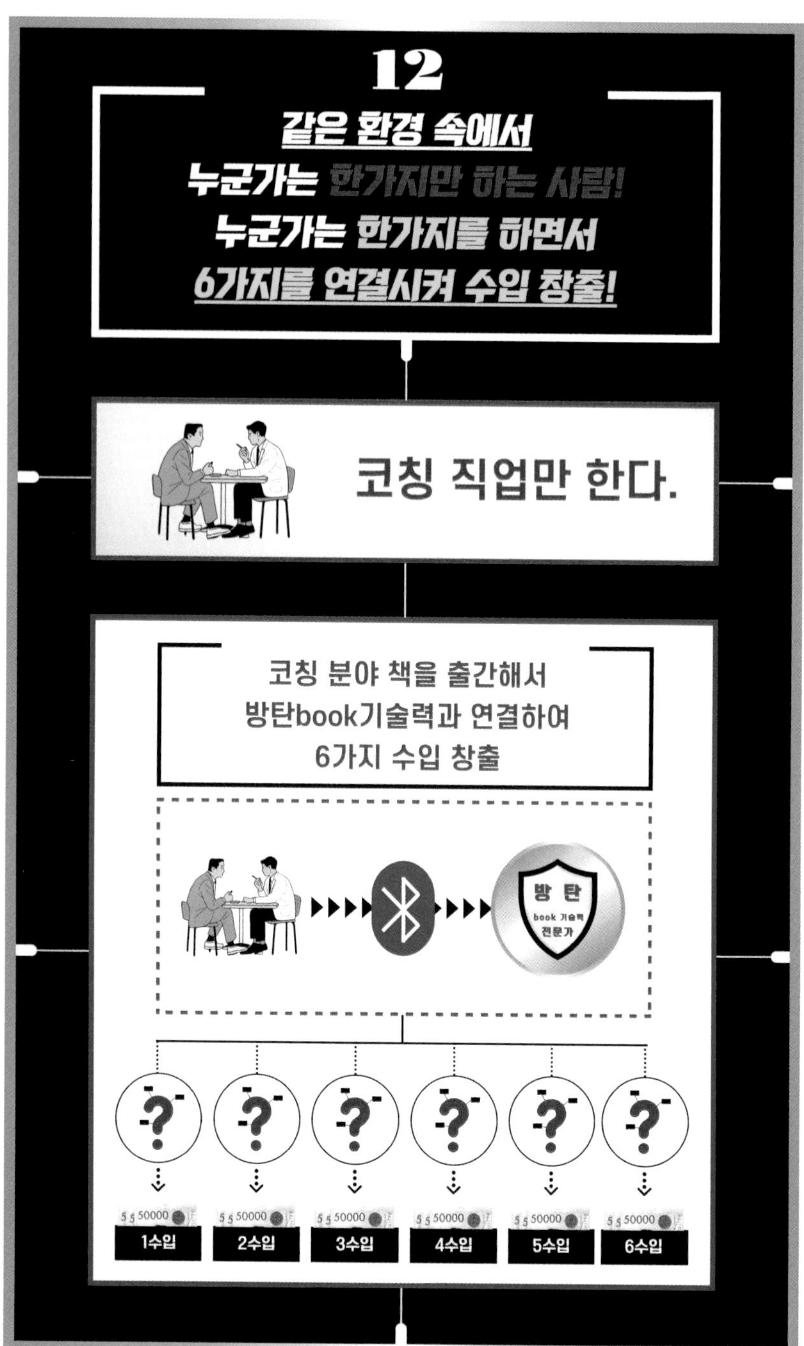
12
같은 환경 속에서
누군가는 한가지만 하는 사람!
누군가는 한가지를 하면서
6가지를 연결시켜 수입 창출!
코칭 직업만 한다.
코칭 분야 책을 출간해서
방탄book기술력과 연결하여
6가지 수입 창출
방 탄
book 기술력
전문가
1수입
2수입
3수입
4수입
5수입
6수입

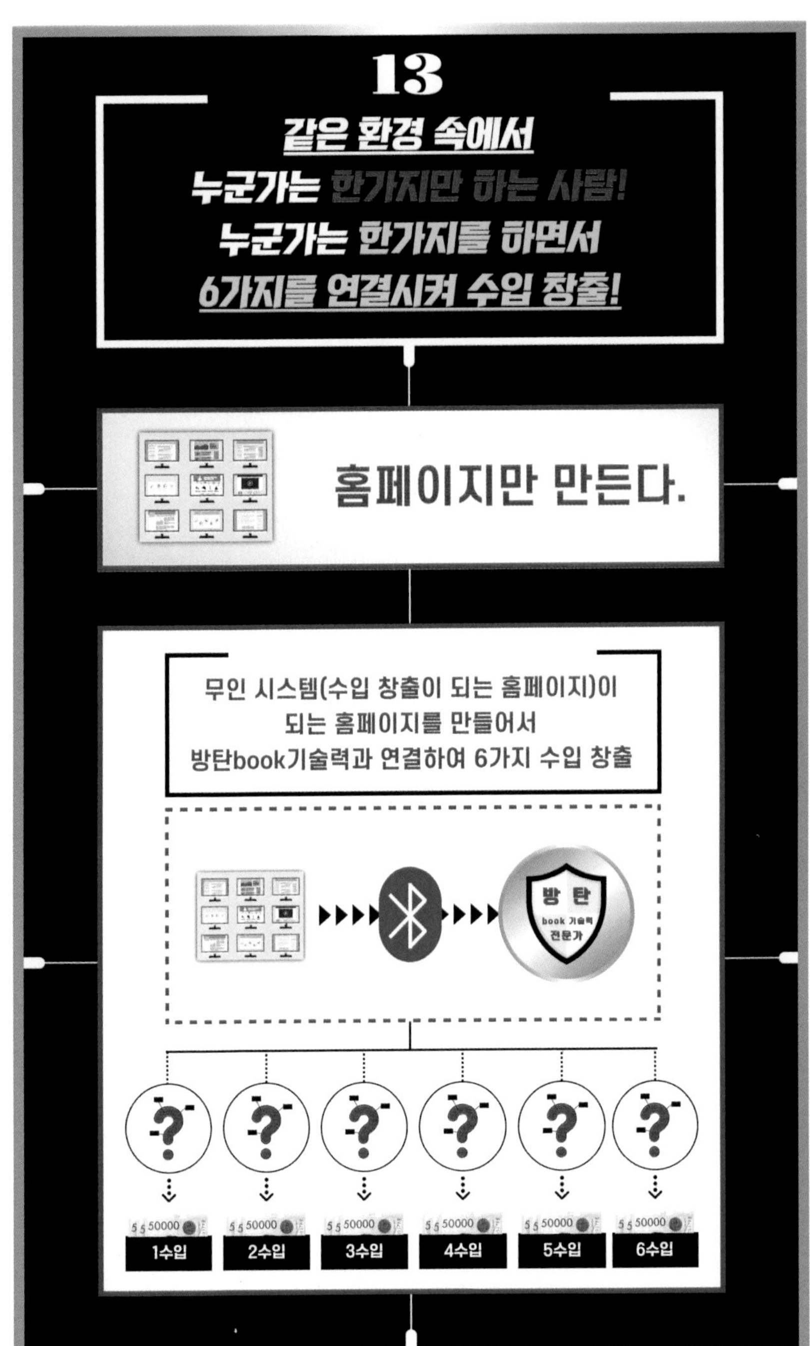
13
같은 환경 속에서
누군가는 한가지만 하는 사람!
누군가는 한가지를 하면서
6가지를 연결시켜 수입 창출!
홈페이지만 만든다.
무인 시스템(수입 창출이 되는 홈페이지)이
되는 홈페이지를 만들어서
방탄book기술력과 연결하여 6가지 수입 창출
방 탄
book 기술력
전문가
1수입
2수입
3수입
4수입
5수입
6수입

출간 한 책을 효율적으로 활용하기 위해서는 출간 한 책 내용을 PPT로 만들어서 교육, 강의, 코칭으로 수입을 극대화하고 출간 한 책 내용을 이미지(디자인) 작업을 통해 디지털콘텐츠를 제작하여 무인 시스템을 만들 수 있어야 한다.

작가 직업, 강사 직업에 대해서 세부적인 설명을 빼고 단순하게 말을 한다면 책을 출간하면 작가 직업, 강사 직업을 할 수 있는 조건이 충족된다. 한마디로 책을 출간하면 출간 한 책으로 교육, 강의, 코칭으로 돈을 벌 수 있다는 것이다.

교육, 강의, 코칭을 하려면 가장 기본인 PPT 자료가 있어야 한다. PPT 자료 없이 교육, 강의, 코칭으로 돈을 버는 사람도 있긴 있다. 하지만 PPT 자료 없이 교육, 코칭으로 돈을 버는 사람들은 0.1% 밖에 되지 않는다. 그만큼 PPT 자료 없이 교육, 강의, 코칭으로 돈을 번다는 것이 쉽지 않다는 것이다. 20,000명 심리 상담, 코칭하면서 알게 된 것은 스피치, 전달력, 암기능력이 좋지 않은데도 출간 한 책을 PPT 자료로 만들지 않고 교육, 강의, 코칭을 해서 자신 책을 죽이는 작가, 강사들이 너무 많다는 것을 알았다. 다음은 어떻게 자신 책을 자신이 죽이는지 깨닫게 해주는 내용이다.

자신 책을
자신이 죽이는
작가?
강사?
최보규 지음
자신 책을 죽이는 강의
☑ 체크리스트
책은 죽지 안는다!
다만 책을 죽이는
작가, 강사만 있다!
Google 자기계발아마존
YouTube 방탄자기계발
NAVER 방탄book기술력
NAVER 최보규

자신 책을 죽이는 강의

☑ 체크리스트

- ☑ 파워포인트 없이 강의를 한다.
- ☑ 파워포인트내용에 이미지 없이 텍스트만으로 강의한다.
- ☑ 시작동기부여, 아이스브레이킹, 스토리텔링기법
  강의 중간 스트레칭기법, 피크앤드기법...
  강의기법을 전혀 하지 않는다.
- ☑ 트랜드에 맞는 강의를 안 한다.
- ☑ 교육 담당자, 청중이 좋아하는 강의를 안 한다.
- ☑ 청중이 좋아하는 3D, 4D 강의가 무엇인지 모른다.

Google 자기계발아마존 | YouTube 방탄자기계발 | NAVER 방탄book기술력 | NAVER 최보규

자신 책을 죽이는 강의

☑ 체크리스트

- ☑ 청중들의 강의 듣는 심리 상황을 모르고 강의한다.
- ☑ 강의에 퍼포먼스가 전혀 없다.
- ☑ 강의 끝난 후 자신 책과 연결고리가 전혀 없다.
- ☑ 1개월~1년 강의할 수 있는 커리큘럼, 교안이 없다.

책 그렇게 쓰면 책 다 죽어!!!
책 출간 후 그렇게 강의하면 책 다 죽어!!!
책 출간 후 그렇게 홍보 하면 책 다 죽어!!!

Google 자기계발아마존 | YouTube 방탄자기계발 | NAVER 방탄book기술력 | NAVER 최보규

3개 이상
해당 되시는
작가, 강사님 들은
자신 책 심폐소생술
해야 할 상태라는
것 명심하세요!
Google 자기계발아마존
YouTube 방탄자기계발
NAVER 방탄book기술력
NAVER 최보규

나쁜 직원은 없다! 나쁜 리더만 있다!
나쁜 자녀는 없다! 나쁜 부모만 있다!
나쁜 개는 없다! 나쁜 보호자만 있다!

나쁜 책은 없다!
책을 죽이는 강의를 하는
나쁜 작가, 강사만 있다!
책 심폐소생술!

Google 자기계발아마존 | YouTube 방탄자기계발 | NAVER 방탄book기술력 | NAVER 최보규

작가님, 강사님
자신 책 죽이면 되겠습니까?
어떻게 해서 출간 한건데?
세계 최초! 공개합니다!
자신 책을 살리는
강의를 하기 위한
체크리스트
Google 자기계발아마존
YouTube 방탄자기계발
NAVER 방탄book기술력
NAVER 최보규

자신 책을 살리는 강의를 하는

☑ 체크리스트

☑ 시각적인 효과! 파워포인트 원 슬라이드 원 메시지, 원사진 공식을 지킨다!

☑ 가성비강의를 한다! (즐거움+메시지+스토리텔링+감동+실천 동기부여+실천 동기부여 도구)

☑ 강의기법 공식으로 강의한다!
인사스팟-마음을 여는 집중기법-시작 동기부여-스팟기법-스트레칭기법-메시지기법-스토리텔링기법-피크앤드기법

NAVER 방탄book기술력

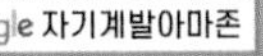

Google 자기계발아마존 | YouTube 방탄자기계발 | NAVER 방탄book기술력 | NAVER 최보규

자신 책을 살리는 강의를 하는

☑ 체크리스트

☑ 트랜드에 맞는 강의! 교육 담당자, 청중들이 좋아하는 강의, 강의 듣는 청중들의 심리 상태까지 공부해서 강의를 한다.

☑ 강의 끝난 후 간접영업을 할 수 있는 연결고리를 만든다. 유튜브, SNS, 블로그...

☑ 책 내용을 전부 강의 교안으로 만들어 1개월 ~ 1년을 할 수 있는 커리큘럼 제안서로 단타 강의가 아닌 장기적인 강의를 할 수 있도록 준비를 해논다.

NAVER 방탄book기술력

세상에
자신 책 죽이고 싶어하는
사람은 없습니다.
단지 책을 살리는
방법, 강의기법을 모를뿐이다.
방탄
book
NAVER 방탄book기술력
Google 자기계발아마존
YouTube 방탄자기계발
NAVER 방탄book기술력
NAVER 최보규

자신 책을 죽이는 작가, 강사 체크리스트 내용을 간단하게 정리를 하면 출간 한 책으로 교육, 강의, 코칭을 잘 해서 돈을 벌기 위해서는 첫 번째, 출간 한 책 내용을 PPT 자료로 만들어야 되고 두 번째, 프로강사처럼 교육, 강의, 코칭을 할 줄 알아야 된다는 것이다. 그래서 책 한 권 출간하고 끝나는 것이 아니라 책 한 권 출간으로 작가 직업, 강사 직업, 코칭 직업까지 할 수 있는 세계 최초! 출판계의 혁신! 방탄book기술력을 만들었다.

출간 한 책을 PPT로 만든 다는 것이 쉽지는 않다. 하지만 방법을 알면 마우(마우스만 움직일 줄 아는 우주 초보)도 가능하다는 것이다. 그 방법을 이 책에서 세계 최초로 오픈하는 것이다.

평균 희망 은퇴 73세, 현실 은퇴 나이 49세!
100세 시대 언제까지 몸(노동)으로만
일해서 돈을 벌 것인가?

세상, 현실 기준에서 스펙, 돈, 인맥, 자산 등이 없어서 100세까지 노동을 해야 되고 몸까지 아프면 더 답이 없는 상황! 젊을 때는 100가지 중 99가지를 할 수 있지만 나이 들면 100가지 중 99가지를 할 수 없다. 3고 시대, AI 시대, 챗GPT 시대에 자신의 직업이 사라 질 수 있는 상황에서 어떻게 준비, 대비할 것인가?

방탄BOOK기술력
선택이 아닌 필수!

★ 발표 PPT와 교육 PPT 차이점

출간 한 책을 PPT로 만드는 방법을 배우기 전에 발표 PPT, 교육 PPT 차이점을 알아야 한다. 출간 한 책으로 교육, 강의, 코칭을 통해 수입을 극대화하려면 발표 PPT가 아니라 교육 PPT를 만들어야 한다.

발표 PPT를 간단히 설명하면 전달하고 싶은 핵심 내용을 화려한 디자인과 역동적인 효과를 넣어서 10분 ~ 20분 안에 속된 말로 혹하게 만드는 것이다. 내용보다는 이미지를 극대화한다.

교육 PPT를 간단히 설명하면 교육 주제에 맞는 설명을 1시간 안에 이해하고 실천할 수 있게 만드는 것이다.
발표 PPT처럼 화려한 디자인과 역동적인 효과보다는 PPT 자료 각 장마다 혹하게 하는 것이 아니라 이해할 수 있게 만드는 것이 가장 큰 차이점이다.

좀 더 간단하게 비유를 해주겠다. 발표 PPT는 1시간 유튜브 영상을 1분 안에 압축해서 보여주는 숏츠다.
교육, 강의, 코칭 PPT는 1시간 유튜브 영상을 요약해서 10분 ~ 20분에 보여주는 영상이다.

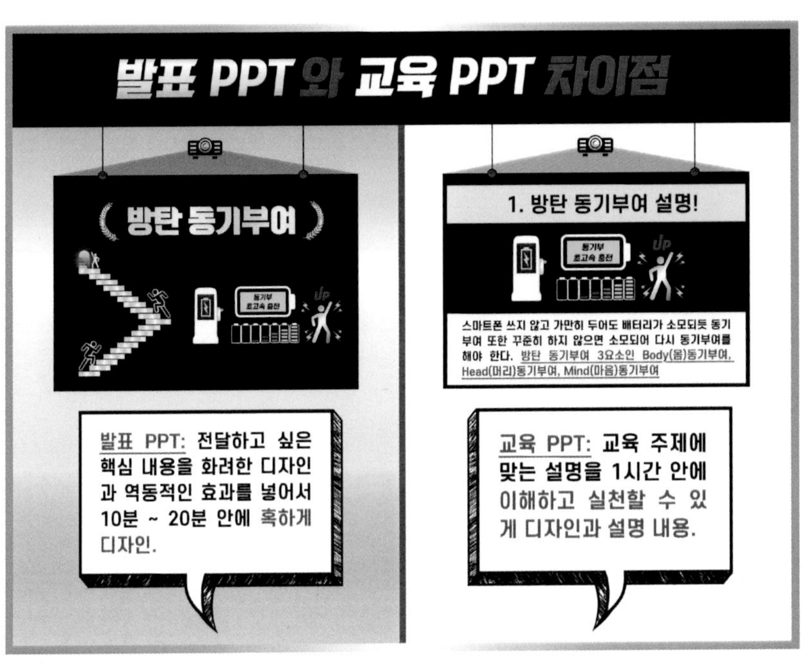

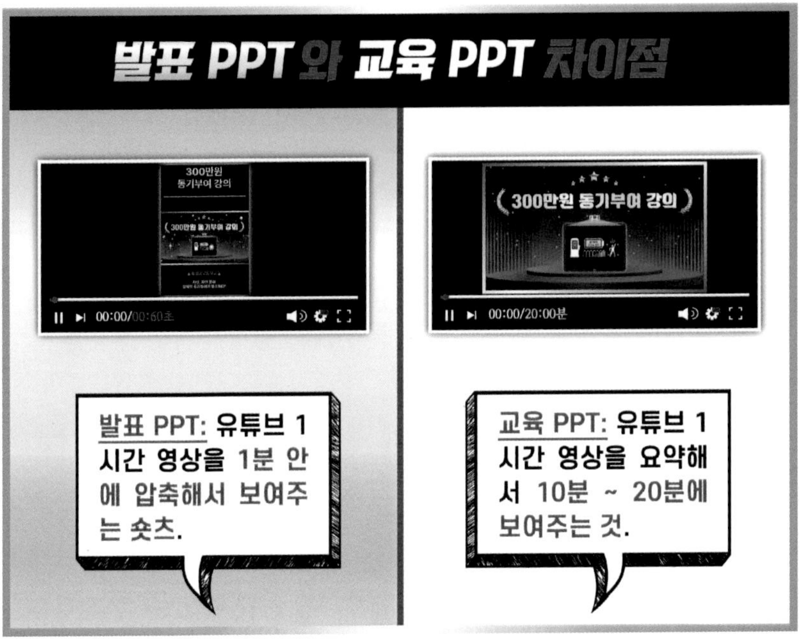

발표 PPT와 교육 PPT 차이점

300만원 동기부여 강의

00:00/00:60초

300만원 동기부여 강의

00:00/20:00분

발표 PPT: 유튜브 1시간 영상을 1분 안에 압축해서 보여주는 숏츠.

교육 PPT: 유튜브 1시간 영상을 요약해서 10분 ~ 20분에 보여주는 것.

발표 PPT는 PPT 실력이 높아야 되지만 교육 PPT는 마우(마우스만 움직일 줄 아는 우주 초보)도 가능하다는 것이다. 시중에 있는 디자인 플랫폼 프로그램을 활용한다면 발표 PPT처럼 PPT 실력이 높아야만 만들 수 있는 것도 가능하다.

필자에 PPT 수준이 마우(마우스만 움직일 줄 아는 우주 초보)인데도 종이책 150권, 전자책 250권 총 400권 출간하면서 디자인 한(교육 PPT 디자인, 책 표지 디자인, 책날개 디자인, 유튜브에 책 홍보 영상 제작, SNS 프로필 이미지 디자인, 책 출간 홍보 이미지 디자인, 무인시스템 이미지 디자인, 디지털 콘텐츠 디자인...) 모든 디자인을 전문가 수준으로 가능하게 해주었던 프로그램이 망고보드였다.

자신의 디자인 수준, PPT 수준이 마우(마우스만 움직일 줄 아는 우주 초보)라면 망고보드 프로그램은 천재일우다. (천재일우千載一遇: 천 년에 한 번 만난다는 뜻으로 좀처럼 만나기 어려운 기회)

자기계발서 150권, 전자책 250권 출간으로
삼성(진정성, 전문성, 신뢰성)이 검증된 전문가

Google 자기계발아마존 | YouTube 방탄자기계발 | NAVER 방탄자기계발사관학교 | NAVER 최보규

트렌디한 디자인이 필요할땐
망고보드
저작권 걱정 No 다양한 템플릿 제공
매주 새로운 고퀄리티의 템플릿이!
망고보드 1:1 코칭
최보규 망고보드 전문가
010-6578-8295
망고보드
쉽게
따라하기
세상에서 가장 쉬운 디자인!
마우스만 움직일 줄 알면 전문 디자인이 된다!
망고보드 1:1 코칭 한번으로
우주 책임감
150년 a/s, 피드백, 관리! 상담받자!
망고보드
핵심 팁!

쉬운 것도 모르면
우주에서 가장 어려운 것이 되고
알고 나면
우주에서 가장 쉬운 것이 된다.
80억 분의 1 검증된 전문가
(종이책 150권, 전자책 250권 총 400권 출간)
"우주 최초 우주 책임감!"
150년 a/s, 관리, 피드백
방탄book기술력 코칭
150년 a/s, 관리, 피드백 받으세요!
저거다! 방탄book기술력
Google 자기계발아마존
YouTube 방탄자기계발
NAVER 방탄book출판사
NAVER 최보규

★ 출간 한 책 내용을 교육 PPT로 만드는 기술력 세계 최초 오픈

1) 교육 PPT 슬라이드 한 장에 들어가는 콘셉트 순서

책 내용을 교육 PPT로 만들기 위해서는 교육 PPT 콘셉트를 잡아야 한다. PPT 작업의 기본 정석은 쓰리원(3one)이다. (3one: one 슬라이드, one 이미지, one 메시지) 한 장 슬라이드에 한 개의 이미지와 한 개의 메시지가 나올 수 있도록 PPT를 디자인해야 한다는 뜻이다.

교육 PPT는 학습자가 지금 보고 있는 PPT 슬라이드가 무엇을 설명하려고 하는지 제목을 눈으로 볼 수 있게 해야지만 교육 PPT 슬라이드 이해 속도가 빨라진다. 교육 PPT 슬라이드 한 장에 들어가는 콘셉트 순서를 정리하면 다음과 같다.

① 상단 제목, 목차, 핵심 문구 → ② 청중이 보는 방향 왼쪽에는 이미지 → ③ 청중이 보는 방향 오른쪽에는 메시지, 설명, 텍스트

필자가 말하는 순서가 정답은 아니다. 평균적으로 하는 방법을 알려주는 것이다. 평균적으로 하는 방법을 마스터한 다음에 시행착오를 거치면서 자신 스타일로 만들면 된다. 다음으로 나오는 이미지를 보면 이해가 빠를 것이다.

교육 PPT 슬라이드 한 장에 들어가는 콘셉트 순서
① 제목, 목차, 핵심 문구
② 이미지
특허청 등록
최보규 강사책출간 코칭전문가
등록 번호: 제 40-2200794 호
③
메시지
설명
텍스트

1시간 강사료 100만 원 받고 강의하고 있는 실전 강의 교안
교육 PPT 슬라이드 한 장에 들어가는 콘셉트 순서 (샘플)
1
자기계발, 동기부여 책 200권, 영상 300개, 교육을 들어도
자기계발, 동기부여가 안 되는 이유?
UP
녹화
오감이 자극
안 된다.
생방송
오감 자극
실천 동기부여가
안 되는
가장 큰 이유는
생방송이 아니라
녹화 방송으로
배우기 때문이다.

출간 한 책으로 교육 PPT로 만드는 기술력의 기본을 알았다면 이제는 학습자들, 청중들에게 자신의 책 내용을 500% 전달하기 위한 방탄 강의 기법, 방탄 스피치 기법을 활용해서 출간 한 책으로 어떻게 교육 PPT를 만드는지 설명하겠다.

출간 한 책으로 교육 PPT를 잘 만들려면 현재 학습자들, 청중들이 원하는 강의, 강사 트렌드를 알아야 한다. 앞으로 강의, 강사 트렌드를 알아야만 교육 PPT 교안 작업이 수월해지고 시간과 돈 낭비를 줄일 수 있다.

20,000명 심리 상담 코칭으로 알게 된 교육 담당자, 학습자들, 청중들이 바라는 강의, 강사 트렌드를 그 누구도말하지 못한 내용, 어떤 책에서도 나오지 않은 내용, 어떤 영상에서도 볼 수 없었던 내용을 세계 최초 공개한다.

강사 15년 / 강의 6,000회를 통해 알게 된 교육 담당자, 학습자가 바라는 강사

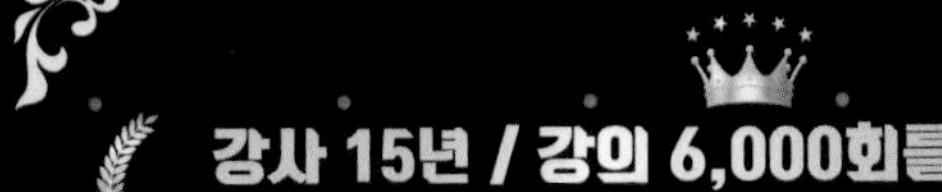

1. 가성비 강사 (1+4)

강의 시간 속에 즐거움, 메시지, 스토리텔링, 감동, 실천 동기부여를 해주는 강사

경기가 어려우면 교육을 의뢰하는 업체들은 이벤트, 교육 예산을 가장 먼저 비용 절감한다. 그래서 교육담당자들은 1명의 강사비로 5가지의 교육효과를 보고 싶어 한다. 한 번 교육 속에 즐거움, 메시지, 스토리텔링, 감동, 실천 동기부여를 해주는 가성비 강사를 선호한다. 가성비 강사는 시대 흐름이 되었다. 학습자들은 강의, 교육을 수 십 번 듣다 보니 일방적인 이론 교육만 하는 강의, 교육을 싫어한다. 가성비 강의를 하지 못하는 강사는 살아남지 못한다.

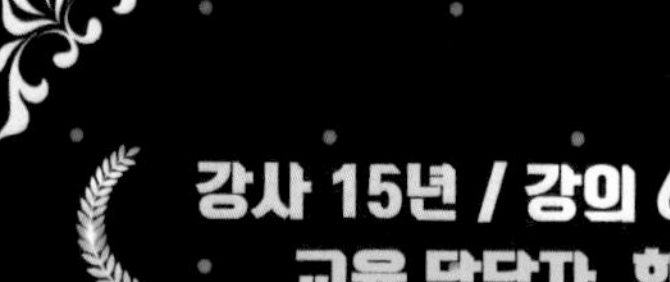

강사 15년 / 강의 6,000회를 통해 알게 된 교육 담당자, 학습자가 바라는 강사

Google 자기계발아마존 | YouTube 방탄자기계발 | NAVER 방탄자기계발사관학교 | NAVER 최보규

2. 스펙, 강사료 값어치를하는 강사

지금까지 들었던 강사와 다른 내공, 가치, 값어치가 다르게 느껴지는 강사

프로필에 있는 스펙은 1시간에 100만 원 강사비를 받는 자격은 되는데 강의 내용이 10만 원 강사보다 못한 강의를 하는 강사들이 많다. 한마디로 스펙, 강사료 값어치를 못 하는 강사가 많다는 것이다. 학습자가 강의를 들었을 때 "이런 강의는 나도 하겠다. 뻔한 강의, 차별화가 없는 강의, 신선함이 없는 강의, 강의 듣는 시간에 잠이나 자는 게 낫겠다. 이런 내용으로 하는 강의라면 강사 개나 소나 다하겠다."라는 마음을 들게 하면 최악의 강사다.

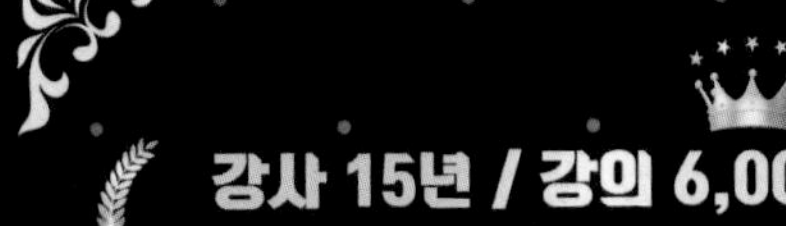

강사 15년 / 강의 6,000회를 통해 알게 된 교육 담당자, 학습자가 바라는 강사

Google 자기계발아마존 | YouTube 방탄자기계발 | NAVER 방탄자기계발사관학교 | NAVER 최보규

2. 스펙, 강사료 값어치를하는 강사

지금까지 들었던 강사와 다른 내공, 가치, 값어치가 다르게 느껴지는 강사

학습자가 강의를 들었을 때 "전에 비슷한 강의 수십 번 들었지만 이강사는 다르다. 프로필에 나온 스펙, 타이틀 값어치를 하는 강사다. 다시 듣고 싶게 하는 강의 내용이다. 강의 내용이 너무 좋아서 강사료를 더 챙겨 주고 싶게 만든다. 학습자를 사랑하는 마음이 느껴지는 강의다. 이런 강의는 10시간도 듣고 싶다."라는 마음을 들게 하는 강사가 가성비 강사이고 스펙, 강사료 값어치를 하는 강사이다. 강사가 스펙 값, 타이틀값, 경력 값을 하는 건 당연한 것이다.

강사 15년 / 강의 6,000회를 통해 알게 된 교육 담당자, 학습자가 바라는 강사

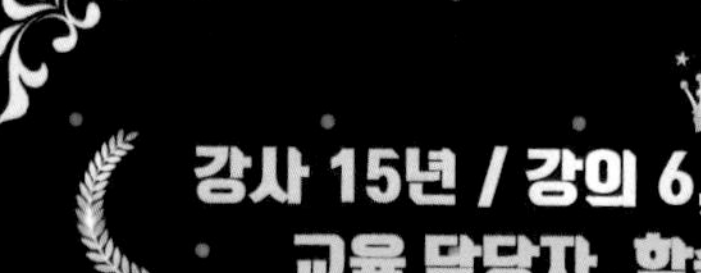

3. 실천할 수 있는 강의 사용 설명서를 주는 강사

강의 때 배운 것들 강의 끝난 후 활용할 수 있는 사용 설명서(도구)를 주는 강사

20,000명 심리 상담, 코칭 하면서 알게 된 것은 사람의 심리는 1시간 교육, 강의를 듣더라도 90%는 잊어버리고 10%만 기억을 한다. 10%를 기억하는 사람들 중에 실천하는 사람은 0.1%도 되지 않는다. 아무리 강의, 교육이 좋아도 기억이 나지 않는데 어떻게 생활 속에서 실천을 하겠는가? 돌아서면 다 잊어버리기 때문에 교육, 강의가 끝난 후에도 실천할 수 있는 매개체를 주어야 한다. 눈에 보여야 실천 확률이 높기에 시각적인 실천 동기부여 도구를 주어야 한다. 학습자들이 가장 바라는 것은 교육, 강의가 끝난 후에도 생활 속에서 실천 할 수 있게 해주는 것이다.

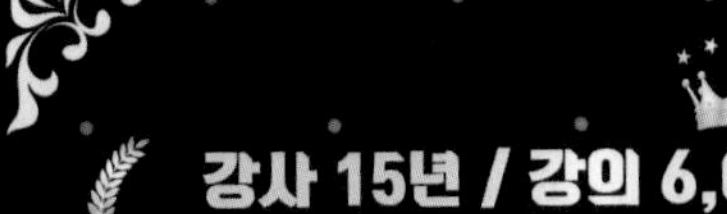

강사 15년 / 강의 6,000회를 통해 알게 된 교육 담당자, 학습자가 바라는 강사

Google 자기계발아마존 | YouTube 방탄자기계발 | NAVER 방탄자기계발사관학교 | NAVER 최보규

1. 가성비 강사 (1+4)

강의 시간 속에 즐거움, 메시지, 스토리텔링, 감동, 실천 동기부여를 해주는 강사

2. 스펙, 강사료 값어치를하는 강사

지금까지 들었던 강사와 다른 내공, 가치, 값어치가 다르게 느껴지는 강사

3. 실천할 수 있는 강의 사용 설명서를 주는 강사

강의 때 배운 것들 강의 끝난 후 활용할 수 있는 사용 설명서(도구)를 주는 강사

1. 가성비 강사가 되기 위해 강사 15년간 2,000권 독서 / 7,000개 메모 / 자기계발서 150권 출간을 통한 메시지, 스토리텔링 강의.

2. 학습자가 봤을 때 "이런 강의는 나도 하겠다."라는 말을 듣지 않고 쓰리 값(나이값, 스펙값, 강사료값)어치를 하기 위해서 **강사 11계 명 실천**으로 80억 분의 1 검증된 전문가다운 강의를 하는 강사.

3. 교육, 강의가 끝난 후에 생활 속에서 실천 동기부여를 할 수 있는 **도구, 사용 설명서**(강사 사비 제작)를 통해 변화, 성장할 수 있게 해주는 강사.

한 분야 전문성으로 힘든 시대다. 이제는 포트폴리오 커리어 시대다. (포트폴리오 커리어: 한 분야 전문성 외 다수에 전문성이 있는 사람) 자신 경력을 왜 썩히고 있는가! 자신 경력을 활용해서 6가지 수입을 발생시킬 수 있는 방탄book기술력! 언제까지 몸(노동)으로 일할 것인가? 자신 경력이 일하게 하자! 자신 콘텐츠가 일하게 하자! 시스템이 일하게 하자!

직장은 자신 인생을 책임져 주지 않지만
방탄book기술력은 자신 인생을 책임져 준다.
직장은 자신을 배신하지만
방탄book기술력은 자신을 배신하지 않는다.

2) 20,000명 심리 상담, 코칭 하면서 알게 된 방탄 강의 기법, 방탄 스피치 기법, 가성비 강의 기법 순서.

① 라포 형성 기법, 마음을 여는 기법(5분 ~ 10분)

(라포르(rapport), 래포, 라포 또는 라뽀는 사람과 사람 사이에 생기는 상호 신뢰관계를 말하는 심리학 용어이다. 서로 마음이 통한다든지 어떤 일이라도 터놓고 말할 수 있거나, 말하는 것이 충분히 감정적으로나 이성적으로 이해하는 상호 관계를 말한다. 원래 프랑스어의 '가져오다', '참조하다'에서 나온 말이다. 특히 심리치료, 교육, 치료 상담 등에 많이 적용되는데 예를 들어 기자가 취재 대상과 '라포르'를 형성하면 훨씬 더 많은 정보를 얻을 수 있다. 이러한 상호 의사소통은 언어적 차원을 넘어 정신적, 생리적 차원에서 동조화되거나 무의식적으로 따라 하는 거울효과를 나타내기도 한다. 이러한 특성은 무의식적인 인간 상호작용의 가장 중요한 특성을 나타낸다.)

교육, 강의를 듣는 학습자들, 청중들은 대부분은 기존에 친분이 있는 사람이다. 하지만 교육, 강의를 하는 강사는 처음 보는 사람이다. 사람의 심리는 처음 보는 사람은 경계를 하고 긴장상태가 된다. 친밀도 형성을 위해서 라포 형성 기법은 필수이다.

② 주제에 맞는 고.틀.선.편 깨기(5분 ~ 10분)

스마트폰 시대에 지금 학습자, 청중들은 강사보다 강의를 더 많이 듣고 접한다. 한마디로 강의를 듣는 수준, 강사를 보는 수준이 높아졌다는 것이다. 그래서 비슷한 주제에 교육, 강의를 한다고 하면 선입견을 가져 버린다. 한마디로 강의 주제에 대한 고정관념, 틀, 선입견, 편견이 생겨서 대부분 학습자, 청중들은 다음으로 나오는 심리가 생긴다. "전에 비슷하게 들었던 강의 주제다. 뻔한 강의하겠지, 다 아는 내용을 하겠지, 전에 몇 십 번 들었던 강의와 별 차이 있겠어? 앵무새처럼 다 아는 내용을 설명한다면 나도 강사 하겠다."

학습자, 청중들이 다 그런 건 아니지만 10명 중 9명은 강의에 대한 고정관념이 있다는 것이다. 지금 시대에 학습자, 청중들의 심리라는 것이다. 이런 상황이기 때문에 교육, 강의를 시작 할 때 무조건 주제에 맞는 고정관념, 틀, 선입견, 편견 깨는 스피치를 해줘야 한다.

방탄 강사 양성 코칭 할 때 늘 하는 말이 있다. "강의 시작 때 학습자들, 청중들의 고, 틀, 선, 편 깨지 못하면 강사료 받을 자격 없다."

학습자들, 청중들이 가지고 있는 고, 틀, 선, 편은 강사가 깨줘야 하는 의무가 있다. 그런데 학습자들, 청중들이 가지고 있는 고, 틀, 선, 편을 깨주지 못해서 1시간

~ 2시간 강의를 의미 없이 보내버린다면 강사 직업의 직무유기라는 것이다. “강사 직업의 직무유기”라는 말을 들으면 강사의 자질이 나오지 않는 강사들은 이런 말을 한다.

“듣는 사람 태도에 따라 강사의 태도가 나온다는 말이 있듯이 학습자들, 청중들이 고, 틀, 선, 편을 가지지 않고 교육, 강의를 들으면 되는 거 아닌가요? 교육, 강의하는 강사가 문제가 아니라 학습자들, 청중들이 문제인 거 같은데요. 강의하기도 힘든데, 강사비도 얼마 안 되는데... 학습자들, 청중들의 고, 틀, 선, 편까지 신경써야 되나요? 강의를 듣고 싶어 하는 사람에게만 강의 하면 되는 거 아닌가요?”

20,000명 심리 상담, 코칭 하면서 알게 된 내용으로 한 문장씩 설명을 하겠다.

- “듣는 사람 태도에 따라 강사의 태도가 나온다는 말이 있듯이 학습자들, 청중들이 고, 틀, 선, 편을 가지지 않고 교육, 강의를 들으면 되는 거 아닌가요?” 교육, 강의하는 강사가 문제가 아니라 학습자들, 청중들이 문제인 거 같은데요.

듣는 사람 태도에 따라 강사의 태도가 나온다는 말이

다 통용(일반적으로 두루 쓰이다) 되는 것이 아니다.
학습자들, 청중들 수준이 일반적이라면 통용되지 않는 것이고 학습자들, 청중들 수준이 일반적인 수준이 아닌 높은 수준이라면 통용되는 것이다.
강의를 하는 강사가 어떤 분야 강의를 하고 어떤 대상자들을 많이 접하는가? 수준이 높은 사람들을 상대로 교육, 강의를 하는가? 수준이 일반적인 사람들 상대로 교육, 강의를 하는가? 90%의 평균적인 강사들은 학습자들, 청중들 수준이 일반적인 수준을 가지고 있는 사람들에게 강의를 할 것이다. 그래서 결론은 일반적인 수준을 가지고 있는 사람들에게 '고, 틀, 선, 편을 가지지 말고 교육, 강의를 들으세요.'라는 태도로 강의 주제에 대한 고, 틀, 선, 편을 깨주기 않고 강의를 하면 강사 직무유기라는 것이다.

- 강의하기도 힘든데, 강사비도 얼마 안 되는데... 학습자들, 청중들의 고, 틀, 선, 편까지 신경 써야 되나요?

강의를 못해서 강사료가 적다는 생각을 하는 강사들이 드물다. 20,000명 심리 상담, 코칭 하면서 알게 된 것은 강사 직업 3년 이상만 하면 90% 강사들 심리 상태가 거만, 자만, 우월함이 하늘을 찌른다. 앞자리에서 말을 하는 직업에 따라다니는 앞자리 병(거만, 자만, 우월함)

을 컨트롤하지 못하면 직업병에 걸려서 오래 지속 못한다. 강사비가 낮은 강의 분야를 하면서 강사료가 적다고 불만을 가진다. 자신 강의 분야의 강사료가 낮게 정해져 있고 강사료가 적은 강의 분야를 하면서 강사료가 적은 건 당연한 것이다. 강사료를 많이 받고 싶다면 강사료를 많이 주는 강의 분야를 하면 되기에 불만을 가질 것이 아니라 강사료 많이 주는 강의 분야를 준비해서 자신의 강사 몸값을 올리면 되는 것이다. 강사료가 적다고 탓하기 전에 자신이 원하는 강사료 값어치를 하는지 먼저 알아야 한다.

90%의 학습자들, 청중들의 고, 틀, 선, 편을 가지고 있기에 고, 틀, 선, 편을 깨줘야 다른 강사와 다르다는 것을 보여줬을 때 "와! 이 강사는 다르다. 지금까지 몇 십 번 비슷한 강의 들었지만 이번 강의는 다르다."라는 마음을 들게 하여 강의 평점이 좋게 나올 때 강사의 몸값이 올라가는 것이다. 당연히 강의만 잘 한다고 강사 몸값, 강사료가 올라가는 것은 아니다. 부수적으로 강사 스펙이 뒷받침되어야 하지만 강사료를 올리기 위해서는 가장 기본은 강의를 잘해야 한다. 강의를 잘한다는 마음을 들게 해주려면 90%의 학습자들, 청중들의 고, 틀, 선, 편을 가지고 있는 것을 깨줘야 한다. 돈이 안 된다고 탓하기 전에 그만큼 돈을 벌 수 있는 자격이 되는지

를 봐야 한다.

- 강의를 듣고 싶어 하는 사람에게만 강의하면 되는 거 아닌가요?"

강의가 듣고 싶어서 강의를 듣는 사람들은 10% 밖에 되지 않는다. 기업체, 협회, 단체에서 강의를 주최할 때 상반기, 하반기 주기적으로 의무 교육, 일반 교육을 해야 되는 할당량이 있다. 평균적으로 교육, 강의를 좋아하는 사람은 극소수고 마지못해서 교육, 강의 듣는 사람들이 대부분이다. 이런 상황에서 강의를 듣고 싶어 하는 사람에게만 강의를 한다? 쉽지가 않다.

강의를 듣고 싶어 하는 사람에게만 강의하는 경우는 수십만 원, 수백만 원 자신의 돈을 지불하고 교육, 강의, 코칭을 받는 사람들은 자신의 돈이 들어갔기 때문에 교육, 강의 듣는 태도가 다르다.

강사 자신 강의 분야가 사람들이 선호하는 강의 분야가 아닌데 어떻게 자신의 강의를 듣고 싶어 하는 사람에게만 강의를 할 것인가? 자신의 강의가 학습자들, 청중들이 선호하는 가성비 강의를 하는 강사인가? (가성비 강의: 즐거움+메시지+스토리텔링+감동+실천 동기부여 도구 제공)

대부분 강사들이 앵무새 강사처럼 강의를 한다. 강사 초보 시절에 강사 양성교육 때 받은 PPT 교안으로 3년 차 때까지 재탕, 3탕, 4탕, 5탕, 탕탕탕 글씨 하나 바꾸지 않고 3년 전에 받은 PPT 교안으로 10년 차... 강사 직업이 끝날 때까지 강의를 하는데, 자신도 강의하면서 자신 강의가 지루하다고 느끼는 강의를 하는데 어떻게 강의를 듣고 싶어 하는 사람에게만 강의하고 싶다고 말을 하는가? 이런 말을 하는 강사들은 강사인성 교육을 받지 않아서 그런 말을 하는 것이다. 방탄 강사 양성 교육을 받은 강사들은 절대로 그런 말을 하지 않는다. 강사 양성 교육 때 강사 인성 교육까지 할 수 있는 교육기관은 단언컨대 세계에서 방탄강사발사관학교 뿐이다.

강사 직업에서 자신의 강의를 듣고 싶어 하는 사람에게만 강의를 하는 경우는 1%도 되지 않는다는 것이고 99%는 교육, 강의를 싫어하는 사람들이라는 것을 명심해야 한다. 그래서 강사의 사명은 듣기 싫어하는 자신 분야 강의를 어떻게 하면 듣고 싶게 만들기 위해서 끊임없이 강의 기법을 학습, 연습, 훈련해야 한다.

기존에 강의 들으면서 생겼던 고, 틀, 선, 편 있는 것을 자신의 강의를 듣고 "비슷한 강의 수십 번 들었지만 이번 강의처럼 새롭게 느껴지게 만드는 강의는 처음이다. 이런 강의는 10시간도 듣고 싶다."라는 마음으로 바뀌

줄 수 있는 강의를 하는 가성비 강사가 되어야 한다.

③ 서론

강의 주제에 맞는 서론 내용 PPT

④ SPOT 기법, 강의 집중 기법, 강의 환기 기법(2분 ~ 5분)

20분 ~ 30분이 지나면 집중도가 떨어진다. 분위기 전환을 통해 남은 시간을 위해서 집중도를 올려야 한다.

⑤ 본론

강의 주제에 맞는 본론 내용 PPT

⑥ SPOT 기법, 강의 집중 기법, 강의 환기 기법

분위기 전환을 통해 남은 시간 위해서 집중도를 올려야 한다.

⑦ 결론

강의 주제에 맞는 결론 내용 PPT

⑧ SPOT 기법, 강의 집중 기법, 강의 환기 기법

분위기 전환을 통해 남은 시간을 위해서 집중도를 올려야 한다.

⑨ 총정리

서론 핵심 내용, 본론 핵심 내용, 결론 핵심 내용 정리

⑩ 피크앤드법칙(The Peak End Rule)

시간 속에 가장 절정에 이르렀을 때와 가장 마지막 경험의 평균값으로 결정된다. 1시간 동안 교육, 강의를 듣고 강의 끝난 후 생활 속에서 하나라도 기억을 하고 실천하게 만들 수 있는 강사가 최고의 강사이다. 하지만 교육, 강의를 듣고 돌아서면 99%가 잊어버린다. 한 가지라도 기억나게 해서 실천할 수 있도록 강력한 동기부여를 해줘야 한다.

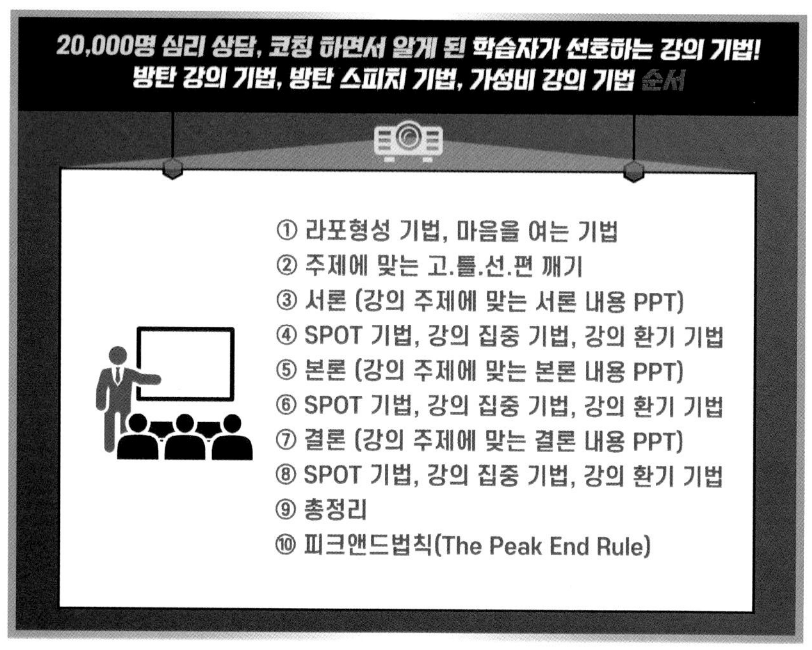

ONLY ONE
"80억 분의 1 검증된 전문가"
특허청 등록
최보규 강사책출간 코칭전문가
등록 번호: 제 40-2200794 호
특허청 등록
최보규 자기계발코칭 창시자
등록 번호: 제 40-2072344 호
특허청 등록
최보규 리더동기부여 코칭전문
등록 번호: 제 -2128786 호
대한민국 강사 섭외 NO1 '강사야'
'강사야' "대표 일타 강사 최보규"
GANGSAYA 강사섭외
최보규
로그인 회원가입
전체분야 강사프로필 섭외문의 분야별특강 커뮤니티 추천강사
섭외문의무료등록
최보규강사
특허청 등록으로 검증된 강사!
방탄 동기부여/리더십/자기계발
동기부여/리더십/자기계발 업데이트!
저서 100권의 내공을 통한 세계 최초 1+4를 주는 가성비 강사!
(강의메세지+즐거움+스토리텔링+실천 사용 설명서 제공)
Google 자기계발아마존
YouTube 방탄자기계발
NAVER 강사야
NAVER 최보규

최보규 방탄강사 창시자

저는 입으로 강의하지 않겠습니다.
제 삶으로 강의하겠습니다.
저는 가르치지 않겠습니다.
제 삶으로 가르치겠습니다.
최보규강사는 명강사, 스타강사가 아닙니다!
그래서 한 달에 15권 책을 보고 메모하며
강의 준비, 솔선수범 하고 있습니다!
최보규강사 보다 강의 잘하는 사람은 많습니다!
다만 최보규강사 만큼 학습자를
사랑하는 강사는 세상에 없을 것입니다!

최보규 방탄동기부여 신조

들어라 하지 말고 듣게 하자.
누구처럼 살지 말고 나답게 살자.
좋아하게 하지 말고 좋아지게 하자.
마음을 얻으려 하지 말고 마음을 열게 하자.
믿으라 말하지 말고 믿을 수 있는 사람이 되자.
좋은 사람을 기다리지 말고 좋은 사람이 되어주자.
보여주는(인기) 인생을 사는 것이 아닌
보여지는(인정) 인생을 살아가자.
나 이런 사람이야 말하지 않아도
이런 사람이구나 몸, 머리, 마음으로 느끼게 하자.

최보규 강사 11계명

1. 학습자에게 섬김을 받으려는 강의가 아닌 학습자를 섬길 수 있는 강의를 하겠습니다.
2. 오늘이 마지막 날인 것처럼 강의하고 영원히 살 것처럼 학습자에게 배우겠습니다.
3. 강의 있는 전날에는 최상의 컨디션을 유지 하기 위해 건강관리, 목 관리, 자기관리 하겠습니다.
4. 강의장 1시간 전에 도착해서 강의 마음가짐 준비하겠습니다.
5. 강의장 가장 먼저 도착 강의 끝난 후 가장 늦게 나오겠습니다.
6. 내 삶이 강의고 강의가 내 삶이 되도록 행동하겠습니다.
7. 힘들게 배운 강의 노하우를 아낌없이 주겠습니다.
8. 어떻게 하면 학습자에게 즐거움? 행복? 메시지? 감동? 희망? 사랑?을 줄 것인가에 항상 생각하며 공부하겠습니다.
9. TV보다 책을 더 보겠습니다. 10. 공인이라는 마음으로 솔선수범하겠습니다.
11. 강사의 자존심 아침에 나올 때 신발장에 넣고 나오겠습니다.

방탄강사 백신

★ 잘난 강사가 되지 않고 진실한 강사가 되겠습니다! 잘난 강사는 피하고 싶어지지만 진실한 강사는 곁에 두고 싶어집니다!

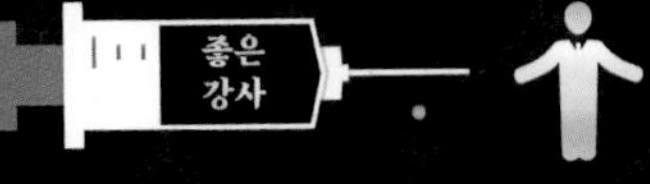

★ 대단한 강사가 되지 않고 좋은 강사가 되겠습니다! 대단한 강사는 부담을 주지만 좋은 강사는 행복을 줍니다

★ 멋진 강사가 되지 않고 따뜻한 강사가 되겠습니다! 멋진 강사는 눈을 즐겁게 하지만 따뜻한 강사는 마음을 데워 줍니다.

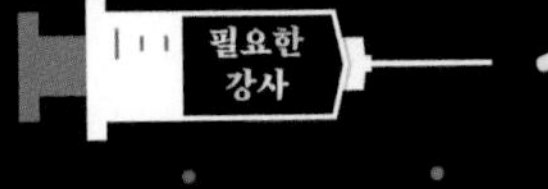

★ 유명한 강사가 되지 않고 필요한 강사가 되겠습니다! 유명한 강사는 환상을 주지만 필요한 강사는 배움, 성장, 지혜를 줍니다.

3) 책 목차 별로 교육 PPT로 만드는 기술력

출간 한 책을 교육 PPT로 만드는 분량은 기본 1시간, 특강(2시간)을 기준으로 만든다. 1시간 ~ 2시간 교육 PPT를 만들 수 있다면 3개월, 6개월, 1년 교육 PPT도 만들 수 있다.

강사가 책을 출간했다면 교육 PPT 교안 작업이 좀 더 수월할 것이지만 일반 사람이 출간 한 책으로 교육, 강의, 코칭 수입을 올리기 위해서 교육 PPT를 만들기는 쉽지는 않다. 하지만 걱정 1%도 하지 않아도 된다. 세계 최초 출판개의 혁신인 방탄book기술력 코칭을 받으면 일반 사람도 충분히 만들 수 있다. 지금 상담 받으면 천재일우가 온 것이고 "다음에 상담 받아야지" 하는 순간 천재일우가 사라진다.

★ 최보규 방탄book기술력 창시자 010-6578-8295 ★

시중에 책 출간 교육, 코칭 하는 전문가 중에 책 쓰기, 책 출간만 교육, 코칭만 한다. 책 쓰기, 책 출간 교육, 코칭 하면서 출간 한 책으로 교육, 강의, 코칭 할 수 있는 PPT 교안까지 만드는 방법을 알려주는 사람은 최보규 전문가 뿐이다. 단언컨대 세계에서 유일하다!

"함께 잘되고 잘 살자" 신념이 있기에 방탄book기술력 코칭 할 때 오픈하는 기술력을 지금 이 책에 세계 최초로 오픈하는 것이다.
그 무엇이든 세상에서 가장 쉽게 배우는 방법은 벤치마킹하는 것이다. 만들어져 있는 방법 예시를 반복해서 학습하고 따라 한다면 가장 빠르게 기술력을 배울 수 있다는 것이다.

다음으로 나오는 출간 한 《방탄 리더 동기부여》 책을 방탄 동기부여 교육, 강의, 코칭 PPT로 만들었던 것을 참고해서 벤치마킹하길 바란다.

- 출간 한 《방탄 리더 동기부여》 책을 교육 PPT로 만드는 기술력

※. 방탄 동기부여 2시간 강의 강사료 200만 원 교안을 오픈 한다는 것은 강사의 통장을 오픈하는 거와 같고 영업 기밀을 오픈하는 거와 같다.

▶ 특허청 등록 법

※ 상표 및 상호를 무단 도용할 경우
[특허법]에 의해 1억 원 이하의 벌금, 7년 이하의 형사 처분을 받을 수 있습니다.

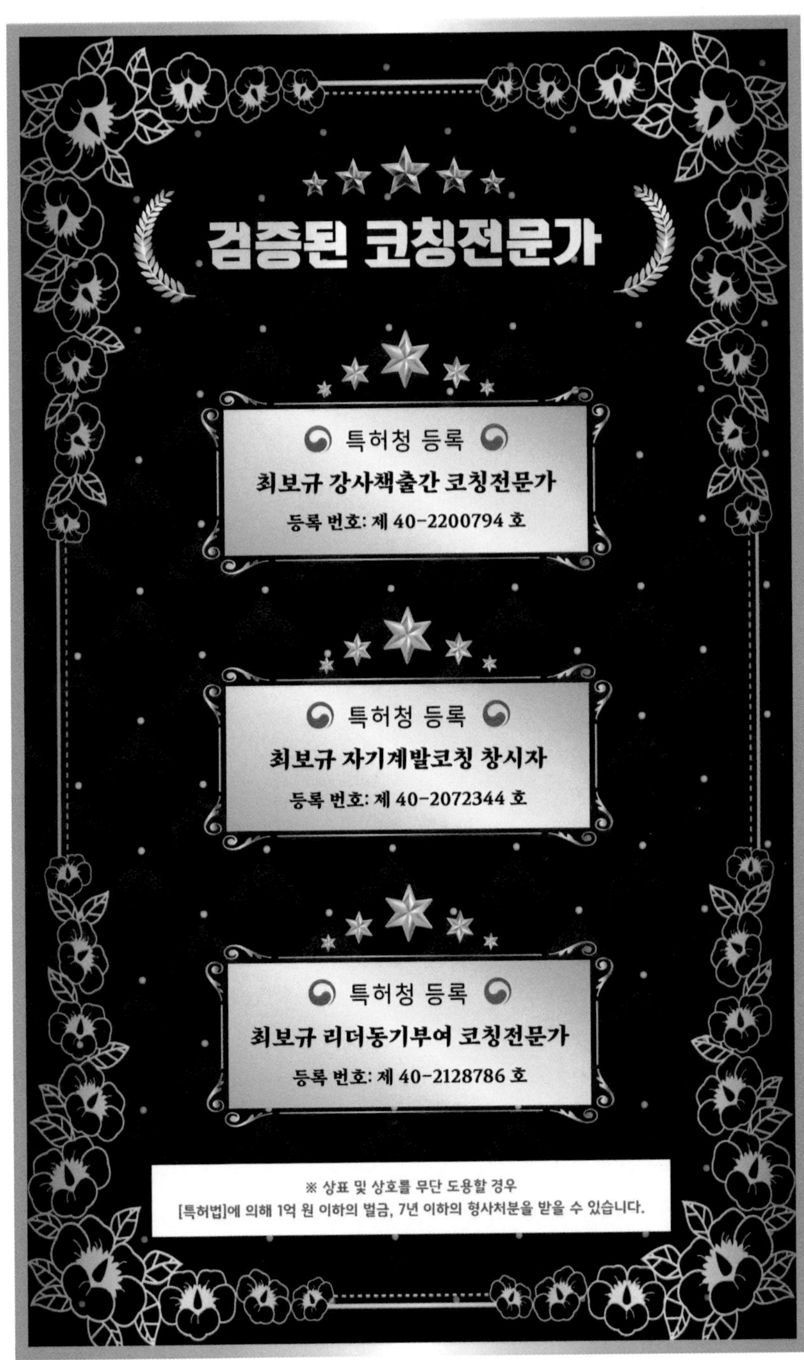
검증된 코칭전문가
특허청 등록
최보규 강사책출간 코칭전문가
등록 번호: 제 40-2200794 호
특허청 등록
최보규 자기계발코칭 창시자
등록 번호: 제 40-2072344 호
특허청 등록
최보규 리더동기부여 코칭전문가
등록 번호: 제 40-2128786 호
※ 상표 및 상호를 무단 도용할 경우
[특허법]에 의해 1억 원 이하의 벌금, 7년 이하의 형사처분을 받을 수 있습니다.

저작권법

출간 한 《방탄 리더 동기부여》 책을 2시간 특강(방탄 동기부여) 교육 PPT로 만들었던 순서를 먼저 설명하고 ① ~ ⑩번 하나씩 디자인한 교육 PPT를 오픈하겠다.

① 방탄 동기부여 라포형성 기법, 마음을 여는 기법
② 방탄 동기부여 고, 틀, 선, 편 깨기
③ 방탄 동기부여 서론
- 방탄 리더 동기부여 교육 PPT 목차 1
  · [출간 한《방탄 리더 동기부여》 책 내용]
  · [출간 한《방탄 리더 동기부여》 책 내용을 방탄 동기부여 교육 PPT로 디자인]
- 방탄 리더 동기부여 교육 PPT 목차 2
  · [출간 한《방탄 리더 동기부여》 책 내용]
  · [출간 한《방탄 리더 동기부여》 책 내용을 방탄 동기부여 교육 PPT로 디자인]
④ SPOT 기법, 강의 집중 기법, 강의 환기 기법
⑤ 방탄 동기부여 본론
- 방탄 리더 동기부여 교육 PPT 목차 3-1
  · [출간 한《방탄 리더 동기부여》 책 내용]
  · [출간 한《방탄 리더 동기부여》 책 내용을 방탄 동기부여 교육 PPT로 디자인]
- 방탄 리더 동기부여 교육 PPT 목차 3-2
  · [출간 한《방탄 리더 동기부여》 책 내용]

· [출간 한《방탄 리더 동기부여》책 내용을 방탄 동기부여 교육 PPT로 디자인]

- 방탄 리더 동기부여 교육 PPT 목차 3-3

· [출간 한《방탄 리더 동기부여》책 내용]

· [출간 한《방탄 리더 동기부여》책 내용을 방탄 동기부여 교육 PPT로 디자인]

⑥ SPOT 기법, 강의 집중 기법, 강의 환기 기법

⑦ 방탄 동기부여 결론

- 방탄 리더 동기부여 교육 PPT 목차 4

· [출간 한《방탄 리더 동기부여》책 내용]

· [출간 한《방탄 리더 동기부여》책 내용을 방탄 동기부여 교육 PPT로 디자인]

- 방탄 리더 동기부여 교육 PPT 목차 5

· [출간 한《방탄 리더 동기부여》책 내용]

· [출간 한《방탄 리더 동기부여》책 내용을 방탄 동기부여 교육 PPT로 디자인]

⑧ SPOT 기법, 강의 집중 기법, 강의 환기 기법

⑨ 방탄 동기부여 총 정리

⑩ 방탄 동기부여 피크엔드법칙(The Peak End Rule)

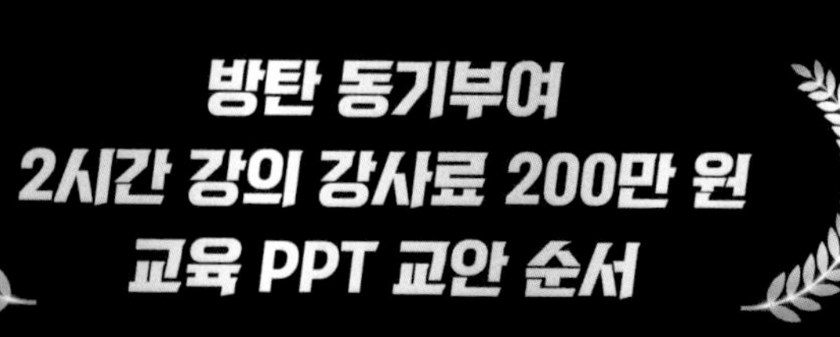
방탄 동기부여
2시간 강의 강사료 200만 원
교육 PPT 교안 순서

방탄 동기부여
동기부여는 누구나 한다.
다만 방탄 동기부여는 아무나 못한다.

① 방탄 동기부여 라포 형성 기법, 마음을 여는 기법
② 방탄 동기부여 고.틀.선.편 깨기
③ 방탄 동기부여 서론
④ SPOT 기법, 강의 집중 기법, 강의 환기 기법
⑤ 방탄 동기부여 본론
⑥ SPOT 기법, 강의 집중 기법, 강의 환기 기법
⑦ 방탄 동기부여 결론
⑧ SPOT 기법, 강의 집중 기법, 강의 환기 기법
⑨ 방탄 동기부여 총정리
⑩ 방탄 동기부여 피크앤드법칙(The Peak End Rule)

① 방탄 동기부여 라포 형성 기법, 마음을 여는 기법

80억 분의 1 검증된 동기부여 전문가 가치, 내공, 값어치!
특허청 등록
20,000명 심리 상담, 코칭
2,000권 독서
자기계발서 100권 출간
강사 15년
7G 직업
45년간 습관 320가지 만듦
현] 방탄자기계발사관학교 대표
현] 자기계발아마존 CEO
현] 방탄book 출판사 대표
현] 방탄강사사관학교 코칭전문가
현] 사랑의전화 카운슬러
현] 방탄자기계발 유튜버
현] 클래스101 전속 작가
현] 최보규상(대한민국 노벨상)창시자
책100권 출간
상담 17,000회
코칭 13,000회
강의 경력 6,200회
Google 자기계발아마존
YouTube 방탄자기계발
NAVER 방탄동기부여
NAVER 최보규

명품 동기부여
최보규
네이버 인물정보 등록 34만 명! (2016년 기준)
대한민국 1% 미만 "네이버 명예의 전당" 인물정보 등록!
전체 프로필 최근활동 도서
프로필
소속 방탄자기계발사관학교/방탄북(BOOK)출판사(대표)
수상 2016년 제1회 세계를 빛낸 천사상 대상
경력 방탄자기계발사관학교/방탄북(BOOK)출판사 대표
방탄자기계발사관학교 대표
2012.05~2016.06 사랑의전화 전화상담 자원봉사자
2014.11 행복사관학교 대표
사이트 유튜브, 블로그, 네이버TV, 페이스북, 공식홈페이지
도서 108건
자기계발서 150권 출간으로
삼성(진정성, 전문성, 신뢰성)이 검증된 전문가
명품 자기계발

방탄 동기부여 Quiz!

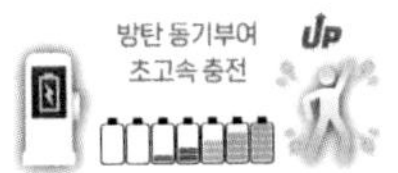

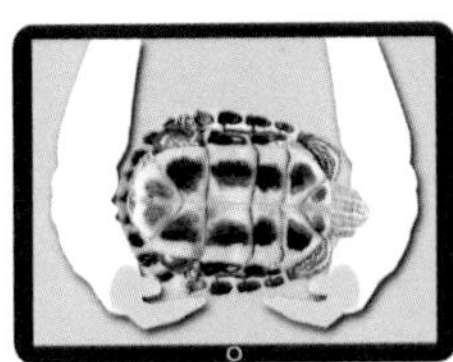

거북이를 들면 머리, 다리를 몸 안으로 넣는다!

거북이 머리를 빼는 방법?

방탄 동기부여 Quiz!

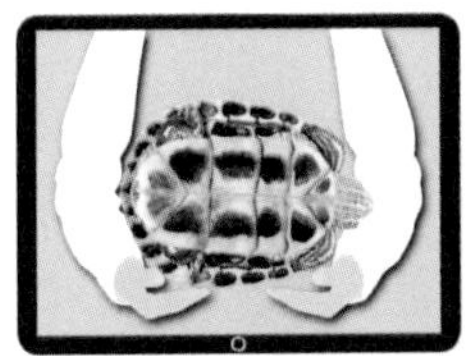

거북이를 들면 머리, 다리를 몸 안으로 넣는다! 거북이 머리를 빼는 방법?

내려놓는다! (생명 위협, 낯선 환경, 낯선 사람)

마음의 문을 여는 시간!

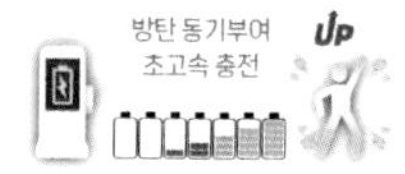

사람도 환경이 어색하고 적응이 안 되고 주위 사람들이 많으면
마음이 열리지 않아 마음의 목이 들어간다!!!

마음의 문을 여는 시간!

현관문을 열면?

마음의 문을 여는 시간!

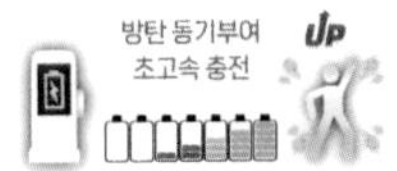

마음의 문을 열면?

배움, 변화, 성장, 터닝포인트…로
인해 자신 가치가 올라가
몸 값이 상승한다!

마음의 문을 여는 가장 빠른 방법!

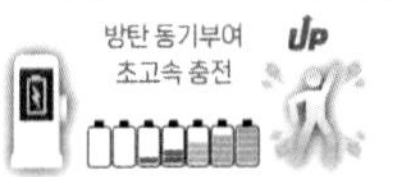

직급

성별

자존심

체면

선서!

나직성자체를 강의 끝날 때까지 주머니에 넣어 두겠습니다!

마음 나누기 3단계

만남은 인연 관계는 노력!

1단계: 눈 마주치기
2단계: 악수(스킨십)
3단계: 인사

방탄 동기부여 Quiz!

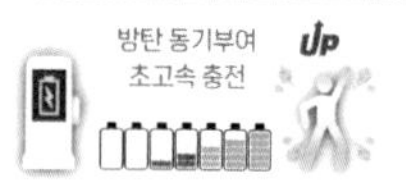

세상에서 가장 안전한 차?

벤츠, 아우디, BMW, 명품 차

세상에서 가장 안전하지 않는 차?

경차, 소형차

방탄 동기부여 Quiz!

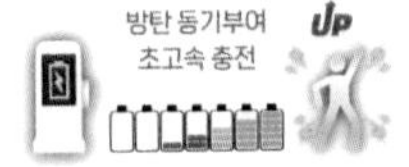

Quiz!

세상에서 가장
안전한 차?

세상에서 가장
안전하지 않는 차?

방탄 동기부여 Quiz!

자신이 운전하는 차!

운전 태도!

방탄 동기부여 강의 시간 (자신 자동차)
강사 (내비게이션)

뻔한 강의하겠지!
다 아는 내용하겠지!
"비슷한 강의만
수십 번째 들어서
이런 강의는 나도 하겠다!"

방탄 동기부여 강의 시간 (자신 자동차)
강사 (내비게이션)

비슷하겠지만
다름을 찾아보자!
나의 소중한 강의 시간
어제보다 0.1%
성장하기 위해 배우자!

방탄 동기부여 강의 시간 (자신 자동차) 강사 (내비게이션)

뻔한 강의하겠지!
다 아는 내용하겠지!
"비슷한 강의만
수십 번째 들어서
이런 강의는 나도 하겠다!"

비슷하겠지만
다름을 찾아보자!
나의 소중한 강의 시간
어제보다 0.1%
성장하기 위해 배우자!

시간은 금이 아니다!
시간은 다이아몬드다!

지금 어떤 태도로
강의를 듣느냐에 따라
자신 시간 가치가
10원이 될지
300만 원이 될지는
자신에게 달렸다!

다름을 찾게 해주는 방탄 동기부여 강의

다름을 찾게 해주는 방탄 동기부여 강의
방탄 동기부여
초고속 충전
UP
신도림역
현대백화점!
평범한 계단
기존에 알고 있는
동기부여
다름을
볼 수 있는
방탄 동기부여

"세계 최초" 방탄 동기부여 시작! 집중!

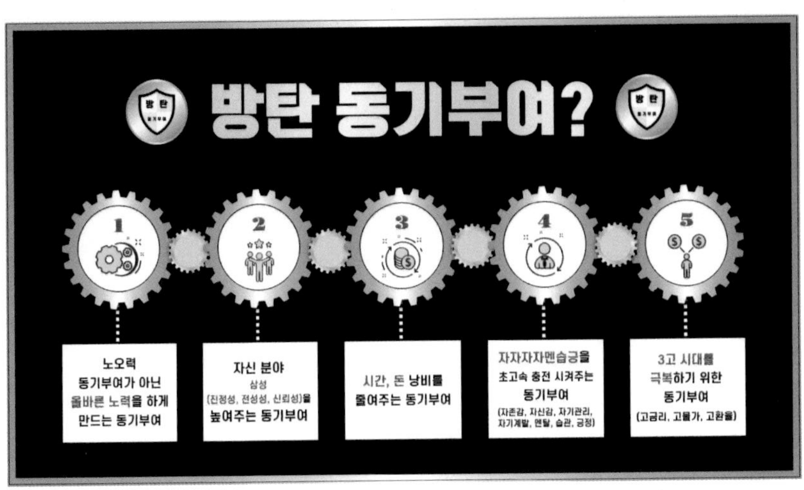
방탄 동기부여?
1
2
3
4
5
노오력
동기부여가 아닌
올바른 노력을 하게
만드는 동기부여
자신 분야
삼성
(진정성, 전성성, 신뢰성)을
높여주는 동기부여
시간, 돈 낭비를
줄여주는 동기부여
자자자자멘습긍을
초고속 충전 시켜주는
동기부여
(자존감, 자신감, 자기관리,
자기계발, 멘탈, 습관, 긍정)
3고 시대를
극복하기 위한
동기부여
(고금리, 고물가, 고환율)

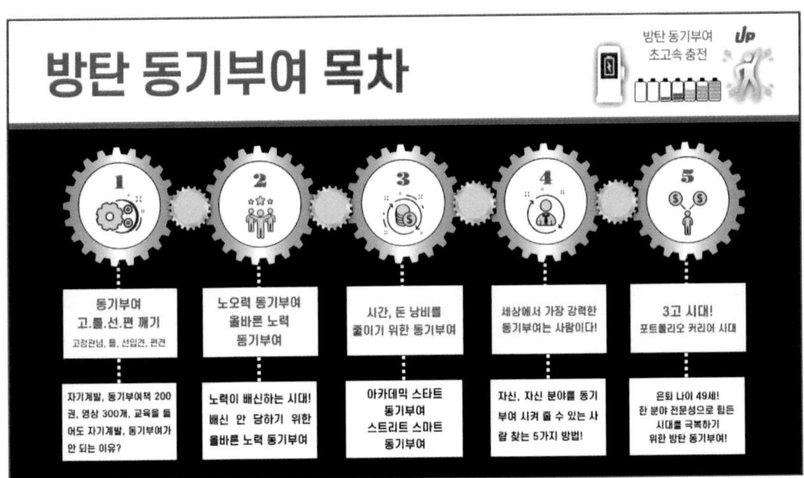
방탄 동기부여 목차
방탄 동기부여
초고속 충전
UP
1
2
3
4
5
동기부여
고.틀.선.편 깨기
고정관념, 틀, 선입견, 편견
자기계발, 동기부여책 200권, 영상 300개, 교육을 들어도 자기계발, 동기부여가 안 되는 이유?
노오력 동기부여
올바른 노력
동기부여
노력이 배신하는 시대!
배신 안 당하기 위한
올바른 노력 동기부여
시간, 돈 낭비를
줄이기 위한 동기부여
아카데믹 스타트
동기부여
스트리트 스마트
동기부여
세상에서 가장 강력한
동기부여는 사람이다!
자신, 자신 분야를 동기부여 시켜 줄 수 있는 사람 찾는 5가지 방법!
3고 시대!
포트폴리오 커리어 시대
은퇴 나이 49세!
한 분야 전문성으로 힘든
시대를 극복하기
위한 방탄 동기부여!

방탄 동기부여 2시간 강의 강사료 200만 원 교육 PPT 교안 순서

방탄 동기부여
동기부여는 누구나 한다.
다만 방탄 동기부여는 아무나 못한다.

① 방탄 동기부여 라포 형성 기법, 마음을 여는 기법
② 방탄 동기부여 고.틀.선.편 깨기
③ 방탄 동기부여 서론
④ SPOT 기법, 강의 집중 기법, 강의 환기 기법
⑤ 방탄 동기부여 본론
⑥ SPOT 기법, 강의 집중 기법, 강의 환기 기법
⑦ 방탄 동기부여 결론
⑧ SPOT 기법, 강의 집중 기법, 강의 환기 기법
⑨ 방탄 동기부여 총정리
⑩ 방탄 동기부여 피크앤드법칙(The Peak End Rule)

② 방탄 동기부여 고.틀.선.편 깨기

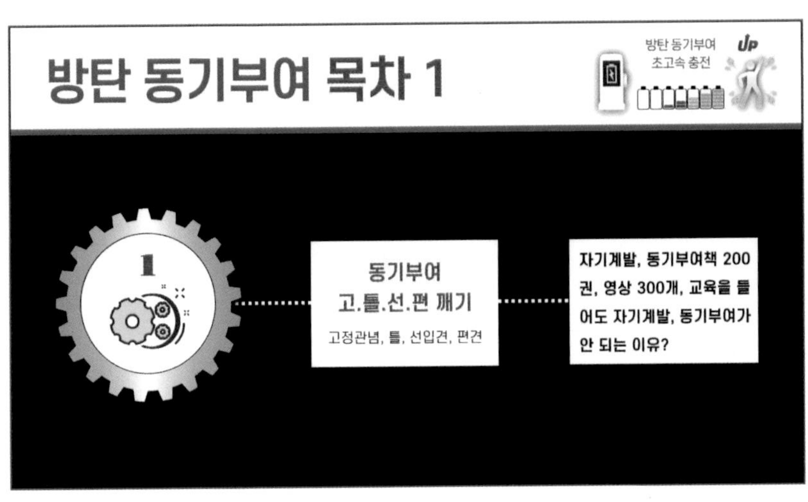

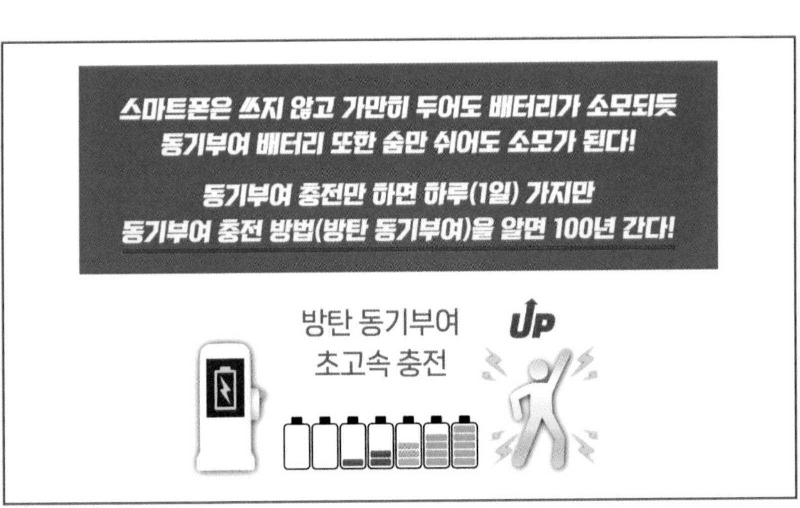

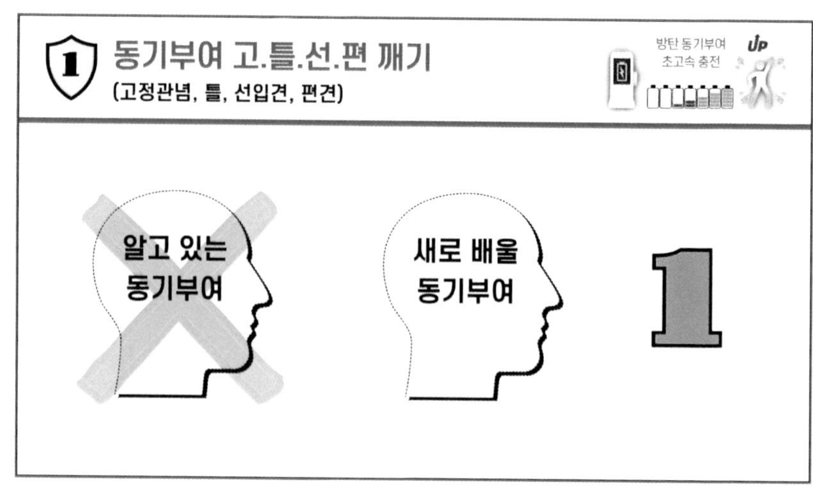
동기부여 고.틀.선.편 깨기
(고정관념, 틀, 선입견, 편견)
방탄 동기부여
초고속 충전
UP
알고 있는
동기부여
새로 배울
동기부여
1

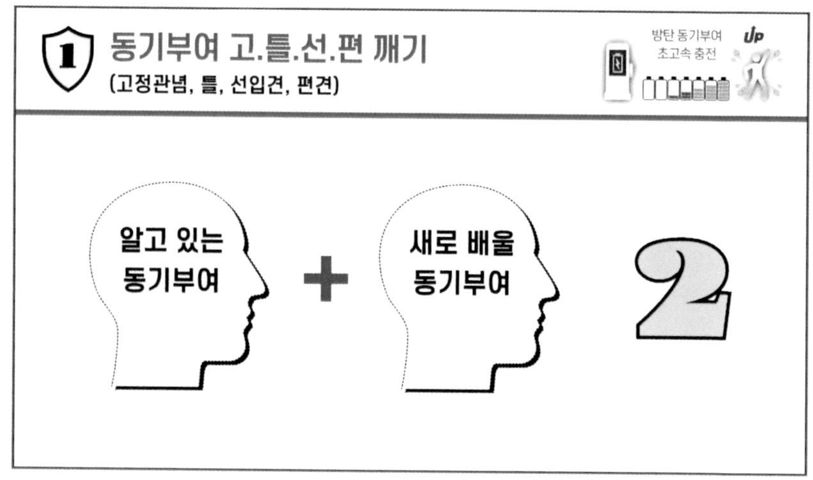
동기부여 고.틀.선.편 깨기
(고정관념, 틀, 선입견, 편견)
방탄 동기부여
초고속 충전
UP
알고 있는
동기부여
+
새로 배울
동기부여
2

동기부여 고.틀.선.편 깨기

(고정관념, 틀, 선입견, 편견)

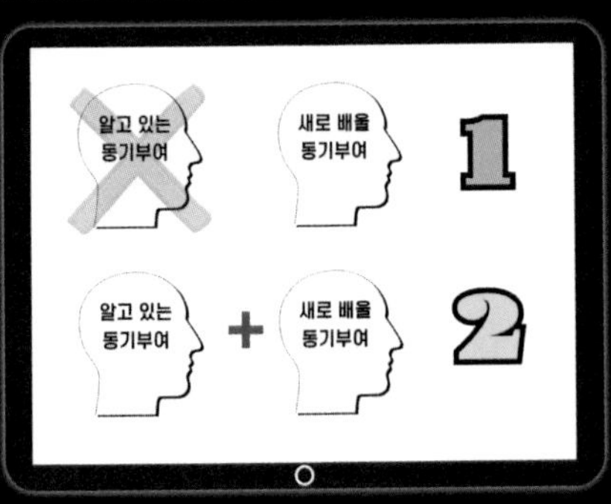

고정관념 본질!

20,000명 심리 상담, 코칭
하면서 알게 된 것은
대부분 사람들이 고정관념을
"기존에 알고 있는 것 다
무시하고 새로운 것을 받아들이자"
라고 알고 있었다.

알고 있는 것에 새로 배울 것을
플러스, 융합, 다른 각도에서 보자!

동기부여 고.틀.선.편 깨기 학습, 연습, 훈련

(고정관념, 틀, 선입견, 편견)

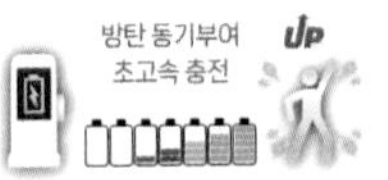

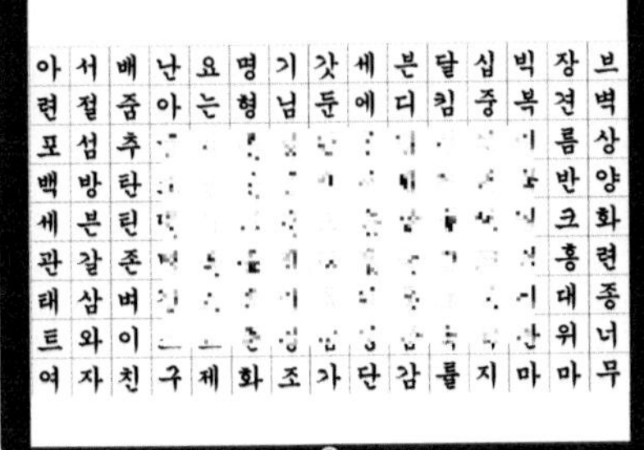

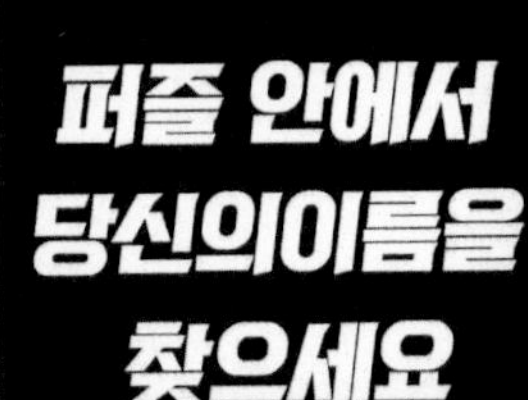

지금부터 10초동안
보여드립니다.
당신의이름을
찾으세요!

아	서	배	난	요	명	기	갓	세	븐	달	십	빅	장	브
련	절	줌	아	는	형	님	둔	에	디	킴	중	복	견	벽
포	섬	추	궁	익	콘	정	답	은	당	신	의	이	름	상
백	방	탄	소	년	단	궁	매	머	해	린	내	복	반	양
세	븐	틴	댁	식	비	엑	소	촌	달	블	랙	핑	크	화
관	갈	존	면	독	솔	래	경	절	규	촌	드	석	홍	련
태	삼	벼	걸	스	데	이	유	빅	풍	소	녀	시	대	종
트	와	이	스	교	존	성	밤	망	남	복	각	관	위	너
여	자	친	구	제	화	조	가	단	감	률	지	마	마	무

다시 10초동안
보여 드립니다.
당신의이름을
찾으세요! 좀더 집중!

아	서	배	난	요	명	기	갓	세	븐	달	십	빅	장	브
련	절	줌	아	는	형	님	둔	에	디	킴	중	복	견	벽
포	섬	추	궁	익	콘	정	답	은	당	신	의	이	름	상
백	방	탄	소	년	단	궁	매	머	해	린	내	복	반	양
세	븐	틴	댁	식	비	엑	소	촌	달	블	랙	핑	크	화
관	갈	존	면	독	솔	래	경	절	규	촌	드	석	홍	련
태	삼	벼	걸	스	데	이	유	빅	풍	소	녀	시	대	종
트	와	이	스	교	존	성	밤	망	남	복	각	관	위	너
여	자	친	구	제	화	조	가	단	감	률	지	마	마	무

마지막 10초동안
보여 드립니다. 힌트
당신의이름 글자를
찾으세요^^

아	서	배	난	요	명	기	갓	세	븐	달	십	빅	장	브
련	절	줌	아	는	형	님	둔	에	디	킴	중	복	견	벽
포	섬	추	궁	익	콘	정	답	은	당	신	의	이	름	상
백	방	탄	소	년	단	궁	매	머	해	린	내	복	반	양
세	븐	틴	댁	식	비	엑	소	촌	달	블	랙	핑	크	화
관	갈	존	면	독	솔	래	경	절	규	촌	드	석	홍	련
태	삼	벼	걸	스	데	이	유	빅	풍	소	녀	시	대	종
트	와	이	스	교	존	성	밤	망	남	복	각	관	위	너
여	자	친	구	제	화	조	가	단	감	률	지	마	마	무

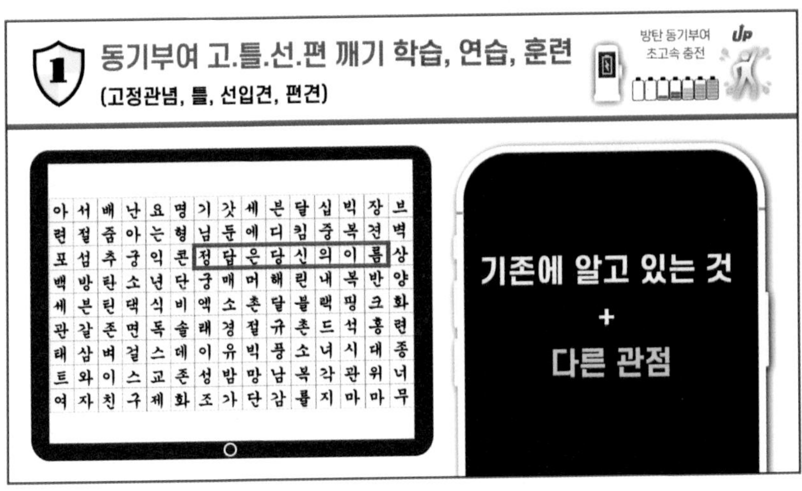
1
동기부여 고.틀.선.편 깨기 학습, 연습, 훈련
(고정관념, 틀, 선입견, 편견)
방탄 동기부여
초고속 충전
UP
아 서 배 난 요 명 기 갓 세 븐 달 십 빅 장 브
련 절 줌 아 는 형 님 둔 에 디 킴 중 복 견 벽
포 섭 추 궁 익 콘 정 답 은 당 신 의 이 름 상
백 방 탄 소 년 단 궁 매 머 해 린 내 복 반 양
세 븐 틴 댁 식 비 엑 소 촌 달 블 랙 핑 크 화
관 갈 존 면 독 솔 래 경 절 규 촌 드 석 홍 련
태 삼 벼 걸 스 데 이 유 빅 풍 소 녀 시 대 종
트 와 이 스 교 존 성 밤 망 남 복 각 관 위 너
여 자 친 구 제 화 조 가 단 감 률 지 마 마 무
기존에 알고 있는 것
+
다른 관점

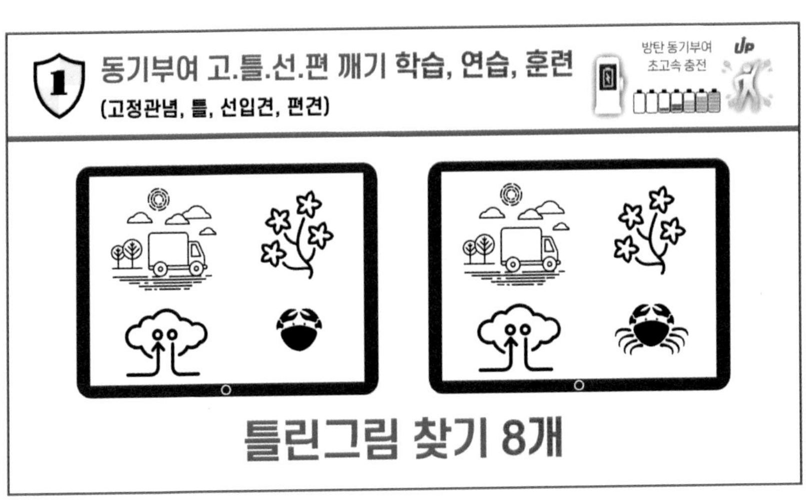
1
동기부여 고.틀.선.편 깨기 학습, 연습, 훈련
(고정관념, 틀, 선입견, 편견)
방탄 동기부여
초고속 충전
UP
틀린그림 찾기 8개

동기부여 고.틀.선.편 깨기 학습, 연습, 훈련
(고정관념, 틀, 선입견, 편견)
방탄 동기부여
초고속 충전
UP
기존에 알고 있는 것 + 다른 관점

건강 동기부여 Quiz!
방탄 동기부여
초고속 충전
UP
NO
흡연만큼
안 좋은 것?

건강 동기부여 Quiz!

NO <
앉은 시간 2시간 초과

흡연만큼 안 좋은 것?
■오래 앉아 있으면 안 되는 이유!
1. 심장마비 54%
2. 특정 부위 비만 50%
3. 당뇨, 지방간 수치 상승
4. 암 발생 높음
-출처: 캐나다 캘거리의 알버타 헬스 서비스 연구팀-
30분, 2~3분 스트레칭

건강 동기부여 신체 나이 테스트

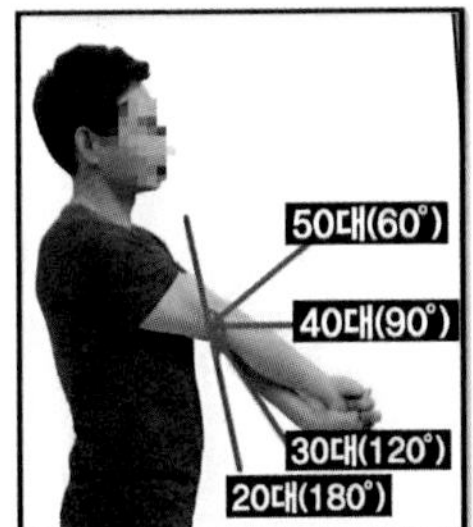

건강 동기부여 신체 나이 테스트

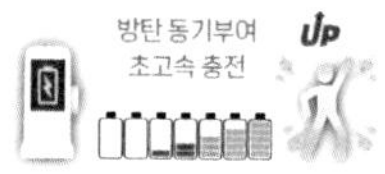

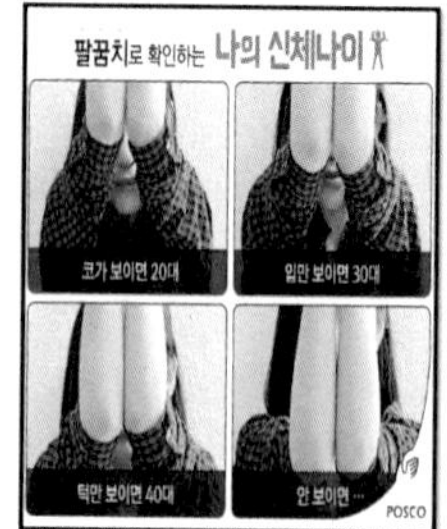

건강 동기부여 신체 나이 테스트

대한민국 99%가 책 쓰기, 출간하는 방법만
교육, 코칭 한다!
6가지 수입 창출 책 쓰기, 출간 기술력을
교육, 코칭 하는 곳은 방탄book출판사뿐이다.
방법을 알면 1권 출간하고 끝이지만
방탄book기술력을 알면
10권, 100권, 1.000권... 도 가능하다.
최보규의 책 쓰기
10G

방탄 동기부여 2시간 강의 강사료 200만 원 교육 PPT 교안 순서

방탄 동기부여
동기부여는 누구나 한다.
다만 방탄 동기부여는 아무나 못한다.

① 방탄 동기부여 라포 형성 기법, 마음을 여는 기법
② 방탄 동기부여 고.틀.선.편 깨기
③ 방탄 동기부여 서론
④ SPOT 기법, 강의 집중 기법, 강의 환기 기법
⑤ 방탄 동기부여 본론
⑥ SPOT 기법, 강의 집중 기법, 강의 환기 기법
⑦ 방탄 동기부여 결론
⑧ SPOT 기법, 강의 집중 기법, 강의 환기 기법
⑨ 방탄 동기부여 총정리
⑩ 방탄 동기부여 피크앤드법칙(The Peak End Rule)

③ 방탄 동기부여 서론

- 방탄 리더 동기부여 교육 PPT 목차 1

· [출간 한 《방탄 리더 동기부여》 책 내용]

자기계발, 동기부여 책 200권, 영상 300개, 교육을 들어도 자기계발, 동기부여가 안 되는 이유?

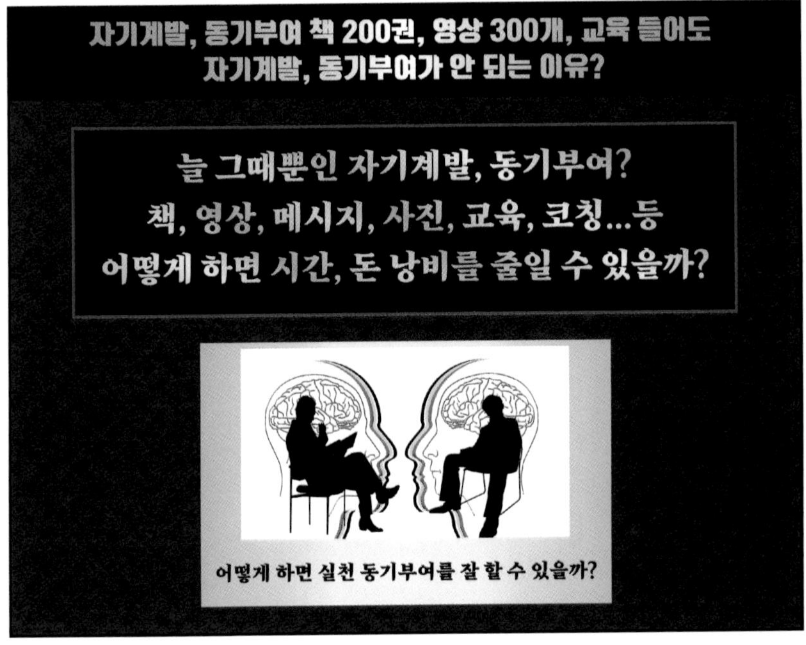

- 상담스토리

최보규 방탄 리더 자기계발 전문가님! 저는 자기계발 책 200권 이상을 보고 유튜브 동기부여, 자기계발 영상 300개 이상 봤습니다. 시중에 있는 유료 자기계발 교육, 영상들도 많이 봤습니다. 볼 때만 느끼고 느낀만큼 실천 동기부여가 안 돼서 시간, 돈 낭비한 거 같고 언제까지 해야 하는지 답답하기만 하고 후회스럽습니다. 왜 나아짐이 없는지 이유를 알고 싶고 어떻게 하면 느낀만큼 0.1% 하나라도 실천할 수 있는 방법은 없는지요? 어떻게 하면 느낀만큼 행동으로 옮길 수 있을까요?

20,000명 심리 상담, 코칭 하면서 알게 된 것은 대부분 사람들이 늘 그때 뿐이고 실천 동기부여가 안 돼서 돈과 시간을 낭비하고 있는 게 현실이다.

10개를 느꼈다면 하나라도 실천해야 하는데 왜? 왜? 왜? 실천 동기부여가 안 될까? 어떻게 하면 자기계발 실천을 잘 할 수 있을까? 필자도 리더 자기계발 전문가가 되기 전까지는 늘 그때뿐인 자기계발을 했었다.

"어떻게 하면 할 수 있을까?" 라는 태도로 45년간 리더 자기계발 습관 320가지! 20,000명 심리 상담, 코칭! 리더 자기계발책 2,000권 독서! 자기계발 책 39권 출간으로 알게 된 리더 자기계발, 동기부여 비밀를 세계 최초 오픈한다.

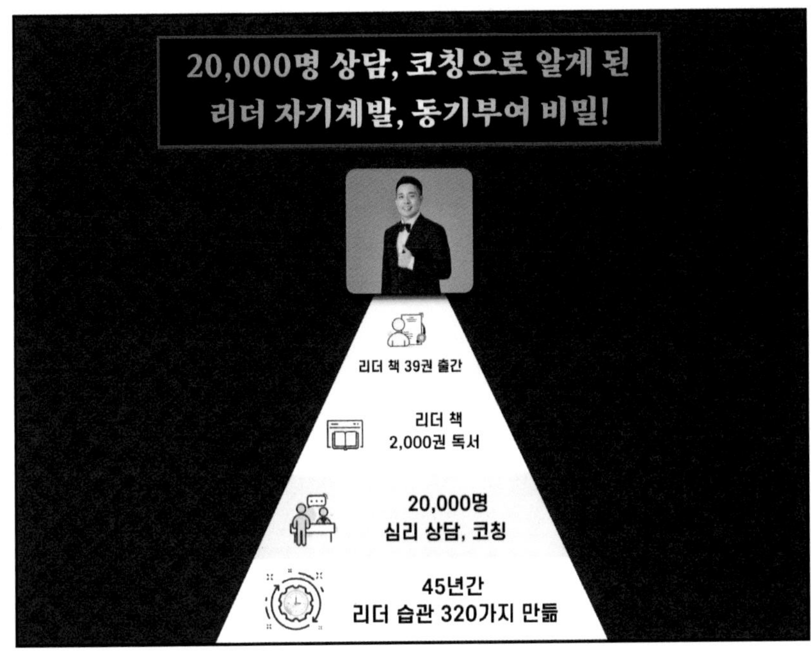

상담 스토리에서 자기계발 책 200권, 유튜브 자기계발, 동기부여 영상 300개 이상, 시중에 있는 유료 자기계발 교육 영상도 많이 봤는데도 실천 동기부여가 안 된다고 했다.

단언컨대 실천 동기부여가 안 되는 가장 큰 이유는 녹화 방송으로 배우기 때문이다. 녹화 방송? 사람의 심리, 본능은 직접 만나서 오감을 느낄 수 있는 생방송일 때 세상에서 가장 강력한 자기계발, 동기부여가 되어 행동으로 나오는 것이다. 과학적으로 검증된 데이터로 말하겠다.

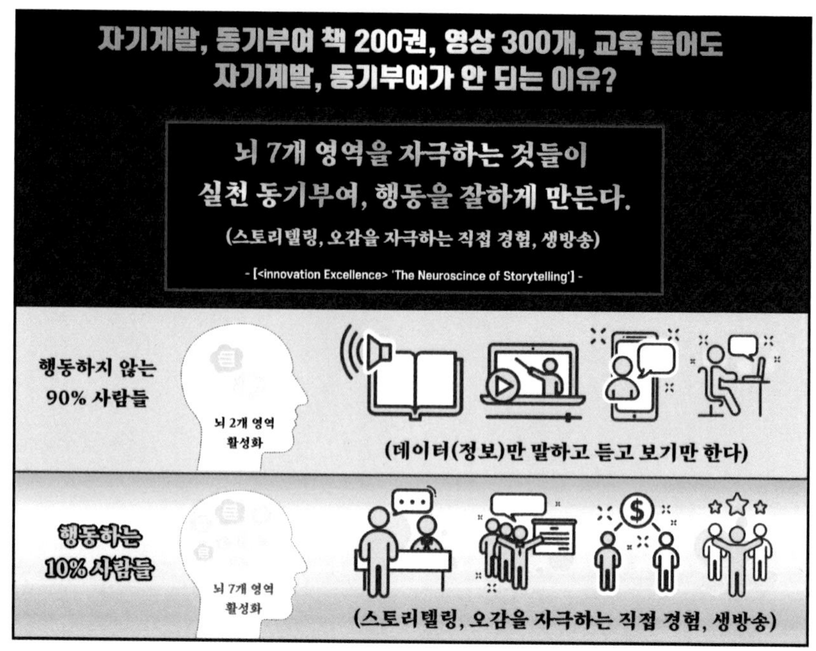

기본적인 사람의 심리는 데이터로(정보)만 말했을 때, 데이터로(정보)만 들었을 때, 데이터로(정보)만 봤을 때는 뇌의 2개의 영역만 활성화된다.

데이터가 아닌 스토리로 보고, 스토리로 듣고, 스토리로 말하고, 스토리로 경험을 하면 뇌의 7개의 영역이 활성화 되어 더 행동하게 만들고 더 실천하게 만든다.

뇌의 7개 영역이 활성화된다는 말은 한마디로 오감을 자극하는 것이다. 오감을 자극하는 것일수록 스스로 "움직여야겠다. 실천해야겠다."라는 동기부여를 강력하게 만든다.

평균적으로 사람들이 실천 동기부여가 약한 또 다른 이유는 아무런 시행착오, 대가 지불, 인고의 시간 없이 쉽게 느끼는 것들이기 때문에 실천과 행동이 나오지 않는 건 당연하다.

시행착오, 대가 지불, 인고의 시간이 들어가야 뇌의 7개 영역을 자극하고 오감을 느끼게 하여 실천 동기부여가 잘 되는 것이다.
시행착오, 대가 지불, 인고의 시간이 없는 동기부여가 뭘까? 피부로 확! 와 닿게! 해주겠다.

자기계발을 못 하는 사람들, 동기부여를 못 하는 사람들 90% 특징 중 하나는 집에 가만히 앉아서 최대한 편한 자세로, 최대한 편한 츄리닝으로 갈아입은 상태에서, 맥주 한잔 먹으면서, 차 마시면서 아무런 긴장감이 없는 상황 속에서 영상을 보기 때문에 실천 동기부여가 안 되서 행동으로 옮기지 못하는 것이다. 실천 동기부여가 안 되는 방법을 하고 있으니 행동으로 옮기지 못하는 게 당연하다.

"아~ 실천해야 하니까 지금 필사하자. 지금 메모해 놔야겠다!" 이런 사람 몇 명이나 될까? "영상, 글, 메시지, 이미지 감동받았어! 너무 좋다! 이거 저장해 두어야겠다!" 이런 사람 몇 명이나 될까?

순간 감동받았어, 느낌 좋았어! 땡 끝? 1초 느끼고 다 쓰레기가 되어버린다.

실천, 행동이 안 나오는 습관을 하고 있는데 자기계발 책 몇 천권, 자기계발 영상을 몇만 개를 보더라도 실천, 행동이 나오지 않는 게 당연하다.

자기계발, 동기부여 실천, 행동이 나올 수 있는 습관을 만들어야 한다. 자기계발, 동기부여 할 수밖에 없는 환경을 만들어야 한다.

자기계발, 동기부여 실천, 행동할 수 있는 환경이 되더라도 실천이 될까 말까인데 전혀 긴장감 없는 방구석에서 핸드폰만 클릭! 클릭! 클릭! 영상, 이미지, 메시지, 책만 보는데 행동이 나오겠는가?

책 한 권 가격은 평균적으로 15,000원이다. 유튜브 자기계발 영상, SNS 자기계발, 동기부여 영상들은 스마트폰 데이터만 어느 정도 소요되지 돈이 엄청나게 투자되는 게 아니다. 이런 것은 대가 지불이 아니다.

시행착오, 대가 지불, 인고의 시간이 무조건 들어가야만 자기계발 실천 동기부여가 잘 되는 건 아니다.
하지만 단언컨대 자기계발 실천 동기부여를 잘하는 사람들은 시행착오, 대가 지불, 인고의 시간을 무조건 거친다는 것을 명심하자.

앞에서 말했던 것을 간단히 정리하면 자기계발 실천 동기부여를 잘하려면 녹화 방송이 아닌 뇌 7개 영역을 활성화 시키는 오감을 자극 시키는 검증된 자기계발 전문가를 직접 만나서 학습, 연습, 훈련을 해야지만 실천 동기부여가 잘 된다. 오감을 더 자극 시키는 게 1:1코칭이다.

그래서 자기계발 실천 동기부여를 잘하려고 하는 리더들은 1:1코칭을 받기 위해서 교육에 투자하는 비용을 아끼지 않는다. 이 세상에서 손해 보지 않는 최고의 투자는 자신의 자기계발에 투자하는 것이다. 100%, 1,000%, 10,000% 수익률이 발생한다.

다음은 워렌버핏이 말하는 최고의 투자가 무엇인지 깨닫게 해주는 스토리텔링이다.

당신이 가난한 이유?
어차피 알려줘도 아무나 못합니다.
워렌버핏이 알려주는 부의 비밀 7가지

1. 최고의 투자 전략
워렌버핏에게 다음과 같은 질문이 들어 왔습니다.
"선생님, 어떤 자산에 가장 많이 투자해야 합니까?"
"당신이 할 수 있는 최선의 투자는 당신 자신이죠!"
"자신에게 하는 투자는 세상 어느 누구도 이를 빼앗거나 훔칠 수 없습니다. 세금도 매길 수 없습니다. 물가가 오른다고 해서 화폐가치가 떨어지지도 않습니다. 이것은 평생 동안 오롯이 당신의 소유입니다.

2. 매일 500쪽씩 읽으세요.
워렌버핏이 컬럼비아대학교 강연에서 "당신처럼 되려면 무엇부터 하면 될까요?"
워렌버핏은 가방에서 책과 신문을 한가득 꺼내놓으며 이렇게 말합니다. "매일 500쪽씩 읽으세요. 그것이 지식이 작동하는 방식이며 복리이자처럼 축적됩니다. 모두가 할 수 있지만 대부분 안 하는 방법이죠."

3. 제거의 힘.
10년 동안 워렌버핏의 전용기를 몰았던 마이클 플린트가 버핏에게 다음과 같이 물었습니다. "선생님, 어떻게 하면 목표를 이룰 수 있을까요?" 그러자 버핏은 잠시 생각하더니 조종사에게 이렇게 시켰습니다.
"자네가 이번 생에 이루고 싶은 목표 25가지를 적어와 보게!" 조종사는 25가지 목표를 다 적어 왔습니다. 버핏은 잠시 이를 살펴보더니, 조종사에게 "이 중 가장 중요한 5가지를 동그라미를 치게나!" 시켰습니다. 조종사가 어렵게 5가지를 골라 동그라미를 치며 말했습니다. "나머지 20가지도 정말 중요한 건데요. 틈틈이 이루도록 노력하겠습니다." "아니 틀렸네!! 자네가 선택한 5가지 목표를 달성하기 전까지는 나머지 목표는 거들떠보지도 말게!" 과감하게 불필요한 일들을 제거하십시오. 그럼, 가장 중요한 일에 모든 것을 쏟아부을 수 있습니다.

4, 의사소통 능력을 키워라.

"먼저, 의사소통 능력을 키워라. 글을 통해서나, 직접 만나서 대화하는 기술을 키우는 건 당신의 가치를 50% 이상 상승시킬 것이다." 버핏은 어렸을 때 대중연설을 극도록 싫어했으나 성공하려면 의사소통 능력이 필요하다는 것을 알았습니다. 결국 그는 대중 연설 코스에 등록하였고, 대중 연설에 대한 두려움을 깰 수 있었습니다.

5. 더 나은 사람들과 함께하라.

버핏 회장은 "당신이 '더 나은 사람들'(high-grade people) 과 함께 시간을 보낸다면, 그 사람들처럼 행동하게 될 것"이라고 말했다. 그는 이어 "당연하지만, 당신보다 좋지 않은 사람들 주변에서 시간을 보내면, 당신은 아래로 추락하기 시작할 것"이라며 "그게 세상이 돌아가는 방식"이라고 설명했다.

6. 소음을 무시하라.

버핏 회장은 투자할 때 '너무 많은 정보'는 독이라고 조언했다. 그는 "하루 종일 주식시장을 확인하고, 뉴스를 듣는 행위는 도움이 되지 않는다."며 투자가 감정적으로 변할 수 있다고 충고했다. 투자는 감정을 자극합니다. 누구도 미래의 주가가 어떤 방향으로 움직일지 알 수 없습니다. 결국 최선의 전략은 시장이 아무리 요동칠지라도 냉정한 판단을 유지하는 것과 자신만의 길을 가는 것입니다.

7. 위기가 닥쳤을 때 실력이 드러난다.
모든 것이 잘 풀릴 때는 안 좋은 요소들이 잘 보이지 않습니다. 하지만 수영장에서 물이 빠져나가면 발가벗고 수영하는 사람이 누구인지 볼 수 있습니다. 물이 가득 찬 수영장에서는 누구나 우아하게 수영을 하는 것처럼 보입니다. 그러나 물이 쭉 빠지고 나면, 누가 벌고 벗고 있는지 훤하게 알 수 있다는 것입니다. 위기가 닥쳤을 때 비로소 투자자의 진짜 실력이 드러납니다.

<유튜브 북올림>

어떻게 하면 자기계발을 잘 할 수 있을까? **자기계발 잘 하는 사람들의 교육, 영상을 듣고 싶은데 저 사람이 검증된 자기계발 전문가인지 자기계발을 잘 하는지 못 하는지 어떻게 알까? 그래서 자기계발 잘하는 사람의 기준, 자기계발 잘하는 사람을 찾는 방법을 오픈 하겠다.**

- 방탄 리더 동기부여 교육 PPT 목차 1

· [출간 한 《방탄 리더 동기부여》 책 내용을 방탄 동기부여 교육 PPT로 디자인]

1
자기계발, 동기부여 책 200권, 영상 300개, 교육을 들어도
자기계발, 동기부여가 안 되는 이유?
방탄 동기부여
초고속 충전
UP
-상담 스토리
자기계발 책 200권 이상을 보고 유튜브 동기부여, 자기계발 영상 300개 이상 봤습니다. 유료 자기계발 교육, 영상들도 많이 봤습니다. 느낀 만큼 실천 동기부여가 안 돼서 시간, 돈 낭비한 거 같고 언제까지 해야 하는지 답답하기만 하고 후회스럽습니다. 어떻게 하면 0.1%라도 느낀 만큼 행동을 할 수 있는지요?

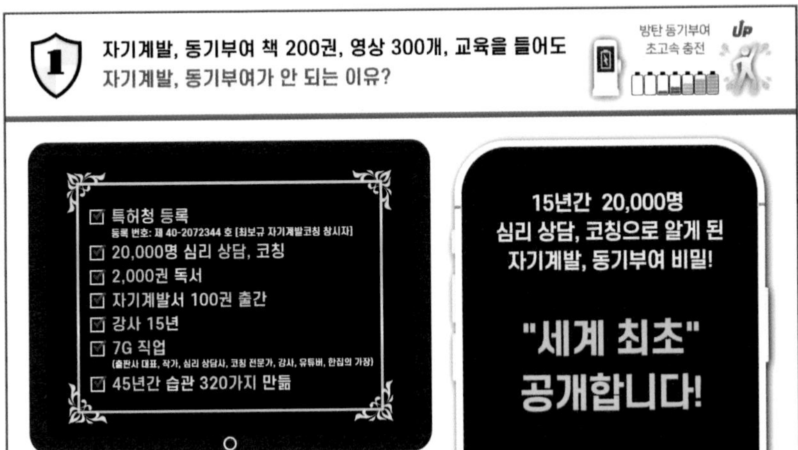
자기계발, 동기부여 책 200권, 영상 300개, 교육을 들어도
자기계발, 동기부여가 안 되는 이유?
방탄 동기부여
초고속 충전
UP
특허청 등록
등록 번호: 제 40-2072344 호 [최보규 자기계발코칭 창시자]
20,000명 심리 상담, 코칭
2,000권 독서
자기계발서 100권 출간
강사 15년
7G 직업
(출판사 대표, 작가, 심리 상담사, 코칭 전문가, 강사, 유튜버, 한집의 가장)
45년간 습관 320가지 만듦
15년간 20,000명
심리 상담, 코칭으로 알게 된
자기계발, 동기부여 비밀!
"세계 최초"
공개합니다!

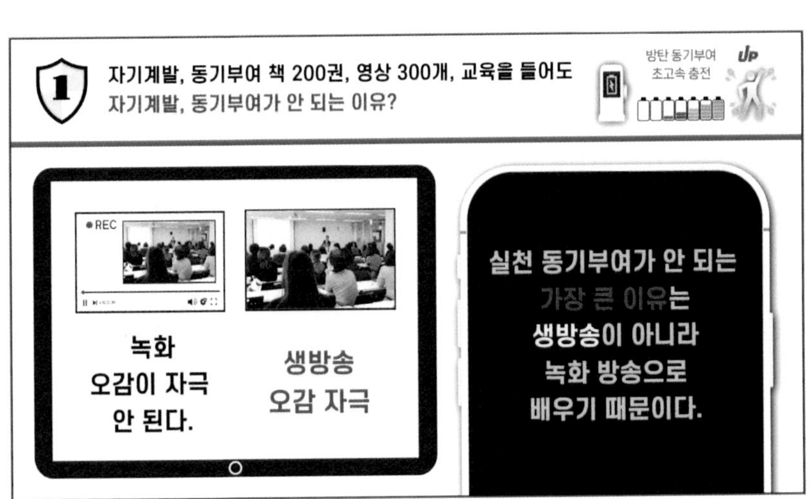
자기계발, 동기부여 책 200권, 영상 300개, 교육을 들어도
자기계발, 동기부여가 안 되는 이유?
방탄 동기부여
초고속 충전
UP
REC
녹화
오감이 자극
안 된다.
생방송
오감 자극
실천 동기부여가 안 되는
가장 큰 이유는
생방송이 아니라
녹화 방송으로
배우기 때문이다.

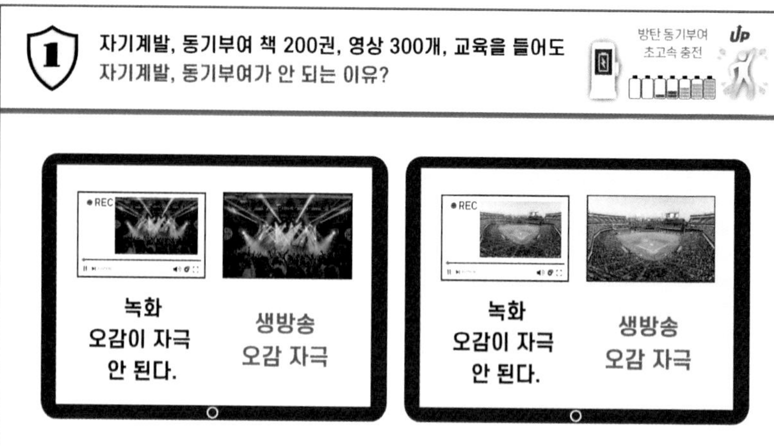
자기계발, 동기부여 책 200권, 영상 300개, 교육을 들어도
자기계발, 동기부여가 안 되는 이유?
방탄 동기부여
초고속 충전
UP
REC
녹화
오감이 자극
안 된다.
생방송
오감 자극
REC
녹화
오감이 자극
안 된다.
생방송
오감 자극

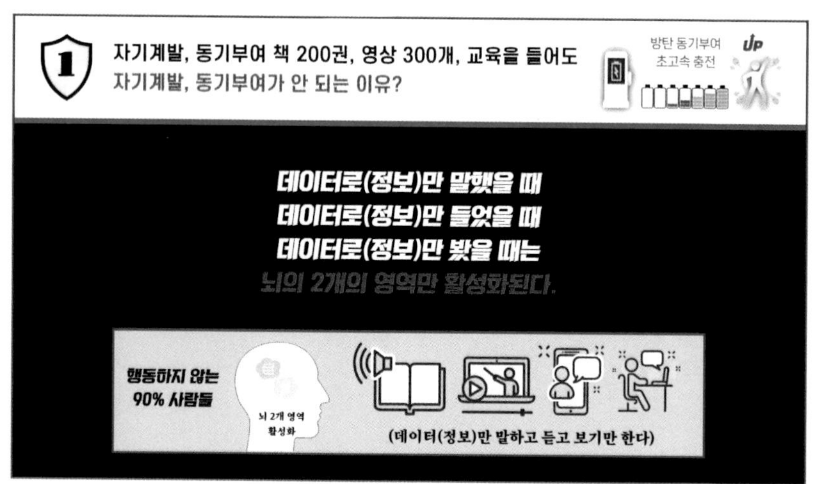
자기계발, 동기부여 책 200권, 영상 300개, 교육을 들어도
자기계발, 동기부여가 안 되는 이유?
방탄 동기부여
초고속 충전
UP
데이터로(정보)만 말했을 때
데이터로(정보)만 들었을 때
데이터로(정보)만 봤을 때는
뇌의 2개의 영역만 활성화된다.
행동하지 않는
90% 사람들
뇌 2개 영역
활성화
(데이터(정보)만 말하고 듣고 보기만 한다)

자기계발, 동기부여 책 200권, 영상 300개, 교육을 들어도
자기계발, 동기부여가 안 되는 이유?

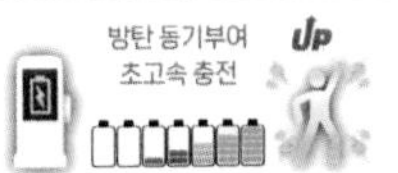

뇌 7개 영역을 자극하는 것들이
실천 동기부여, 행동을 잘하게 만든다.

(스토리텔링, 오감을 자극하는 직접 경험, 생방송)

- [<innovation Excellence> 'The Neuroscince of Storytelling'] -

자기계발, 동기부여 책 200권, 영상 300개, 교육을 들어도
자기계발, 동기부여가 안 되는 이유?

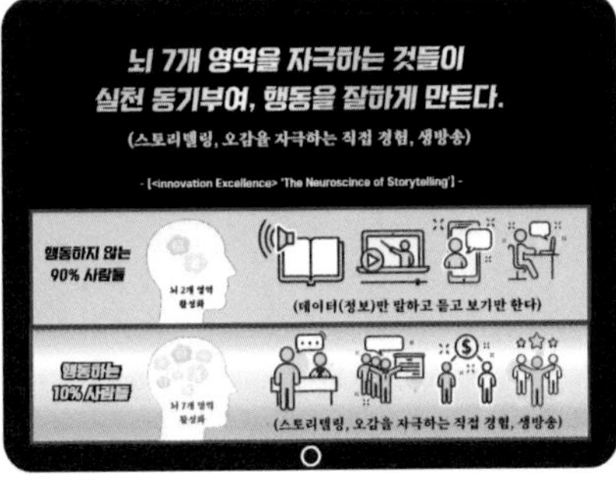

뇌 과학적으로 검증!

데이터로(정보)만 말했을 때
데이터로(정보)만 들었을 때
데이터로(정보)만 봤을 때는
뇌의 2개의 영역만 활성화된다.

데이터가 아닌 스토리로 보고, 스토리로 듣고, 스토리로 말하고, 스토리로 경험을 하면 뇌의 7개의 영역이 활성화(오감을 자극하는 것) 되어 더 행동하게 만들고 더 실천하게 만든다.

자기계발, 동기부여 책 200권, 영상 300개, 교육을 들어도
자기계발, 동기부여가 안 되는 이유?
방탄 동기부여
초고속 충전
"영상, 글, 메시지, 이미지... 등 감동받았어! 너무 좋다!
동기부여된다!" 순간 1초 느끼고 다 쓰레기 된다!
언제 행동할 것인가?

자기계발, 동기부여 책 200권, 영상 300개, 교육을 들어도
자기계발, 동기부여가 안 되는 이유?
방탄 동기부여
초고속 충전
"영상, 글, 메시지, 이미지... 등 감동받았어! 너무 좋다!
동기부여된다!" 순간 1초 느끼고 다 쓰레기 된다!
언제 행동할 것인가?
사람들이 실천 동기부여가
약한 또 다른 이유 중 하나는
시행착오, 대가 지불
인고의 시간 없이
쉽게 느끼는 것들이 많다.

1
자기계발, 동기부여 책 200권, 영상 300개, 교육을 들어도
자기계발, 동기부여가 안 되는 이유?
방탄 동기부여
초고속 충전
UP
"영상, 글, 메시지, 이미지... 등 감동받았어! 너무 좋다!
동기부여된다!" 순간 1초 느끼고 다 쓰레기 된다!
언제 행동할 것인가?
자기계발, 동기부여 못하는
사람들 90% 특징!
집에서 최대한 편안한 상태에서
츄리닝 차림으로 아무런 긴장감
없는 상태에서 영상 시청만 한다.

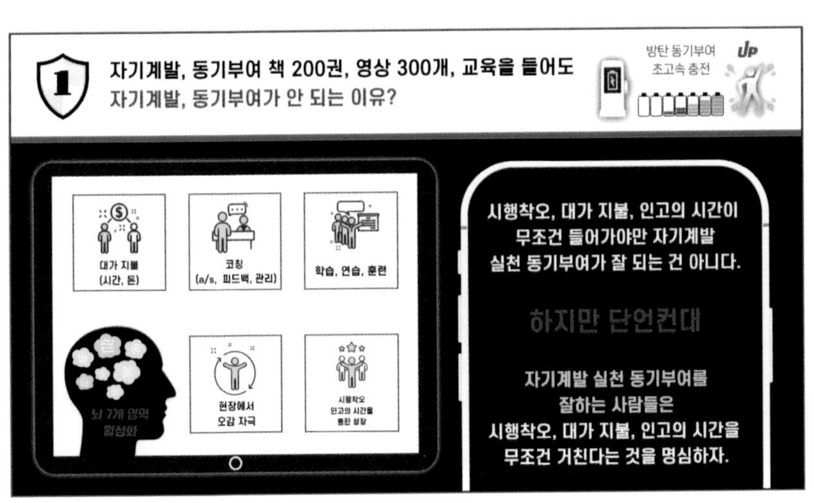
1
자기계발, 동기부여 책 200권, 영상 300개, 교육을 들어도
자기계발, 동기부여가 안 되는 이유?
방탄 동기부여
초고속 충전
UP
대가 지불
(시간, 돈)
코칭
(a/s, 피드백, 관리)
학습, 연습, 훈련
뇌 7개 영역
활성화
현장에서
오감 자극
시행착오
인고의 시간을
통한 성장
시행착오, 대가 지불, 인고의 시간이
무조건 들어가야만 자기계발
실천 동기부여가 잘 되는 건 아니다.
하지만 단언컨대
자기계발 실천 동기부여를
잘하는 사람들은
시행착오, 대가 지불, 인고의 시간을
무조건 거친다는 것을 명심하자.

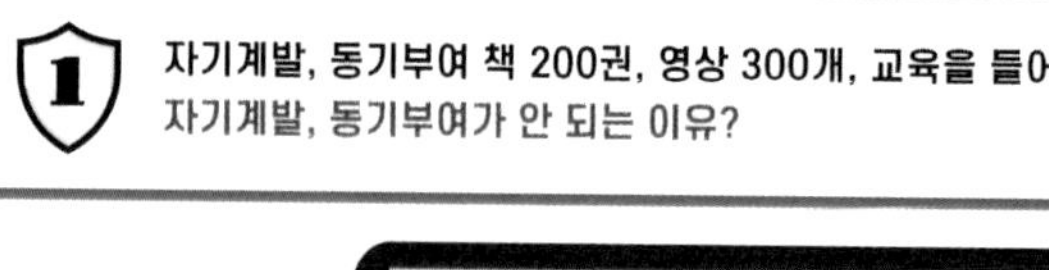

방탄 동기부여
초고속 충전
UP

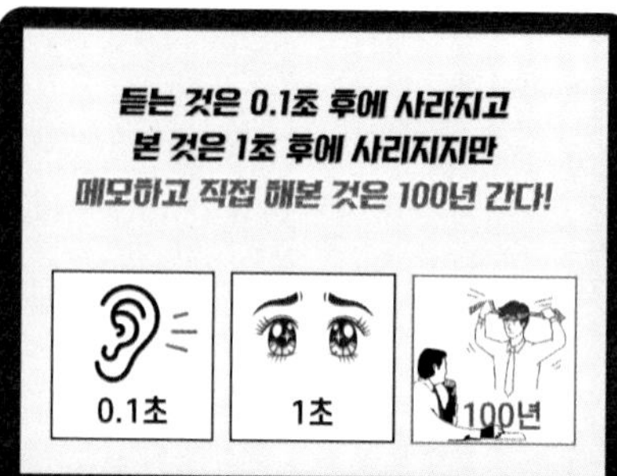

듣는 것은 0.1초 후에 사라지고
본 것은 1초 후에 사라지지만
메모하고 직접 해본 것은 100년 간다!
0.1초
1초
100년

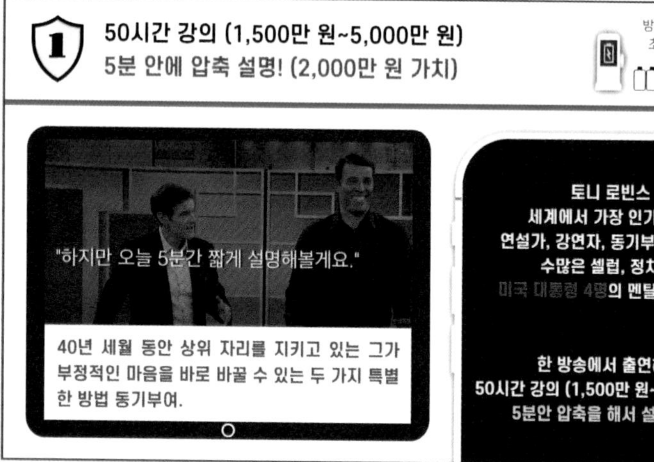

50시간 강의 (1,500만 원~5,000만 원)
5분 안에 압축 설명! (2,000만 원 가치)
방탄 동기부여
초고속 충전
"하지만 오늘 5분간 짧게 설명해볼게요."
40년 세월 동안 상위 자리를 지키고 있는 그가 부정적인 마음을 바로 바꿀 수 있는 두 가지 특별한 방법 동기부여.
토니 로빈스
세계에서 가장 인기 있는
연설가, 강연자, 동기부여 전문가
수많은 셀럽, 정치인,
미국 대통령 4명의 멘탈 관리...등
한 방송에서 출연해서
50시간 강의 (1,500만 원~5,000만 원)
5분안 압축을 해서 설명한다!

▶ 영상 내용!

미국 대통령 4명의 스피치 멘탈 관리법!

여기 있는 토니 로빈스의 세미나는 전 세계에서 가장 인기 있는 세미나죠. "50시간짜리 강의에요." "하지만 오늘 5분간 짧게 설명해볼게요." 그리고 토니가 여러분을 인생을 새롭게 바꿀 겁니다. 제가 오늘 부탁하는 건 50시간의 강의의 지혜를 5분에 줄여서 해주세요.

토니 로빈슨은 세계에서 가장 유명한 연설가입니다. 많

은 유명인들의 멘토링과 지금까지 네 명의 미국 대통령이 멘토링도 했었죠. <life mastery institute>이라는 그의 세미나 가격은 1,500만 원 ~ 5,000만 원이며 세미나 참석 전 참가자 심사까지 한다고 하는데요. 그의 세미나 중 '부정적인 생각을 2분 만에 떨쳐내는 방법' 대해 설명합니다. 집중하세요.

2분 동안 여러분께 간단한 컨셉에 대해서 먼저 설명해 줄게요. 모두는 목표를 가지고 있죠. 여러분들이 노력하는 무언가요. 그 새로운 결과를 얻으려면 당연히 새로운 행동을 해야 합니다. 모두 아는 사실이죠. 행동이 같은데 새로운 결과는 안 나타나니까요. 같은 결과만 나오겠죠. 인간이 할 수 있는 것들은 정말 대단한데도 대부분의 사람은 형편없는 행동만 해요. 능력이 부족한 게 아니라 새로운 행동을 안 하기 때문이에요. 그 이유는 우리의 감정상태 때문입니다. 감정에 지배당하는 거죠.
조바심이 나고 실패한 것 같은 감정들요. 하지만 당신이 두려움의 감정을 느낄 때 두려움은 행동에 보여지고 결과로 나타납니다. 그래서 인생을 바꾸는 가장 중요한 방법은 결과를 바꾸는 것인데 결과를 바꾸려면 행동을 바꾸어야 하고 행동을 바꾸려면 감정 상태를 바꿔야 합니다.
자 그럼 어떻게 바꿀까요? 이미 감정에 사로잡히거나

압도당한 상태에서요.

'제가 세계 최고 운동선수들 4명의 미국 대통령에게도 가르친 방법이에요. 억만장자 고객들도 배웠습니다.'

감정 상태를 바꾸는 것은 생각만으로 되는 게 아니에요. 나는 행복하다를 반복한다고 되는 게 아니에요. 당신의 뇌가 거짓인 걸 이미 알고 있으니까요. 그렇기에 우리가 해야 하는 것은 근본적인 변화입니다. 몸을 이용해 생리학적으로 접근할게요. 어려워 보이지만 그냥 몸을 이용한다는 거예요. 움직이는 템포를 바꿔요. 어깨를 당당히 펴고 숨을 더 고르게 쉬세요. 움직임을 생동감 있게 하고 말도 좀 빠르게 한다면 이 행동들이 당신 몸 안에서 화학작용을 만들어냅니다. 그리고 새로운 감정 상태에 접어들어 완전히 다른 행동을 이끌어내게 됩니다. 저는 40년 넘게 이걸 가르쳤어요. 그리고 3년 전에 하버드에서 과학적으로도 입증이 되었죠. 그리고 '파워 포지션'이라고 이름 지었죠. 정말 간단합니다. 양손을 허리에 올리세요. 원더우먼이나 슈퍼맨처럼요. 이렇게 선 상태에서 숨을 깊게 쉬세요. 단 2분 동안 만요. 이 행동의 과학적 결과는 당신은 2분 안에 무조건 테스토스테론(자신감 호르몬)이 20% 증가하고 남녀 모두 포함입니다. 그리고 당신의 몸안의 스트레스 호르몬인 코르티솔은

22% 감소합니다. 그리고 두려움에 사로잡혀서 하려고 하지 않던 새로운 행동을 할 가능성이 33% 증가합니다. 만약 당신이 앉아있다면 머리에 깍지를 끼고 다리를 올려놓는 행동도 같은 효과를 일으켜요. 이 행동들이 당신에게 확신과 자신감을 주기 때문입니다. 그리고 그 자신감이 새로운 행동을 하게 하는 거죠.

앞서 보신 방법은 조던 피더슨의 책 《인생의 12가지 법칙》에서도 첫 번째 챕터로 나오는 부분입니다. '어깨를 펴고 똑바로 서라.' 자신감 있는 자세가 끼치는 영향은 인간뿐 아니라 동물들에게도 같은 결과를 불러옵니다. 두 번째 방법은 마인드에 관한 방법입니다.
당신이 언제라도 당신이 가장 힘들다고 생각할 때 부모님이 아프시거나 사업이 안 되고 연인관계 문제 혹은 불안하고 초초할 때 당신은 두려움의 감정 상태에 들어가게 됩니다.
나쁜 행동을 만들고 엉망인 결과를 불러오죠. 그 결과를 뇌는 이렇게 받아들이죠. "내가 말했지. 너는 못한다고." 그렇게 부정적인 늪에 빠지는 거죠. 이 상태를 벗어나는 방법은 자신에게 새로운 질문을 하는 겁니다. 제 질문을 곰곰이 생각해보세요. 무엇이 인생에서 가장 자랑스럽나요? 당신이 느끼는 가장 자랑스러운 것에 집중해보세요.

여러분의 아이들 가족 혹은 성취한 것들 말이죠. 가짜 아닌 진심에서 우러나오는 자랑스러움이요. 누구라도 하나쯤은 있잖아요. 자 그럼 이제 눈을 감고 그 기분에 집중하세요. 당신이 자랑스러운 그 느낌을요. 그리고 그때의 기분을 다시 느껴보세요. 그때처럼 숨을 쉬어보세요. 여유 있게! 그리고 마치 기분 좋은 아이처럼 기쁜 감정을 숨기지 말고 웃음 짓는 거예요. 자 이번엔 당신이 감사한 것에 대해 집중해보세요. 혹은 당신의 가슴을 뛰게 하는 일을요. 사람 혹은 특정 순간들 아니면 원하는 것을 말이죠. 그 감정에 집중해보세요. 눈을 감고 그 감정에 집중하는 거예요. 가슴 뛰게 하는 것에 말이죠.

그리고 그게 일어난 것처럼 느껴보세요. 건강이 되찾아지고 사업이 번창하고 연인관계 회복, 두려움을 극복하는 것을요. 그렇게 인생을 온전히 바뀜을 느끼고 그 느낌대로 숨을 뱉어보세요. 그리고 그 기분을 소리쳐보세요. "오 예! 와우! 오오오오오! 해보자! 해보자! 파이팅! 좋았어!" 이 방법으로 감정 상태를 바꾸세요. 좋은 것에 집중하고 움직임을 바꾸는 거죠. 제 마지막 질문입니다. 여러분이 원하는 것에 집중한다면 보장된 건 아니지만 엄청난 가능성이 존재해요. 그러니 가능성을 늘려가세요. 감정 상태를 바꾸면서요. 그게 제 세미나의 핵심이에요. "몸과 마인드를 바꿔 가는 방법이었습니다."

밤하늘에 뜬 별들이 더 멋지고 소중한 이유는 별들을 감싸고 있는 어둠 때문이라는 말이 있습니다. 마찬가지로 필연적으로 느끼게 되는 부정적인 생각들과 상황들이 각자의 꿈을 더 빛나게 해주는 어둠 같은 존재 같습니다. 이 방법들이 여러분의 인생에 어둠이 찾아왔을 때 마음가짐을 바꿀 수 있는데 사용되기를 바랍니다.

<유튜브 터닝포인트 - 위대한 성공의 시작점>

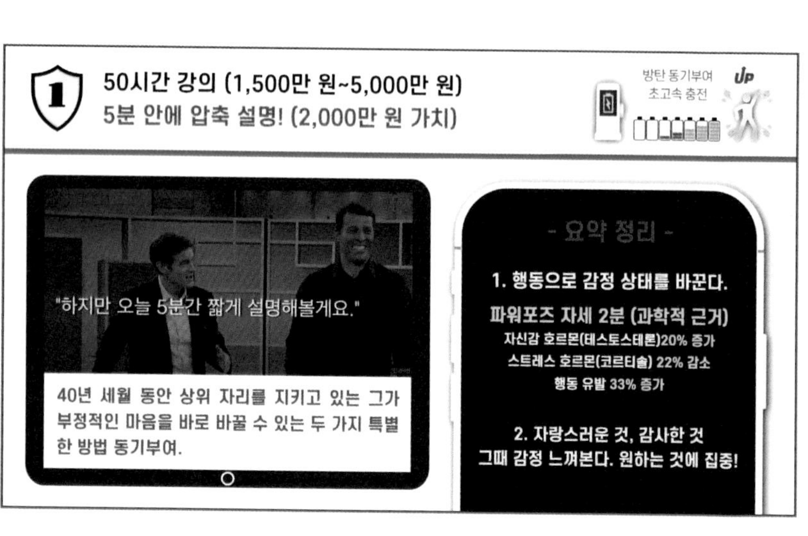

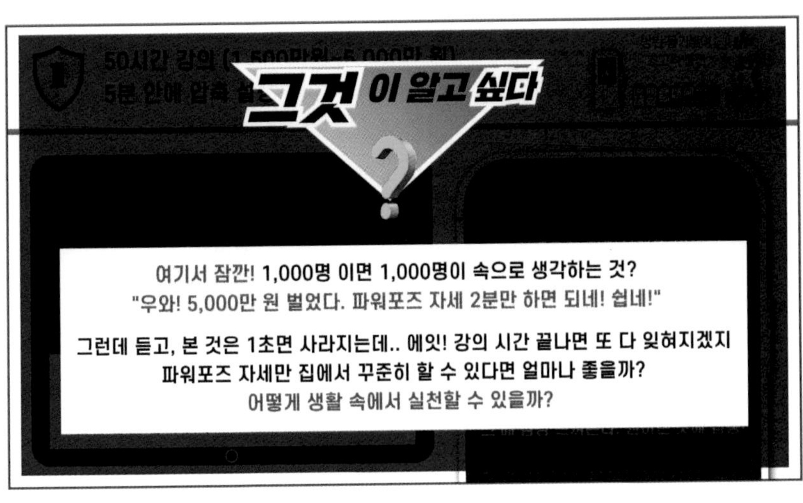
그것이 알고 싶다
여기서 잠깐! 1,000명 이면 1,000명이 속으로 생각하는 것?
"우와! 5,000만 원 벌었다. 파워포즈 자세 2분만 하면 되네! 쉽네!"
그런데 듣고, 본 것은 1초면 사라지는데.. 에잇! 강의 시간 끝나면 또 다 잊혀지겠지
파워포즈 자세만 집에서 꾸준히 할 수 있다면 얼마나 좋을까?
어떻게 생활 속에서 실천할 수 있을까?

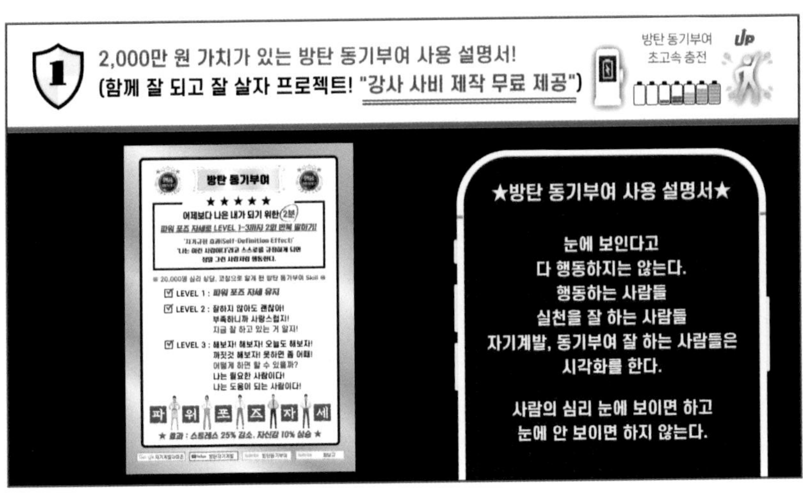
2,000만 원 가치가 있는 방탄 동기부여 사용 설명서!
(함께 잘 되고 잘 살자 프로젝트! "강사 사비 제작 무료 제공")
방탄 동기부여
초고속 충전
UP
방탄 동기부여
★★★★★
어제보다 나은 내가 되기 위한 2분
※ 20,000명 심리 상담, 코칭으로 알게 된 방탄 동기부여 Skill ※
LEVEL 1 : 파워 포즈 자세 유지
LEVEL 2 : 잘하지 않아도 괜찮아!
부족하니까 사랑스럽지!
지금 잘 하고 있는 거 알지!
LEVEL 3 : 해보자! 해보자! 오늘도 해보자!
까짓것 해보자! 못하면 좀 어때!
어떻게 하면 할 수 있을까?
나는 필요한 사람이다!
나는 도움이 되는 사람이다!
파 워 포 즈 자 세
★ 효과 : 스트레스 25% 감소, 자신감 10% 상승 ★
★방탄 동기부여 사용 설명서★
눈에 보인다고
다 행동하지는 않는다.
행동하는 사람들
실천을 잘 하는 사람들
자기계발, 동기부여 잘 하는 사람들은
시각화를 한다.
사람의 심리 눈에 보이면 하고
눈에 안 보이면 하지 않는다.

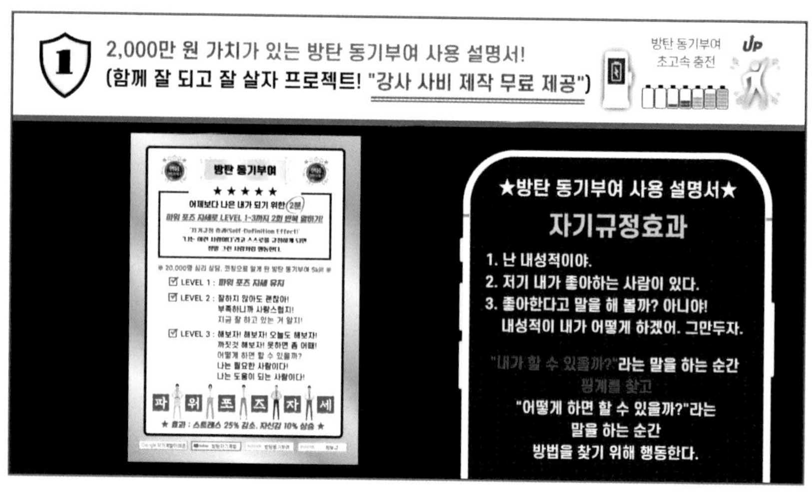
2,000만 원 가치가 있는 방탄 동기부여 사용 설명서!
(함께 잘 되고 잘 살자 프로젝트! "강사 사비 제작 무료 제공")
방탄 동기부여
초고속 충전
UP
방탄 동기부여
★★★★★
어제보다 나은 내가 되기 위한 2분
파워 포즈 자세로 LEVEL 1~3까지 2회 반복 말하기!
※ 20,000명 심리 상담, 코칭으로 알게 된 방탄 동기부여 Skill ※
LEVEL 1 : 파워 포즈 자세 유지
LEVEL 2 : 잘하지 않아도 괜찮아!
부족하니까 사랑스럽지!
지금 잘 하고 있는 거 알지!
LEVEL 3 : 해보자! 해보자! 오늘도 해보자!
까짓것 해보자! 못하면 좀 어때!
어떻게 하면 할 수 있을까?
나는 필요한 사람이다!
나는 도움이 되는 사람이다!
파 워 포 즈 자 세
★ 효과 : 스트레스 25% 감소, 자신감 10% 상승 ★
★방탄 동기부여 사용 설명서★
자기규정효과
1. 난 내성적이야.
2. 저기 내가 좋아하는 사람이 있다.
3. 좋아한다고 말을 해 볼까? 아니야!
내성적이 내가 어떻게 하겠어. 그만두자.
"내가 할 수 있을까?"라는 말을 하는 순간
핑계를 찾고
"어떻게 하면 할 수 있을까?"라는
말을 하는 순간
방법을 찾기 위해 행동한다.

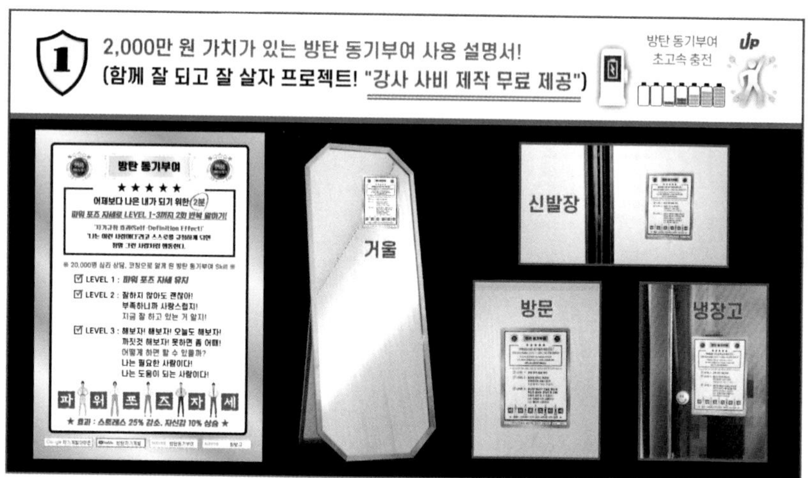
2,000만 원 가치가 있는 방탄 동기부여 사용 설명서!
(함께 잘 되고 잘 살자 프로젝트! "강사 사비 제작 무료 제공")
방탄 동기부여
초고속 충전
UP
방탄 동기부여
★★★★★
어제보다 나은 내가 되기 위한 2분
파워 포즈 자세로 LEVEL 1~3까지 2회 반복 말하기!
※ 20,000명 심리 상담, 코칭으로 알게 된 방탄 동기부여 Skill ※
LEVEL 1 : 파워 포즈 자세 유지
LEVEL 2 : 잘하지 않아도 괜찮아!
부족하니까 사랑스럽지!
지금 잘 하고 있는 거 알지!
LEVEL 3 : 해보자! 해보자! 오늘도 해보자!
까짓것 해보자! 못하면 좀 어때!
어떻게 하면 할 수 있을까?
나는 필요한 사람이다!
나는 도움이 되는 사람이다!
파 워 포 즈 자 세
★ 효과 : 스트레스 25% 감소, 자신감 10% 상승 ★
거울
신발장
방문
냉장고

2,000만 원 가치가 있는 방탄 동기부여 사용 설명서!
(함께 잘 되고 잘 살자 프로젝트! "강사 사비 제작 무료 제공")

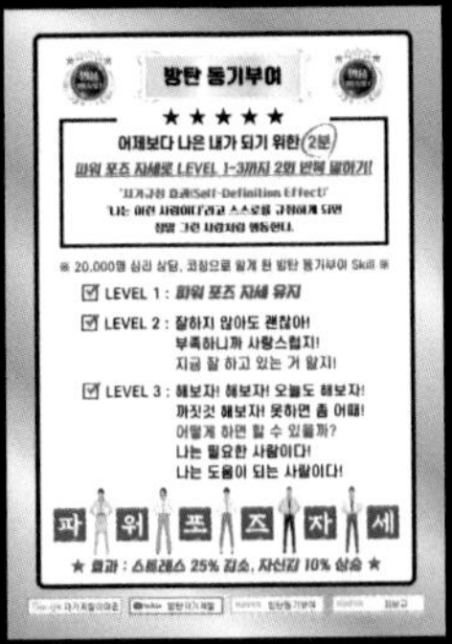

"여기서 잠깐!"

1,000명 이면 1,000명이
의심의 눈빛으로 물어보는 것!

"최보규 방탄동기부여 전문가님은
어떤 도움, 효과를 봤는지요?
도움, 효과를 봤다는
증거 자료를 보여 줄 수 있는지요?
말이 아닌 표면적으로 증명할 수
있는 것을 보여 주세요!"
보여주면 따라하겠습니다.

15년간 방탄 동기부여 사용 설명서로 인해
인생이 바뀌었던 증거 자료!

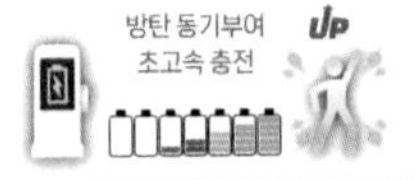

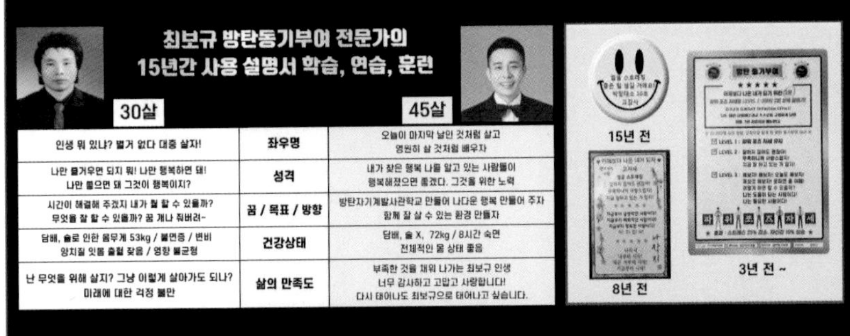

30살		45살
인생 뭐 있나? 별거 없다 대충 살자!	좌우명	오늘이 마지막 날인 것처럼 살고 영원히 살 것처럼 배우자
나만 즐거우면 되지 뭐! 나만 행복하면 돼! 나만 좋으면 돼 그것이 행복이지?	성격	내가 찾은 행복 나를 알고 있는 사람들이 행복해졌으면 좋겠다. 그것을 위한 노력
시간이 해결해 주겠지 내가 뭘 할 수 있을까? 무엇을 잘 할 수 있을까? 꿈 개나 줘버려~	꿈 / 목표 / 방향	방탄자기계발사관학교 만들어 나다운 행복 만들어 주자 함께 잘 살 수 있는 환경 만들자
담배, 술로 인한 몸무게 53kg / 불면증 / 변비 양치질 잇몸 출혈 잦음 / 영향 불균형	건강상태	담배, 술 X, 72kg / 8시간 숙면 전체적인 몸 상태 좋음
난 무엇을 위해 살지? 그냥 이렇게 살아가도 되나? 미래에 대한 걱정 불만	삶의 만족도	부족한 것을 채워 나가는 최보규 인생 너무 감사하고 고맙고 사랑합니다! 다시 태어나도 최보규으로 태어나고 싶습니다.

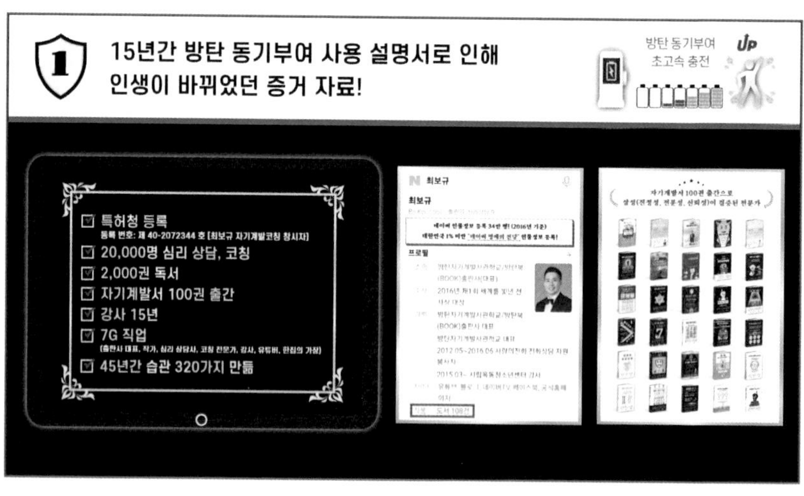
15년간 방탄 동기부여 사용 설명서로 인해
인생이 바뀌었던 증거 자료!
방탄 동기부여
초고속 충전
특허청 등록
등록 번호: 제 40-2072344 호 [최보규 자기계발코칭 창시자]
20,000명 심리 상담, 코칭
2,000권 독서
자기계발서 100권 출간
강사 15년
7G 직업
45년간 습관 320가지 만듦
최보규
프로필
자기계발서 100권 출간으로

15년간 방탄 동기부여 사용 설명서로 인해
인생이 바뀌었던 증거 자료!
방탄 동기부여
초고속 충전
대한민국 강사 섭외 NO1 '강사야'
'강사야' "대표 일타강사 최보규"
GANGSAYA
특허청 등록으로 검증된 강사!
방탄 동기부여/리더십/자기계발
자기계발아마존
방탄자기계발
강사야
최보규

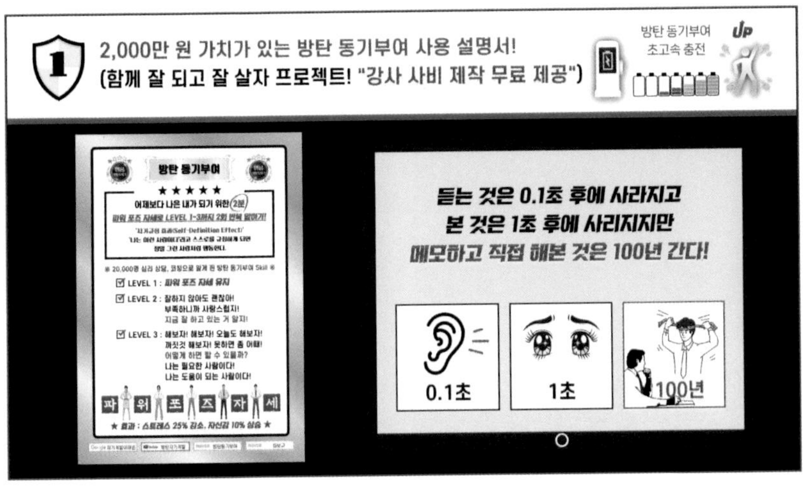
2,000만 원 가치가 있는 방탄 동기부여 사용 설명서!
(함께 잘 되고 잘 살자 프로젝트! "강사 사비 제작 무료 제공")
방탄 동기부여
초고속 충전
UP
방탄 동기부여
★★★★★
어제보다 나은 내가 되기 위한 2분
LEVEL 1 : 파워 포즈 자세 유지
LEVEL 2 : 잘하지 않아도 괜찮아!
부족하니까 사랑스럽지!
지금 잘 하고 있는 거 알지!
LEVEL 3 : 해보자! 해보자! 오늘도 해보자!
까짓것 해보자! 못하면 좀 어때!
어떻게 하면 할 수 있을까?
나는 필요한 사람이다!
나는 도움이 되는 사람이다!
파 워 포 즈 자 세
★ 효과 : 스트레스 25% 감소, 자신감 10% 상승 ★
듣는 것은 0.1초 후에 사라지고
본 것은 1초 후에 사라지지만
메모하고 직접 해본 것은 100년 간다!
0.1초
1초
100년

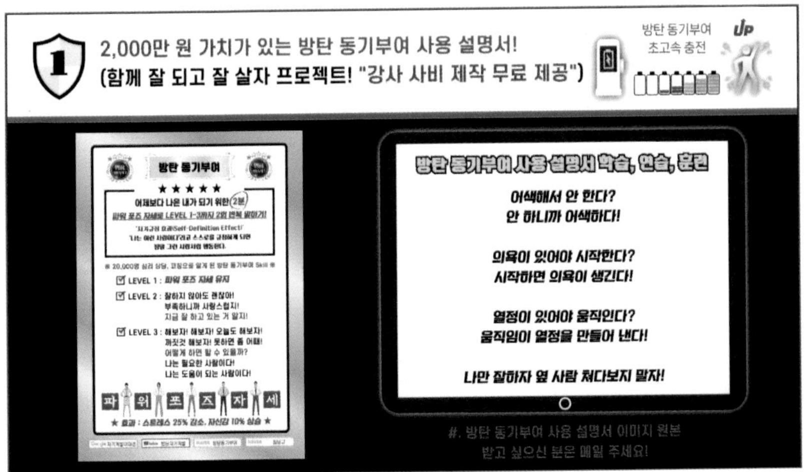
2,000만 원 가치가 있는 방탄 동기부여 사용 설명서!
(함께 잘 되고 잘 살자 프로젝트! "강사 사비 제작 무료 제공")
방탄 동기부여
초고속 충전
UP
방탄 동기부여
★★★★★
어제보다 나은 내가 되기 위한 2분
LEVEL 1 : 파워 포즈 자세 유지
LEVEL 2 : 잘하지 않아도 괜찮아!
부족하니까 사랑스럽지!
지금 잘 하고 있는 거 알지!
LEVEL 3 : 해보자! 해보자! 오늘도 해보자!
까짓것 해보자! 못하면 좀 어때!
어떻게 하면 할 수 있을까?
나는 필요한 사람이다!
나는 도움이 되는 사람이다!
파 워 포 즈 자 세
★ 효과 : 스트레스 25% 감소, 자신감 10% 상승 ★
방탄 동기부여 사용 설명서 학습, 연습, 훈련
어색해서 안 한다?
안 하니까 어색하다!
의욕이 있어야 시작한다?
시작하면 의욕이 생긴다!
열정이 있어야 움직인다?
움직임이 열정을 만들어 낸다!
나만 잘하자 옆 사람 쳐다보지 말자!
#. 방탄 동기부여 사용 설명서 이미지 원본
받고 싶으신 분은 메일 주세요!

1
2,000만 원 가치가 있는 방탄 동기부여 사용 설명서!
(함께 잘 되고 잘 살자 프로젝트! "강사 사비 제작 무료 제공")
방탄 동기부여
초고속 충전
UP
방탄 동기부여
★★★★★
어제보다 나은 내가 되기 위한 2분
파워 포즈 자세로 LEVEL 1-3까지 2회 반복 말하기!
'자기규정 효과(Self-Definition Effect)'
※ 20,000명 심리 상담, 코칭으로 알게 된 방탄 동기부여 Skill ※
LEVEL 1 : 파워 포즈 자세 유지
LEVEL 2 : 잘하지 않아도 괜찮아!
부족하니까 사랑스럽지!
지금 잘 하고 있는 거 알지!
LEVEL 3 : 해보자! 해보자! 오늘도 해보자!
까짓것 해보자! 못하면 좀 어때!
어떻게 하면 할 수 있을까?
나는 필요한 사람이다!
나는 도움이 되는 사람이다!
파 워 포 즈 자 세
★ 효과 : 스트레스 25% 감소, 자신감 10% 상승 ★
모두 일어나세요!
방탄 동기부여 사용 설명서
실습
#. 방탄 동기부여 사용 설명서 이미지 원본
받고 싶으신 분은 메일 주세요!

방탄 동기부여

★ ★ ★ ★ ★

어제보다 나은 내가 되기 위한 2분

파워 포즈 자세로 LEVEL 1~3까지 2회 반복 말하기!

'자기규정 효과(Self-Definition Effect)'
'나는 이런 사람이다'라고 스스로를 규정하게 되면
정말 그런 사람처럼 행동한다.

※ 20,000명 심리 상담, 코칭으로 알게 된 방탄 동기부여 Skill ※

☑ LEVEL 1 : ***파워 포즈 자세 유지***

☑ LEVEL 2 : 잘하지 않아도 괜찮아!
부족하니까 사랑스럽지!
지금 잘 하고 있는 거 알지!

☑ LEVEL 3 : 해보자! 해보자! 오늘도 해보자!
까짓것 해보자! 못하면 좀 어때!
어떻게 하면 할 수 있을까?
나는 필요한 사람이다!
나는 도움이 되는 사람이다!

★ 효과 : 스트레스 25% 감소, 자신감 10% 상승 ★

Google 자기계발아마존 | YouTube 방탄자기계발 | NAVER 방탄동기부여 | NAVER 최보규

- 방탄 리더 동기부여 교육 PPT 목차 2
· [출간 한 《방탄 리더 동기부여》 책 내용]

리더는 노오력 자기계발이 아닌 올바른 노력 자기계발을 해야 한다.

생일을 축하하지 않는 부족
가로 4,000km, 세로 3,200km, 총면적 768만㎢ 드넓은 호주 대륙을 걸어서 횡단하는 원주민이 있다. 그 어떤 음식도 물건도 없이 빈손으로 출발해 자연에서 모든 것을 얻어 생활하는 오스틀로이드 부족(그들은 스스로를

참사람 부족이라고 부른다) 그리고 그들에게는 남다른 풍습이 하나 있다.
바로, 생일을 기념하지 않는 것. 한 백인 의사가 그들과 함께 호주를 횡단하며 생일 파티에 대한 얘기를 들려주었을 때 그들은 고개를 갸웃거렸다. 생일을 왜 축하하는 거죠? 축하는 특별한 일이 있을 때 하는 것 아닌가요? 의사는 대답했다.
한 생명이 태어났다는 사실은 축복받을 만한 일이니까요! 음, 탄생의 순간은 분명히 특별하죠. 그런데, 나이를 먹는 것도 특별한 일일까요? 나이를 먹는 데는 아무런 노력도 필요하지 않잖아요. 그건 그냥, 저절로 되는 거죠. 의사는 자신도 모르게 고개를 끄덕였다. 나이가 들어가며 점점 더해지는 의무감에 마음이 무거워졌던 기억도 떠올랐다. 잠시 고민하던 의사는 그들에게 되물었다.

그럼, 당신들은 무엇을 축하하나요? 그들은 입 끝에 옅은 미소를 지으며 대답했다. 우리는 나아짐을 축하합니다. 어제보다 오늘 더 작년보다 올해 더 성장했을 때, 우리는 그걸 축하합니다. 생일이라는 건 1년이 지나면 저절로 돌아오지만 한 사람의 성장에는 단순한 시간 이상의 노력이 필요한 거니까요.

작은 변화조차도 저절로 되는 게 아니죠. 그래서 우리는 생일이 아니라 성장을 축하합니다. 크고 작음은 상관없습니다. 작은 변화라고, 작은 한 걸음이라도 상관없으니 여러분도 생일 말고 성장을 축하해 보세요. 고민 끝에 드디어 하고 싶은 일을 찾았다고 말하는 친구의 새로운 한 걸음을 축하하고 처음으로 혼자 심부름을 다녀온 막내의 용감한 한 걸음을 축하해 보는 거죠. 작은 한 걸음이더라도, 그 성장을 함께 축하해 본다면 매일 매일을 생일처럼 보낼 수 있지 않을까요?

<참사람, 오스틀로이드 부족의 이야기>

<유뷰브 열정의 기름붓기>

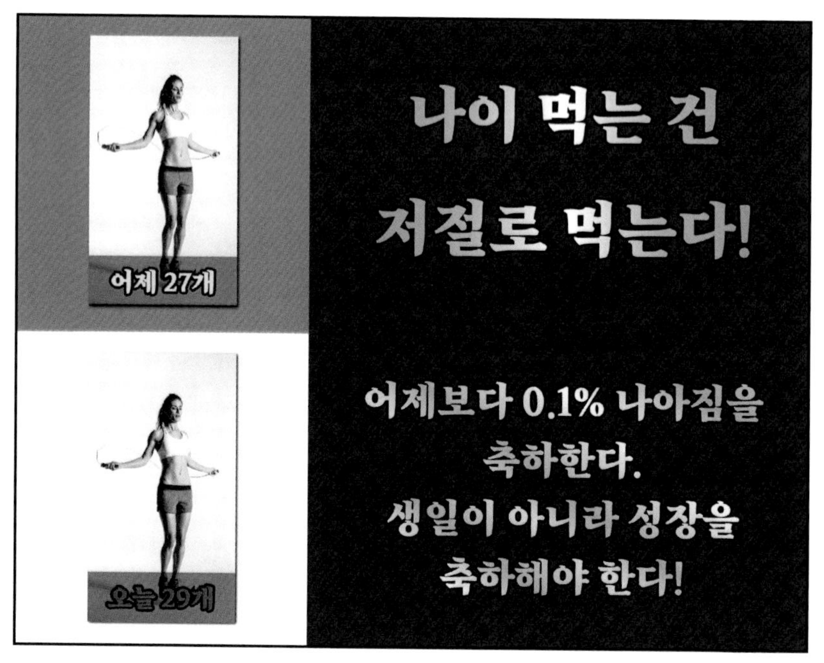

리더들이 자기계발 하는 이유는 각자 다르지만 대부분 자기계발의 목적인 결과, 성공, 인정에 너무 집착하다 보니 꾸준히 못 하는 경우가 많다. 세상, 현실, 주위 사람들의 기준, 시선에 너무 의식한 자기계발이 아닌 사소한 것이라도 어제보다 0.1% 나아짐, 변화, 성장이 방탄 리더 자기계발이다. 이제는 자기계발도 자신의 만족으로만 끝나면 안 된다. 빠르게 변하는 시대, 흐름에 맞게 자신 분야+ 자기계발+ 삼성(진정성, 전문성, 신뢰성)+ 돈 연결(월세, 연금성 수입)+ 성장+ 변화+ 사람들에게 도움+ 함께 잘 살자가 융합이 될 수 있는 자기계발인 방탄 리더 자기계발을 해야 한다.

다음은 목표를 이루기 위한 준비가 왜 중요한지를 깨닫게 해주는 스토리텔링들이다.

큰 고기를 잡으려면

열 살 난 꼬마는 주말에 아버지, 아버지의 친구들과 함께 알래스카로 낚시 여행을 가기로 했다. 큰 고기를 잡고 싶었던 꼬마는 크고 무거운 낚싯대와 낚싯줄을 사겠다고 고집을 피웠다. 아들의 기대를 꺾고 싶지 않았던 아버지는 마지못해 그의 요구를 들어주었다.

아버지의 친구들은 꼬마가 커다란 낚시 도구를 챙겨오자 껄껄 웃으며 놀려 댔다. "고래라도 잡아 올 생각이니, 꼬마야?" "저는 커다란 창꼬치를 잡을 거예요." 꼬마가 자신 있게 대답했다. "오, 그러냐. 아무렴 큰 놈으로 잡아야지." 어른들은 더욱 큰 소리로 웃어댔다. 낚시터에 도착해서도 어른들은 꼬마의 커다란 낚시 도구를 놓고 놀려댔다.

그러던 중 한 사람이 큰 소리로 외쳤다. "이런! 큰 놈이 걸린 것 같아!" 모두 몰려들었으나, 팽팽하던 낚싯줄이 그만 끊어져 버렸다. 그 사람은 좀 더 튼튼한 걸로 준비해올 걸 하고 후회했다.

그리고 집으로 돌아가기 바로 전날, 꼬마는 마침내 커다란 창꼬치를 잡았다. 어찌나 세게 잡아당기던지 겁이 날 정도였다. 꼬마는 무려 30분이나 씨름을 한 끝에 원하던 물고기를 잡아 올릴 수 있었다.

뜰채와 물고기

한 유원지에 화창한 봄을 맞이하여 나들이를 나온 사람들로 가득 찼습니다.

“싱싱하게 살아있는 고기를 직접 잡아보세요. 뜰채를 빌려드립니다. “

유원지 한쪽에서 한 노인이 뜰채를 들어 보이며 외쳐대고 있었습니다.

청년이 호기심 어린 얼굴로 옆에 있던 여자 친구에게 말했습니다. “우리도 한번 해볼까? 내가 아주 큰 물고기를 잡아 줄게! 수조 안에는 물고기들이 가득했는데 몇몇 사람들이 각자 뜰채를 이용해 잡고 있었습니다.

이때 한사람이 어른팔뚝만한 물고기를 막 뜰채로 건져 올렸습니다. 그것을 보고 기대에 찬 청년이 들뜬 목소리로 물었습니다. “할아버지, 그 뜰채를 빌리는데 얼마입니까?” 노인 앞에 놓인 세 개의 뜰채를 가리키며 말했습니다. 여기서부터 오천 원, 만원, 만 오천 원입니다.

청년은 수조 속의 물고기라면 맨손으로도 잡을 수 있을

것이라 생각하고 가장 싼 뜰채를 빌렸습니다.
청년이 뜰채를 수조 안에 넣자마자 구석에 있던 커다란 물고기 한 마리를 낚아챘습니다.
"와 정말 커다란 물고기다!" 청년은 뜰채를 힘껏 들어 올렸습니다.
그런데 순간 뜰채가 찢어지면서 팔딱거리던 물고기가 다시 수조 안으로 떨어졌습니다.
청년은 다시 오 천원을 내고 다시 뜰채를 빌렸습니다.
"이번에는 꼭 성공할 터이니 잘 보라고!"
그 청년은 여자 친구에게 자신있게 말하고 뜰채를 수조 안으로 집어넣었습니다.
그러나 이번에도 결과는 마찬가지였습니다. 무려 네 번의 뜰채가 그렇게 허망하게 망가지고 청년은 아주 작은 물고기 한 마리도 잡지를 못했습니다. 청년은 화가 치밀어 노인에게 거칠게 말했습니다.

"아니 할아버지 이 뜰채가 너무 약해서 자꾸 찢어지어서 물고기를 잡아도 뜰채가 약해서 낚을 수가 없으니 이게 뭐예요?"

그러자 노인이 허허 웃으며 대답했습니다. "아주 간단한 이치가 아니겠나? 자네는 가장 싼 뜰채로 큰 물고기만 잡으려고 하지 않았나?

그 뜰채가 얼마나 견뎌낼지를 생각하지도 않고 무조건 큰 고기만 노리지 않았는가? 물론 보다 좋은 큰 고기를 원하는 것은 나쁘다는 말은 아닐세! 그러나 자기의 조건이 어떤지를 생각해봐야 하지 않나?

큰 물고기를 잡으려면 그것을 견뎌 낼 수 있고 더 크고 튼튼한 뜰채를 먼저 선택해야 하지 않는가? 안 그런가? 노인의 말에 청년은 다시 발끈했습니다.

"하지만 뜰채가 약하고 형편없던 것은 사실이잖아요?"
"그러니까 내 말은 큰 물고기를 잡고 싶으면 그에 맞는 비싸고 튼튼한 뜰채를 고르라는 것일세! 아니면 그냥 작은 물고기로 만족을 하던가! 안 그런가?"

《참 행복한 세상》

자신 분야에서 큰 고기(큰 결과, 큰돈)를 잡기 위해서는 큰 낚싯대, 큰 뜰채를 준비하기 위해서 과감한 투자를 할 때도 있어야 하는데 늘 망설인다.

20,000명 심리 상담, 코칭 하면서 알게 된 것은 대부분 리더들이 "성공은 하고 싶은데 노력은 하기 싫어요."라는 태도로 작은 뜰채만을 가지고 큰 고기를 잡으려고 한다는 것이다. 노오력 자기계발만 한다는 것이다.

뜰채, 낚싯대로 시대에 맞게 업그레이드를 해야 한다. 작은 뜰채, 작은 낚싯대가 일반 리더 자기계발이라면 큰 뜰채 큰 낚싯대는 방탄리더 자기계발이다. 빠르게 변하는 세상 속에서 더 힘들어지는 상황 속에서 자신, 자신 분야 성장을 넘어서 제2 수입, 제3 수입까지 연결시킬 수 있는 자기계발인 방탄 리더 자기계발을 해야 한다.

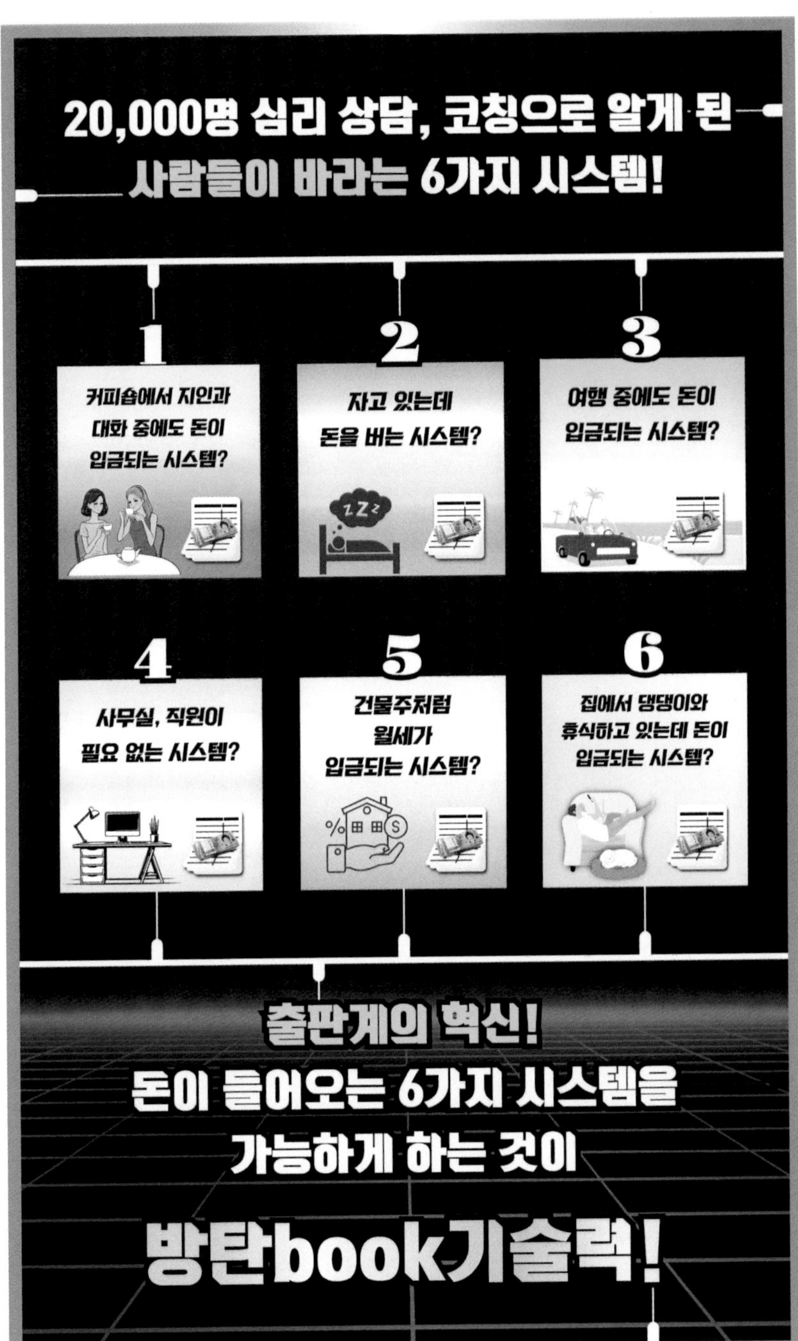
20,000명 심리 상담, 코칭으로 알게 된
사람들이 바라는 6가지 시스템!
1
커피숍에서 지인과
대화 중에도 돈이
입금되는 시스템?
2
자고 있는데
돈을 버는 시스템?
3
여행 중에도 돈이
입금되는 시스템?
4
사무실, 직원이
필요 없는 시스템?
5
건물주처럼
월세가
입금되는 시스템?
6
집에서 댕댕이와
휴식하고 있는데 돈이
입금되는 시스템?
출판계의 혁신!
돈이 들어오는 6가지 시스템을
가능하게 하는 것이
방탄book기술력!

- 방탄 리더 동기부여 교육 PPT 목차 2

· [출간 한 《방탄 리더 동기부여》 책 내용을 방탄 동기부여 교육 PPT로 디자인

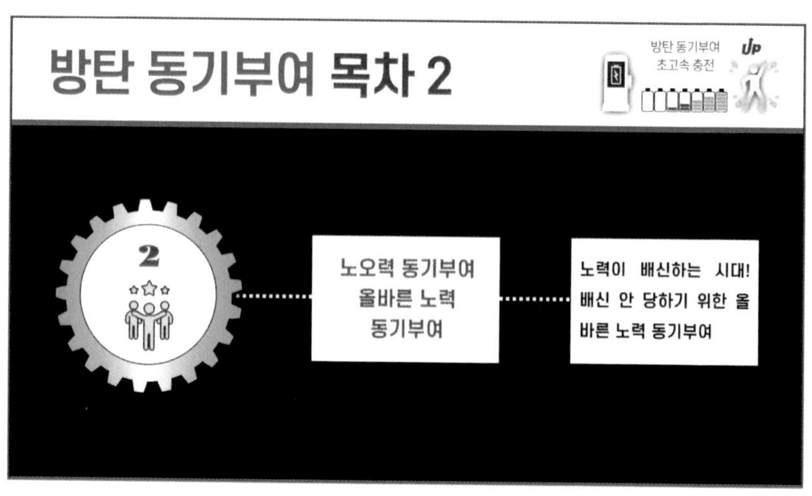

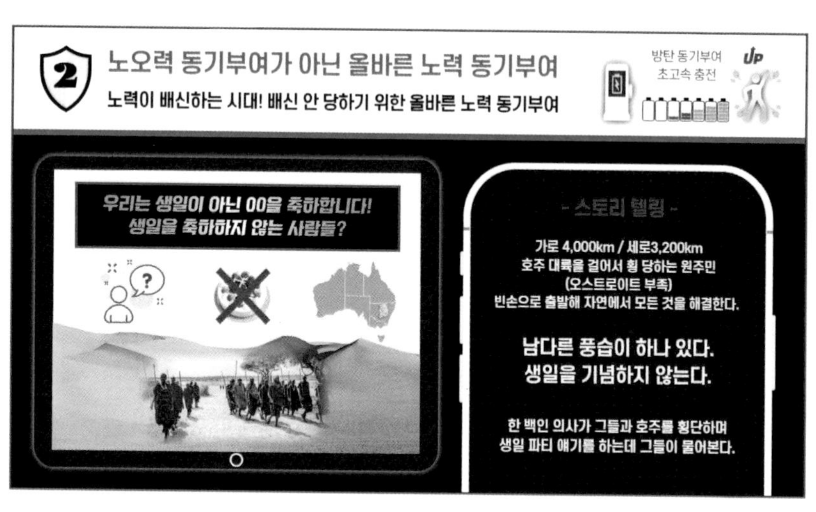

노오력 동기부여가 아닌 올바른 노력 동기부여

노력이 배신하는 시대! 배신 안 당하기 위한 올바른 노력 동기부여

- 스토리 텔링 -

"생일을 왜 축하하죠? 축하는 특별한 일이 있을 때만 하는 것 아닌가요?

백인 의사: 한 생명이 태어났다는 사실은 축복받을 만한 일니니까요!

"탄생의 순간은 분명히 특별하죠. 그런데 나이를 먹는 것도 특별한 일일까요? 나이를 먹는 데는 아무런 노력도 필요하지 않잖아요. 그건 그냥, 저절로 되는 거죠."

노오력 동기부여가 아닌 올바른 노력 동기부여

노력이 배신하는 시대! 배신 안 당하기 위한 올바른 노력 동기부여

- 스토리 텔링 -

백인 의사: 그럼 당신들은 무엇을 축하하나요?

우리는 나아짐을 축하합니다.
어제보다 오늘 더
작년보다 올해 더 성장했을 때,
우리는 그걸 축하합니다.
생일이라는 건 1년이 지나면 저절로
돌아오지만 한 사람의 성장에는 단순한
시간 이상의 노력이 필요한 거니까요.
작은 변화조차도 저절로 되는 게 아니죠.
그래서 우리는 생일이 아니라 성장을 축하합니다.

2 노오력 동기부여가 아닌 올바른 노력 동기부여

노력이 배신하는 시대! 배신 안 당하기 위한 올바른 노력 동기부여

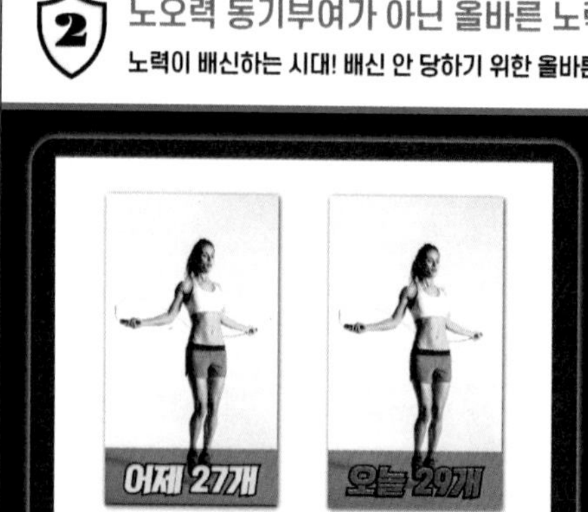

경력은 스펙이 아니다!

어제와 같은 방법으로
시간만 채우고
경력만 채우는 노오력이 아닌
어제보다 0.1%
나음, 배움, 변화, 성장이
있어야 올바른 노력이다.

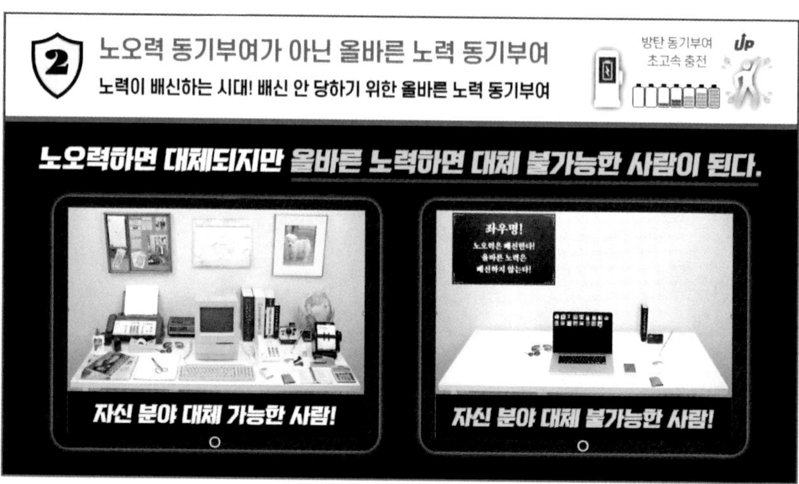

2
노오력 동기부여가 아닌 올바른 노력 동기부여
노력이 배신하는 시대! 배신 안 당하기 위한 올바른 노력 동기부여
방탄 동기부여
초고속 충전
UP
노오력하면 대체되지만 올바른 노력하면 대체 불가능한 사람이 된다.
좌우명!
노오력은 배신한다!
올바른 노력은
배신하지 않는다!
자신 분야 대체 가능한 사람!
자신 분야 대체 불가능한 사람!

노오력 동기부여! 올바른 노력 동기부여!

나이는 노력 없이도 먹는다. 노오력 동기부여!

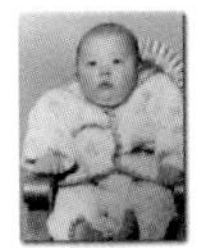
100일

13살

19살

23살

29살

45살

노오력 동기부여! 올바른 노력 동기부여!

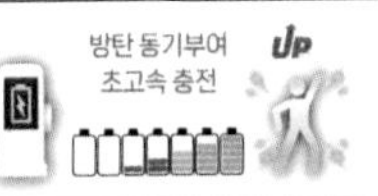

2
노오력 동기부여! 올바른 노력 동기부여!
방탄 동기부여
초고속 충전
UP
나이는 노력 없이도 먹는다. 노오력 동기부여!
100일
13살
19살
23살
29살
45살
어제보다 0.1% 나음, 변화, 성장은 올바른 노력 동기부여!
0%
0.1%
1%
5%
10%
30%
35%
50%
70%
80%

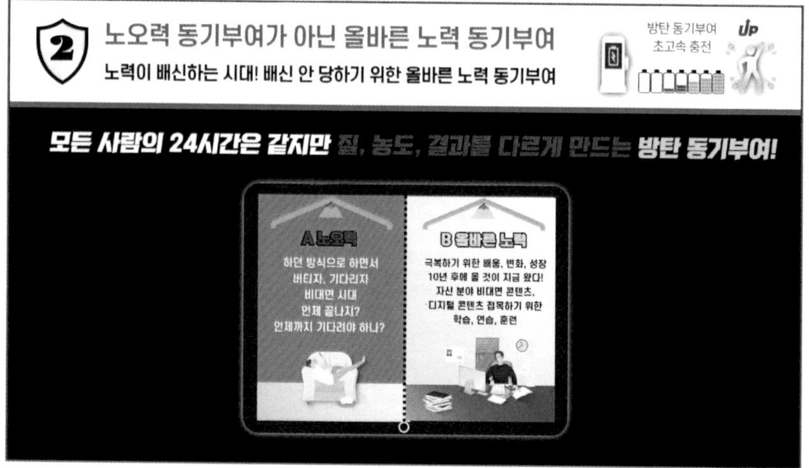
2
노오력 동기부여가 아닌 올바른 노력 동기부여
노력이 배신하는 시대! 배신 안 당하기 위한 올바른 노력 동기부여
방탄 동기부여
초고속 충전
UP
모든 사람의 24시간은 같지만 질, 농도, 결과를 다르게 만드는 방탄 동기부여!
A 노오력
하던 방식으로 하면서
버티자, 기다리자
비대면 시대
언제 끝나지?
언제까지 기다려야 하나?
B 올바른 노력
극복하기 위한 배움, 변화, 성장
10년 후에 올 것이 지금 왔다!
자신 분야 비대면 콘텐츠,
디지털 콘텐츠 접목하기 위한
학습, 연습, 훈련

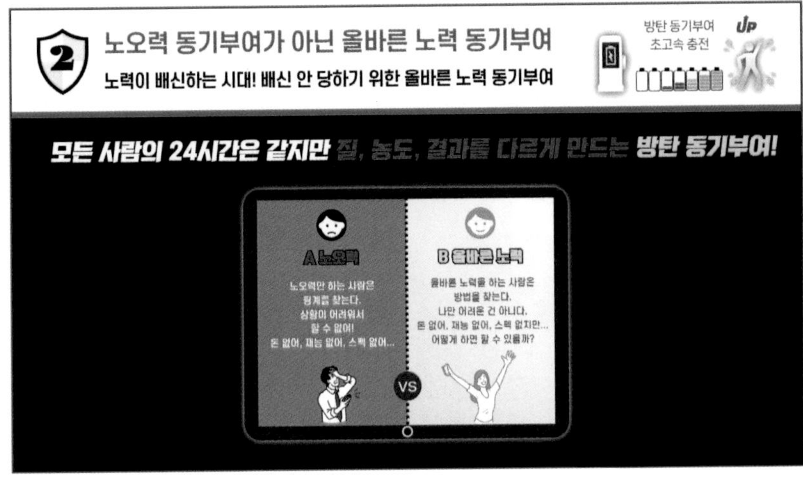
2
노오력 동기부여가 아닌 올바른 노력 동기부여
노력이 배신하는 시대! 배신 안 당하기 위한 올바른 노력 동기부여
방탄 동기부여
초고속 충전
UP
모든 사람의 24시간은 같지만 질, 농도, 결과를 다르게 만드는 방탄 동기부여!
A 노오력
노오력만 하는 사람은
핑계를 찾는다.
상황이 어려워서
할 수 없어!
돈 없어, 재능 없어, 스펙 없어...
B 올바른 노력
올바른 노력을 하는 사람은
방법을 찾는다.
나만 어려운 건 아니다.
돈 없어, 재능 없어, 스펙 없지만...
어떻게 하면 할 수 있을까?
VS

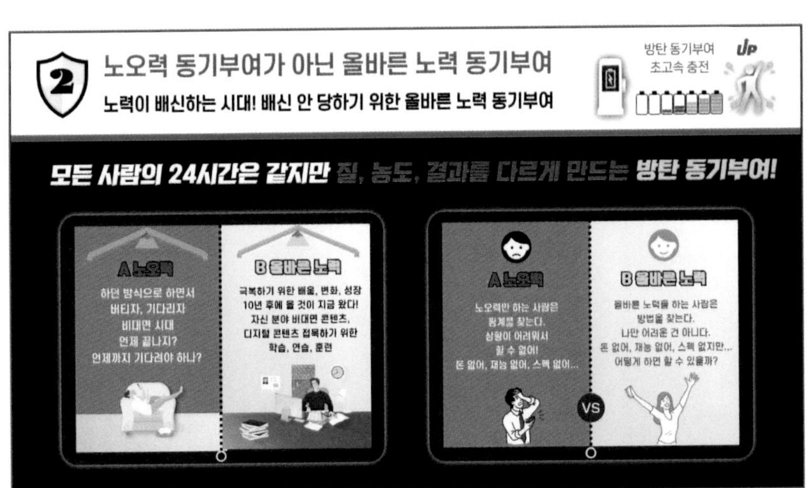
2
노오력 동기부여가 아닌 올바른 노력 동기부여
노력이 배신하는 시대! 배신 안 당하기 위한 올바른 노력 동기부여
방탄 동기부여
초고속 충전
UP
모든 사람의 24시간은 같지만 질, 농도, 결과를 다르게 만드는 방탄 동기부여!
A 노오력
하던 방식으로 하면서
버티자, 기다리자
비대면 시대
언제 끝나지?
언제까지 기다려야 하나?
B 올바른 노력
극복하기 위한 배움, 변화, 성장
10년 후에 올 것이 지금 왔다!
자신 분야 비대면 콘텐츠,
디지털 콘텐츠 접목하기 위한
학습, 연습, 훈련
A 노오력
노오력만 하는 사람은
핑계를 찾는다.
상황이 어려워서
할 수 없어!
돈 없어, 재능 없어, 스펙 없어...
B 올바른 노력
올바른 노력을 하는 사람은
방법을 찾는다.
나만 어려운 건 아니다.
돈 없어, 재능 없어, 스펙 없지만...
어떻게 하면 할 수 있을까?
VS

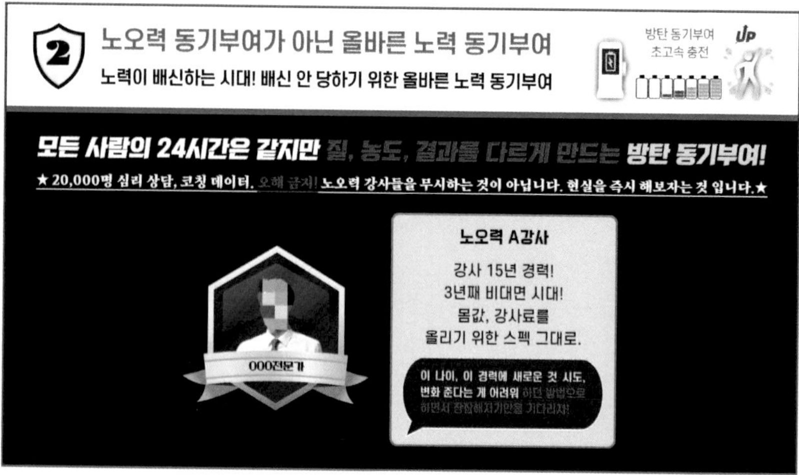
2
노오력 동기부여가 아닌 올바른 노력 동기부여
노력이 배신하는 시대! 배신 안 당하기 위한 올바른 노력 동기부여
방탄 동기부여
초고속 충전
모든 사람의 24시간은 같지만 질, 농도, 결과를 다르게 만드는 방탄 동기부여!
★ 20,000명 심리 상담, 코칭 데이터. 오해 금지! 노오력 강사들을 무시하는 것이 아닙니다. 현실을 즉시 해보자는 것 입니다.★
OOO전문가
노오력 A강사
강사 15년 경력!
3년째 비대면 시대!
몸값, 강사료를
올리기 위한 스펙 그대로.
이 나이, 이 경력에 새로운 것 시도, 변화 준다는 게 어려워 하던 방법으로

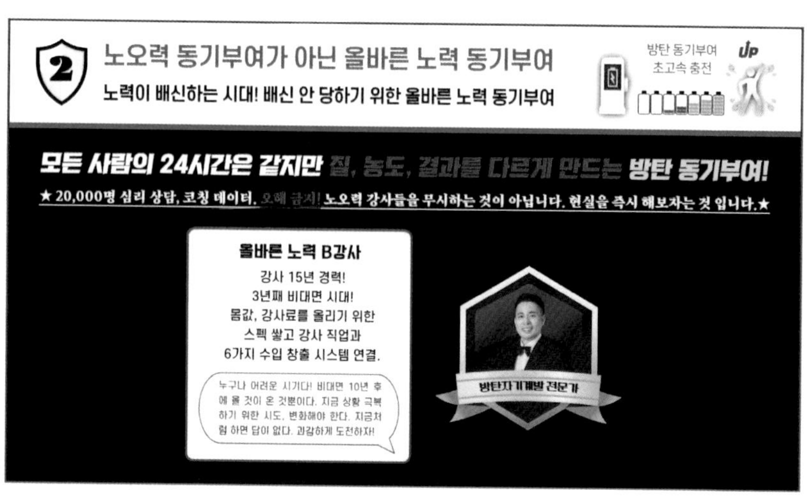
2
노오력 동기부여가 아닌 올바른 노력 동기부여
노력이 배신하는 시대! 배신 안 당하기 위한 올바른 노력 동기부여
방탄 동기부여
초고속 충전
모든 사람의 24시간은 같지만 질, 농도, 결과를 다르게 만드는 방탄 동기부여!
★ 20,000명 심리 상담, 코칭 데이터. 오해 금지! 노오력 강사들을 무시하는 것이 아닙니다. 현실을 즉시 해보자는 것 입니다.★
올바른 노력 B강사
강사 15년 경력!
3년째 비대면 시대!
몸값, 강사료를 올리기 위한
스펙 쌓고 강사 직업과
6가지 수입 창출 시스템 연결.
누구나 어려운 시기다! 비대면 10년 후에 올 것이 온 것뿐이다. 지금 상황 극복하기 위한 시도, 변화해야 한다. 지금처럼 하면 답이 없다. 과감하게 도전하자!

노오력 동기부여가 아닌 올바른 노력 동기부여

노력이 배신하는 시대! 배신 안 당하기 위한 올바른 노력 동기부여

모든 사람의 24시간은 같지만 질, 농도, 결과를 다르게 만드는 방탄 동기부여!

★20,000명 심리 상담, 코칭 데이터. 오해 금지! 노오력 강사들을 무시하는 것이 아닙니다. 현실을 즉시 해보자는 것 입니다.★

노오력 A강사

강사 15년 경력!
3년째 비대면 시대!
몸값, 강사료를
올리기 위한 스펙 그대로.

이 나이, 이 경력에 새로운 것 시도, 변화 준다는 게 어려워 하던 방법으로 하면서 잠잠해지기만을 기다리자!

VS

올바른 노력 B강사

강사 15년 경력!
3년째 비대면 시대!
몸값, 강사료를 올리기 위한
스펙 쌓고 강사 직업과
6가지 수입 창출 시스템 연결.

누구나 어려운 시기다! 비대면 10년 후에 올 것이 온 것뿐이다. 지금 상황 극복하기 위한 시도, 변화해야 한다. 지금처럼 하면 답이 없다. 과감하게 도전하자!

경력은 스펙이 아니다!

★20,000명 심리 상담, 코칭 데이터. 오해 금지! 노오력 강사들을 무시하는 것이 아닙니다. 현실을 즉시 해보자는 것 입니다.★

전문 분야가 있지만
표면적으로 검증되고
증명할 수 있는 것이 없다!
몸값, 강사료 고정!

강사 경력 15년 차
경력만 있다.

경력은 스펙이 아니다!

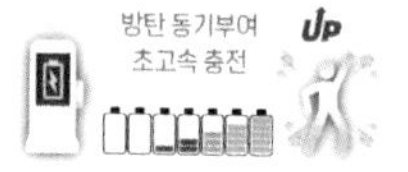

★ 20,000명 심리 상담, 코칭 데이터. 오해 금지! 노오력 강사들을 무시하는 것이 아닙니다. 현실을 즉시 해보자는 것 입니다.★

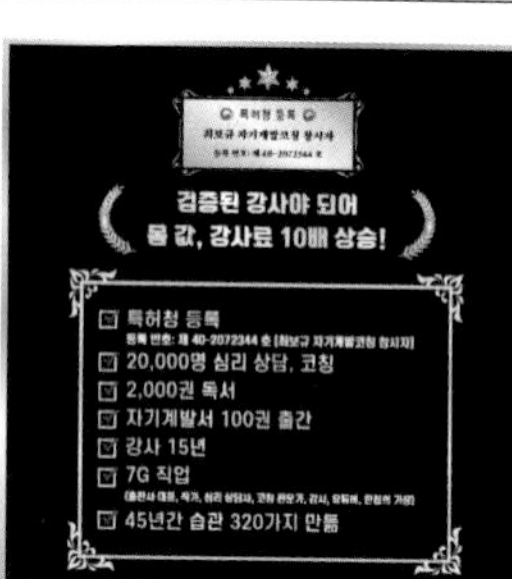

경력은 스펙이 아니다!

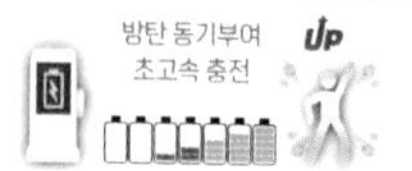

★ 20,000명 심리 상담, 코칭 데이터. 오해 금지! 노오력 강사들을 무시하는 것이 아닙니다. 현실을 즉시 해보자는 것 입니다.★

전문 분야가 있지만
표면적으로 검증되고
증명할 수 있는 것이 없다!
몸값, 강사료 고정!

강사 경력 15년 차
경력만 있다.

VS

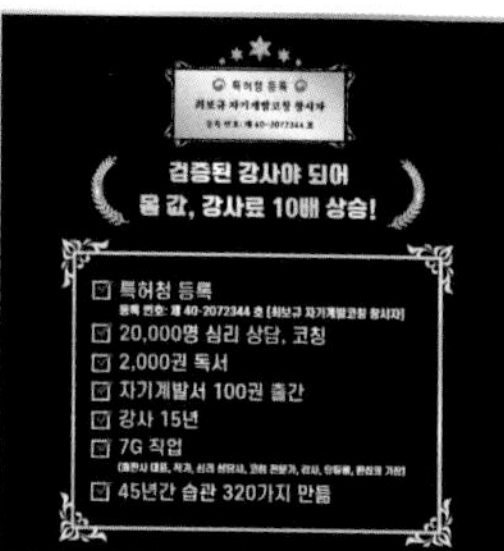

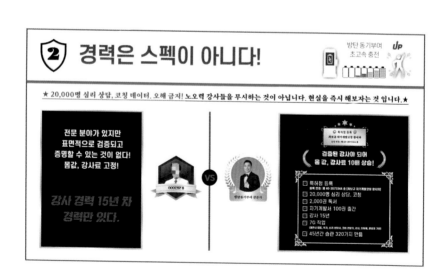

경력은 스펙이 아니다!

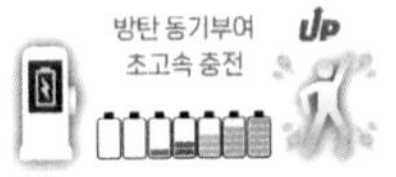

모든 사람의 24시간은 같지만 질, 농도, 결과를 다르게 만드는 방탄 동기부여!

2
노오력 동기부여가 아닌 올바른 노력 동기부여
노력이 배신하는 시대! 배신 안 당하기 위한 올바른 노력 동기부여
방탄 동기부여
초고속 충전
UP
성장
함께 잘 살자!
리더
자신 분야
변화
취미, 자신 만족으로 끝나는 동기부여, 자기계발이 아닌
자신 분야를
무한으로 연결할 수 있는 방탄 동기부여!

2
노오력 동기부여가 아닌 올바른 노력 동기부여
노력이 배신하는 시대! 배신 안 당하기 위한 올바른 노력 동기부여
방탄 동기부여
초고속 충전
UP
성장
함께 잘 살자!
리더
자신 분야
변화
취미, 자신 만족으로 끝나는 동기부여, 자기계발이 아닌
자신 분야를
무한으로 연결할 수 있는 방탄 동기부여!
올바른 노력
자기계발, 동기부여
빠르게 변하는 시대, 흐름에 맞게
자신 분야+자기계발+
삼성(진정성, 전문성, 신뢰성)+
돈 연결(월세, 연금성 수입)+성장+변화+
사람들에게 도움+"함께 잘 살자"가
융합이 될 수 있는
방탄 동기부여, 방탄 자기계발!

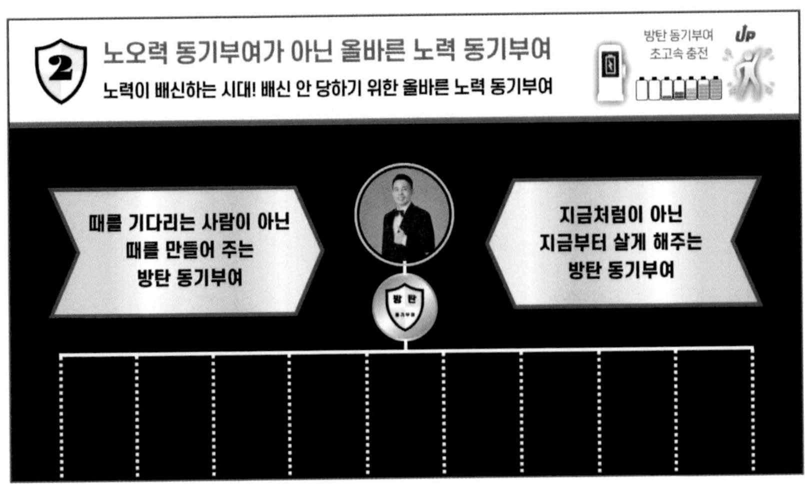
2
노오력 동기부여가 아닌 올바른 노력 동기부여
노력이 배신하는 시대! 배신 안 당하기 위한 올바른 노력 동기부여
방탄 동기부여
초고속 충전
UP
때를 기다리는 사람이 아닌
때를 만들어 주는
방탄 동기부여
지금처럼이 아닌
지금부터 살게 해주는
방탄 동기부여
방탄

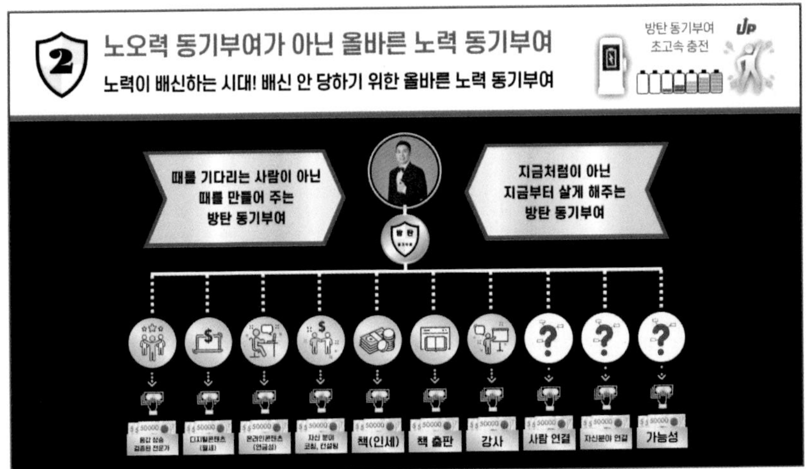
2
노오력 동기부여가 아닌 올바른 노력 동기부여
노력이 배신하는 시대! 배신 안 당하기 위한 올바른 노력 동기부여
방탄 동기부여
초고속 충전
UP
때를 기다리는 사람이 아닌
때를 만들어 주는
방탄 동기부여
지금처럼이 아닌
지금부터 살게 해주는
방탄 동기부여
방탄
몸값 상승 검증된 전문가
디지털콘텐츠 (월세)
온라인콘텐츠 (연금성)
자신 분야 코칭, 컨설팅
책(인세)
책 출판
강사
사람 연결
자신분야 연결
가능성

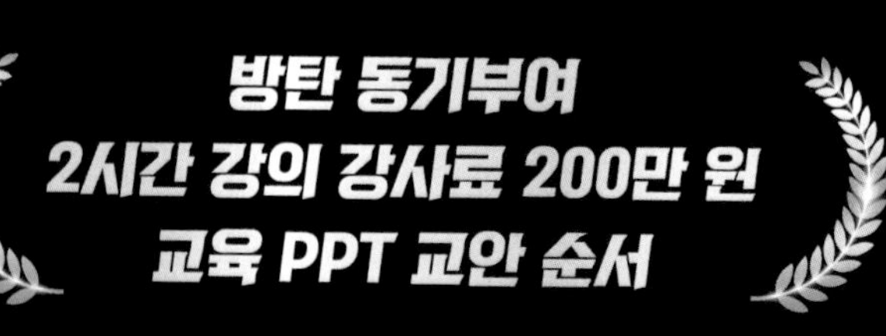
방탄 동기부여
2시간 강의 강사료 200만 원
교육 PPT 교안 순서

방탄 동기부여
동기부여는 누구나 한다.
다만 방탄 동기부여는 아무나 못한다.

① 방탄 동기부여 라포 형성 기법, 마음을 여는 기법
② 방탄 동기부여 고.틀.선.편 깨기
③ 방탄 동기부여 서론
④ SPOT 기법, 강의 집중 기법, 강의 환기 기법
⑤ 방탄 동기부여 본론
⑥ SPOT 기법, 강의 집중 기법, 강의 환기 기법
⑦ 방탄 동기부여 결론
⑧ SPOT 기법, 강의 집중 기법, 강의 환기 기법
⑨ 방탄 동기부여 총정리
⑩ 방탄 동기부여 피크앤드법칙(The Peak End Rule)

2
건강 동기부여 스트레칭
방탄 동기부여
초고속 충전
UP
NO <
앉은 시간 2시간 초과
흡연 만큼 안 좋은 것?
■오래 앉아 있으면 안 되는 이유!
1. 심장마비 54%
2. 특정부위 비만 50%
3. 당뇨,지방간 수치 상승
4. 암 발생 높음
-출처: 캐나다 캘거리의 알버타 헬스 서비스 연구팀-
30분, 2~3분 스트레칭

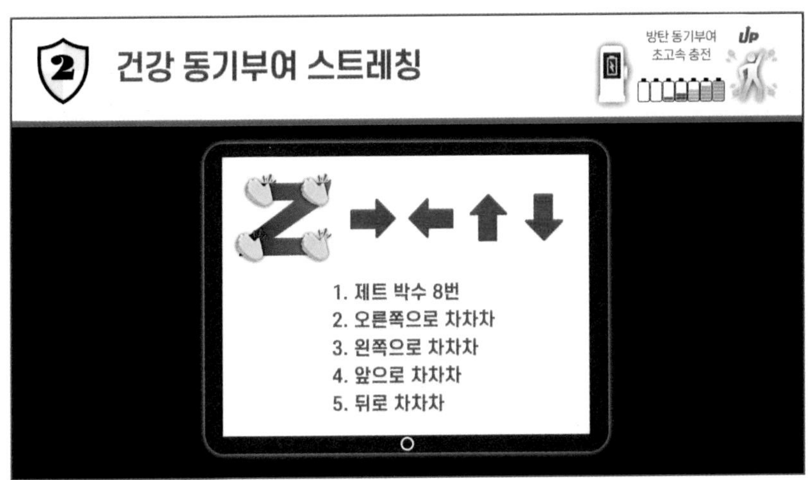
2
건강 동기부여 스트레칭
방탄 동기부여
초고속 충전
UP
Z
1. 제트 박수 8번
2. 오른쪽으로 차차차
3. 왼쪽으로 차차차
4. 앞으로 차차차
5. 뒤로 차차차

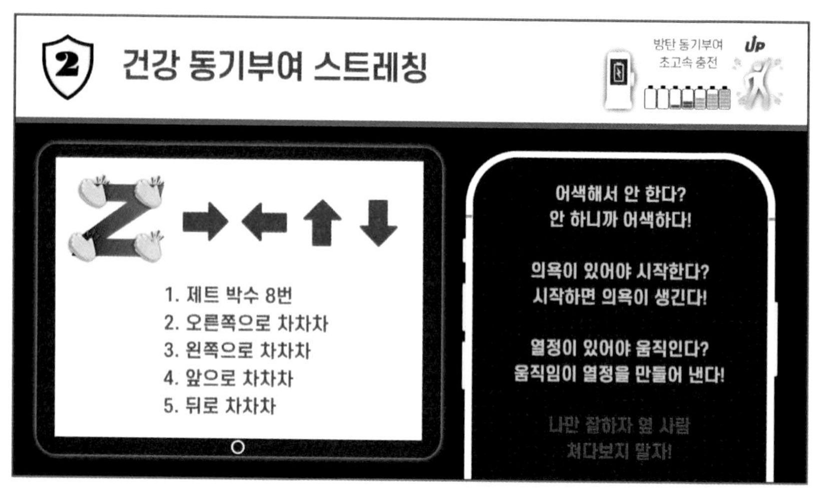
건강 동기부여 스트레칭
방탄 동기부여
초고속 충전
UP
1. 제트 박수 8번
2. 오른쪽으로 차차차
3. 왼쪽으로 차차차
4. 앞으로 차차차
5. 뒤로 차차차
어색해서 안 한다?
안 하니까 어색하다!
의욕이 있어야 시작한다?
시작하면 의욕이 생긴다!
열정이 있어야 움직인다?
움직임이 열정을 만들어 낸다!
나만 잘하자 옆 사람
쳐다보지 말자!

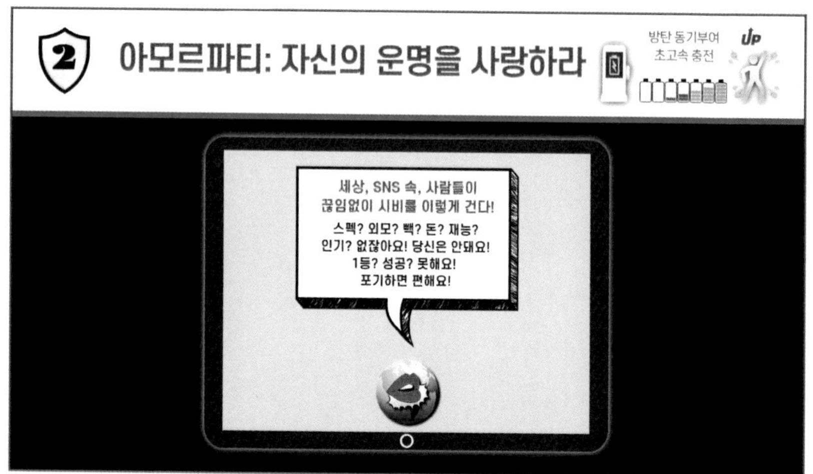
아모르파티: 자신의 운명을 사랑하라
방탄 동기부여
초고속 충전
UP
세상, SNS 속, 사람들이
끊임없이 시비를 이렇게 건다!
스펙? 외모? 빽? 돈? 재능?
인기? 없잖아요! 당신은 안돼요!
1등? 성공? 못해요!
포기하면 편해요!

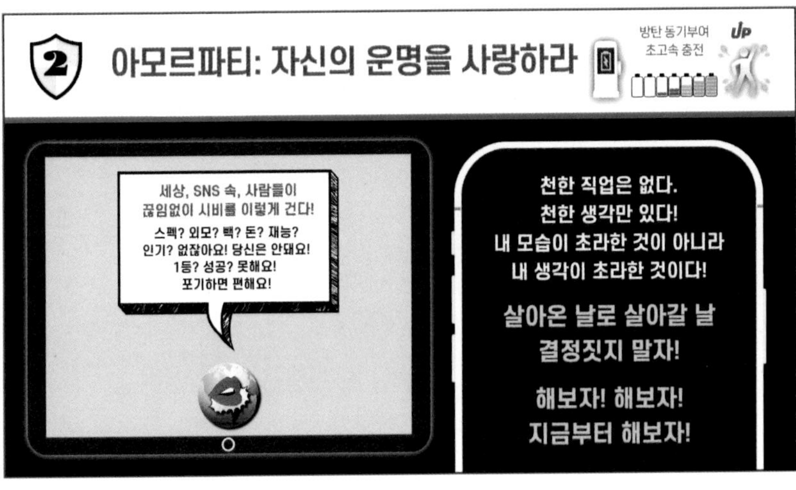
2
아모르파티: 자신의 운명을 사랑하라
방탄 동기부여
초고속 충전
UP
세상, SNS 속, 사람들이
끊임없이 시비를 이렇게 건다!
스펙? 외모? 빽? 돈? 재능?
인기? 없잖아요! 당신은 안돼요!
1등? 성공? 못해요!
포기하면 편해요!
천한 직업은 없다.
천한 생각만 있다!
내 모습이 초라한 것이 아니라
내 생각이 초라한 것이다!
살아온 날로 살아갈 날
결정짓지 말자!
해보자! 해보자!
지금부터 해보자!

방탄 동기부여 2시간 강의 강사료 200만 원 교육 PPT 교안 순서

방탄
(방탄 동기부여)
동기부여는 누구나 한다.
다만 방탄 동기부여는 아무나 못한다.

① 방탄 동기부여 라포 형성 기법, 마음을 여는 기법
② 방탄 동기부여 고.틀.선.편 깨기
③ 방탄 동기부여 서론
④ SPOT 기법, 강의 집중 기법, 강의 환기 기법
⑤ 방탄 동기부여 본론
⑥ SPOT 기법, 강의 집중 기법, 강의 환기 기법
⑦ 방탄 동기부여 결론
⑧ SPOT 기법, 강의 집중 기법, 강의 환기 기법
⑨ 방탄 동기부여 총정리
⑩ 방탄 동기부여 피크앤드법칙(The Peak End Rule)

⑤ 방탄 동기부여 본론

- 방탄 리더 동기부여 교육 PPT 목차 3-1

· [출간 한 《방탄 리더 동기부여》 책 내용]

옛날 부자와 현대 부자의 차이

옛날 부자와 현대 부자 사이에는 큰 차이가 있습니다. 옛날 부자의 주류는 '아카데믹 스마트Academic Smart', 현대 부자의 주류는 '스트리트 스마트Street Smart'로 종종 표현되는데 이것은 과연 어떤 의미일까요?

예전에는 어릴 때부터 엘리트 교육을 받고 명문대를 졸업한 후 유명 대기업에 취직하거나 창업하는 것이 부자가 되는 주요 방법이었습니다. 즉 공부 잘하고 똑똑한 사람이 되어야 부자가 되는 길로 갈 수 있었는데, 이를 '아카데믹 스마트'라고 합니다. 물론 옥스퍼드대학교나 하버드대학교 등은 현재까지도 세계적인 엘리트 양성소이며 전 세계의 자산가 자녀들이 모두 모여듭니다. 그 학교에 다니는 것이야말로 부자가 되는 가장 확실한 방법이라고 알고 있기 때문입니다. 단, 우리 같은 일반인에게는 문턱이 조금 더 높지요.

하지만 지금은 부를 만들어내는 방법이 그 외에도 얼마든지 있습니다. 다소 투박하더라도 자신의 아이디어나 기술, 경험, 열정을 전부 활용해서 사회에 부가가치를 줄 수 있는 존재가 되면, 다시 말해 혹독한 경쟁사회에서 살아남는 지혜와 사고방식을 갖추면 엘리트 교육을 받지 않더라도 돈을 끌어모을 수 있는 시대가 되었습니다. 그리고 그 부가가치를 얻는 사람(돈을 내는 사람)은 상대방의 직함 따위는 전혀 신경쓰지 않습니다.
만일 여러분이 유복한 가정에서 태어나지도 않았고 엘리트 교육도 받지 못했다면 맨몸으로 부를 창출하는 '스트리트 스마트'를 목표로 삼는 것이 좋습니다. 바로 이것이 현대에 부자가 되는 가장 빠른 길이자 유일한 길입니다. 또한 현재 자신이 갖고 있는 가난한 사람의 사고방식을 버리고 책에서 주장하는 부자의 사고방식을 익히는 일이야말로 그 지혜를 연마하기 위한 첫걸음입니다. 부자의 사고방식을 받아들인 후에는 돈을 벌기 위한 기술을 향상시키고 이를 가능케 하는 인간관계를 구축하며 자신을 둘러싼 환경을 바꾸는 일에 온 힘을 쏟아야 합니다.

《부자의 사고 빈자의 사고》

20,000명 심리 상담, 코칭 하면서 알게 된 자기계발의 비밀! 우리는 지금 어떤 시대에 살고 있는가? 포노 사피엔스 시대!(스마트폰 시대) 4차 산업 시대! AI 시대! 5G ~ 10G! 메타버스 시대! 챗GPT 시대! 클릭 한두 번이면 세상 모든 정보들을 습득할 수 있고 볼 수 있는 환경에 살고 있다.

하루 만에도 자기계발, 동기부여 (책, 메시지, 정보, 설명, 사진, 글, 가짜 정보 등) 홍수 속에 살고 있다.
하지만 아이러니하게도 홍수가 나면 물은 많지만 식수(먹는 물)가 더 부족하듯 10년 전보다 스마트폰 없는 시대보다 리더 자기계발, 동기부여를 더 하지 못한다.

20,000명 심리 상담, 코칭 하면서 알게 된 것은 자기계발, 동기부여 내용들이 너무 많아 혼동되어 리더에게 맞는 것을 찾기가 힘들어서 시작조차 못 하는 리더들이 대부분이다.
자기계발를 해보기 위해 이것저것 많이 해보지만 시간,

돈만 낭비한다. 그래도 이건 다르겠지 하면서 영상, 교육, 코칭을 하지만 계속 악순환을 반복한다.

리더에게 맞는 리더 자기계발, 동기부여를 찾기 위해 한두 가지 알고 있는 리더 자기계발, 동기부여 내용으로 시작을 해서 개선해 나아가야 하는데 지금은 리더 자기계발, 동기부여 내용들이 너무 많아서 속된 말로 물 반, 고기 반일 정도로 차고 넘치다 보니 귀한 것들이 하찮게 되어버린다. 그래서 시간이 가면 갈수록 리더 자기계발, 동기부여가 더 힘들어지는 것이다.

20,000명 심리 상담, 코칭 하면서 알게 된 가장 효과적인 리더 자기계발, 동기부여는 자생능력이 생길 때까지 검증된 전문가에게 꾸준하게 a/s, 관리, 피드백을 받아야 하는 것이다.

닥치는 대로 영상을 엄청나게 보고 책만 읽고 양만 많으면 안 된다. 당연히 양질전환의 법칙을 생각하면 양이 많아야 하는 건 맞다. 하지만 일반적인 노력이 아닌 올바른 노력을 해야 한다.

99도에서 1도를 올려주는 방탄 리더 자기계발

노오력이란? 시간, 경험, 횟수만 채우는 것이다. 경력은 스펙이 아니라고 계속 언급을 했다. 어느 정도 수준에서는 더 이상 올라가지 않는다. 99도까지는 물이 절대 끓지 않듯이 마지막 99도에서 100도가 될 때까지 1도를 올리려면 올바른 노력이 있어야 한다. 다음은 사소함의 차이, 디테일함의 차이가 크다는 것을 깨닫게 해주는 스토리텔링이다.

옛날 어느 시장에 짚신을 파는 가게가 두 군데 있었다. 두 가게는 서로 마주 보고 장사를 했는데 한 가게는 늘 장사가 잘되었고, 한 가게는 늘 장사가 안되었다. 장사가 안되는 가겟집 주인은 도무지 그 이유를 알 수 없어 답답했다. 짚신도 똑같고 값도 똑같은데 왜 저쪽 가게는 언제나 손님이 북적거리고 자기네 가게는 파리만 날아다니는지 정말 알 수 없는 노릇이었다. 그런데 뜻밖에도 비결은 아주 작은 것이었다. 장사가 잘되는 집 주인은 짚신 안쪽에 돋아 있는 보푸라기를 잘라내어 발이 훨씬 편하게 만들었던 것이다. 이것이 그 가게에만 손님이 몰리게 만든 비결이었다.

《통찰의 기술》

알고 나면 우주에서 가장 쉬운 것이 되고 사소한 것도 모르면 우주에서 가장 어려운 것이 되는 게 인생이다.

마찬가지로 노오력과 올바른 노력에 차이도 사소한 것에서 차이를 만든다. 자신 분야 99도에서 1도 올리는 방법이 의외로 사소한 것으로도 될 수도 있다는 것이다. 사소한 것을 잘 보기 위해서는 올바른 노력의 개념을 알아야 한다. 리더는 올바른 노력의 개념을 그 누구보다 제대로 알아야만 조직체가 노력에 배신을 당하지 않는다. 집중하자! 올바른 노력이란? 올바른 노력은 1단계 집중, 2단계 전문가의 피드백, 3단계 수정의 세 단계를 반복적으로 결과가 나올 때까지 꾸준하게 하는 것이다.

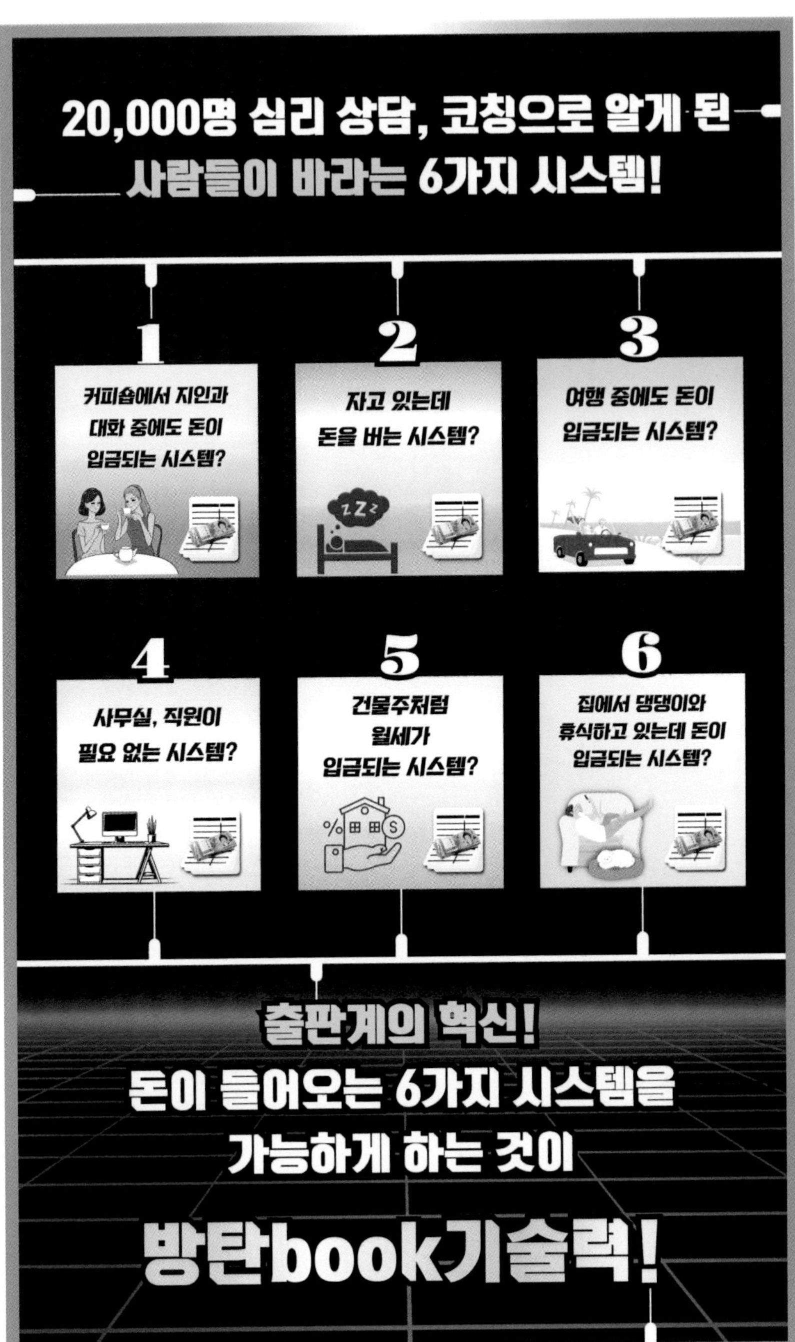
20,000명 심리 상담, 코칭으로 알게 된
사람들이 바라는 6가지 시스템!
1
커피숍에서 지인과
대화 중에도 돈이
입금되는 시스템?
2
자고 있는데
돈을 버는 시스템?
3
여행 중에도 돈이
입금되는 시스템?
4
사무실, 직원이
필요 없는 시스템?
5
건물주처럼
월세가
입금되는 시스템?
6
집에서 댕댕이와
휴식하고 있는데 돈이
입금되는 시스템?
출판계의 혁신!
돈이 들어오는 6가지 시스템을
가능하게 하는 것이
방탄book기술력!

- 방탄 리더 동기부여 교육 PPT 목차 3-1

· [출간 한 《방탄 리더 동기부여》 책 내용을 방탄 동기부여 교육 PPT로 디자인]

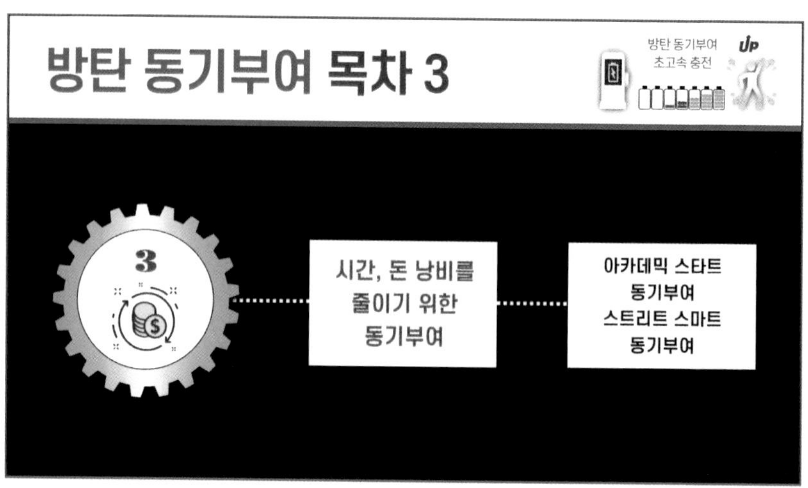

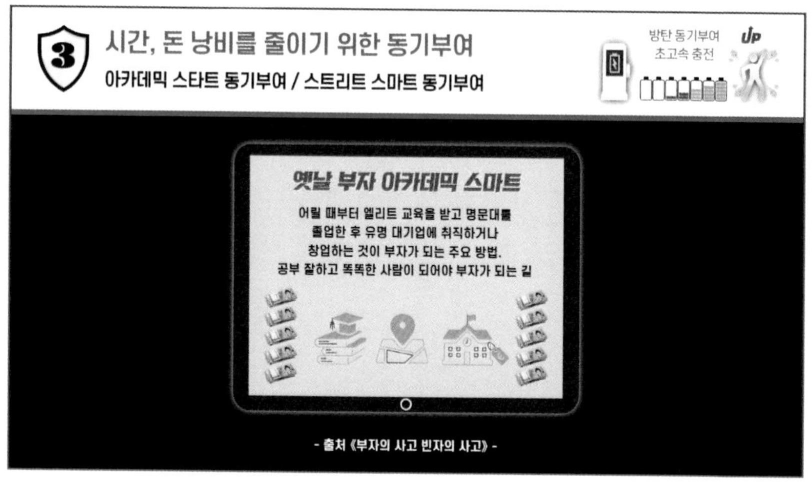

3
시간, 돈 낭비를 줄이기 위한 동기부여
아카데믹 스타트 동기부여 / 스트리트 스마트 동기부여
방탄 동기부여
초고속 충전
현재 부자 스트리트 스마트
자신의 아이디어나 기술, 경험, 열정을 전부 활용해서
사회에 부가가치를 줄 수 있는 존재가 되면 엘리트
교육을 받지 않더라도 돈을 끌어모을 수 있는 시대
- 출처 《부자의 사고 빈자의 사고》 -

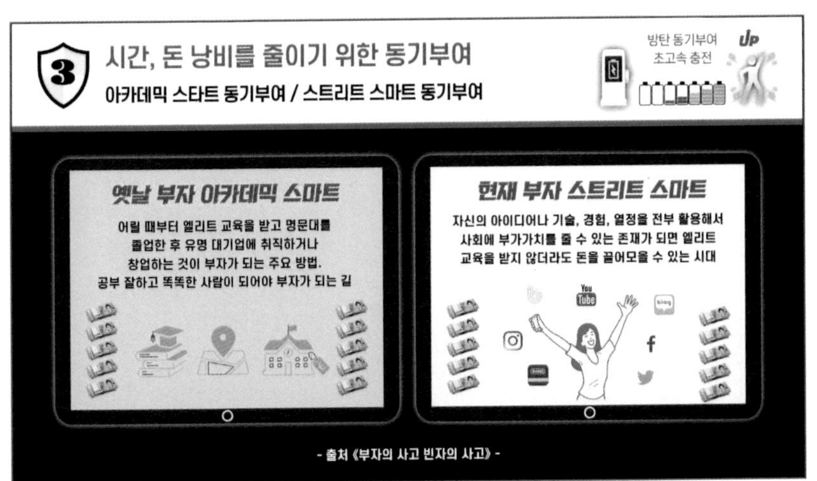
3
시간, 돈 낭비를 줄이기 위한 동기부여
아카데믹 스타트 동기부여 / 스트리트 스마트 동기부여
방탄 동기부여
초고속 충전
옛날 부자 아카데믹 스마트
어릴 때부터 엘리트 교육을 받고 명문대를
졸업한 후 유명 대기업에 취직하거나
창업하는 것이 부자가 되는 주요 방법.
공부 잘하고 똑똑한 사람이 되어야 부자가 되는 길
현재 부자 스트리트 스마트
자신의 아이디어나 기술, 경험, 열정을 전부 활용해서
사회에 부가가치를 줄 수 있는 존재가 되면 엘리트
교육을 받지 않더라도 돈을 끌어모을 수 있는 시대
- 출처 《부자의 사고 빈자의 사고》 -

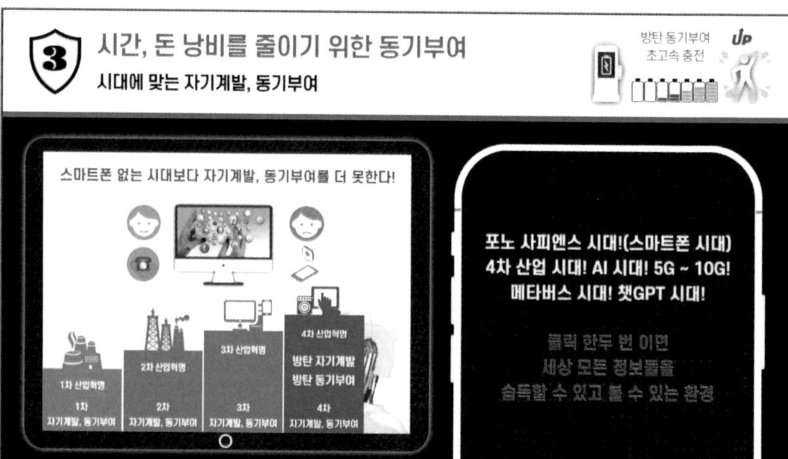
3
시간, 돈 낭비를 줄이기 위한 동기부여
시대에 맞는 자기계발, 동기부여
방탄 동기부여
초고속 충전
UP
스마트폰 없는 시대보다 자기계발, 동기부여를 더 못한다!
4차 산업혁명
방탄 자기계발
방탄 동기부여
3차 산업혁명
2차 산업혁명
1차 산업혁명
1차
자기계발, 동기부여
2차
자기계발, 동기부여
3차
자기계발, 동기부여
4차
자기계발, 동기부여
포노 사피엔스 시대!(스마트폰 시대)
4차 산업 시대! AI 시대! 5G ~ 10G!
메타버스 시대! 챗GPT 시대!
클릭 한두 번 이면
세상 모든 정보들을
습득할 수 있고 볼 수 있는 환경

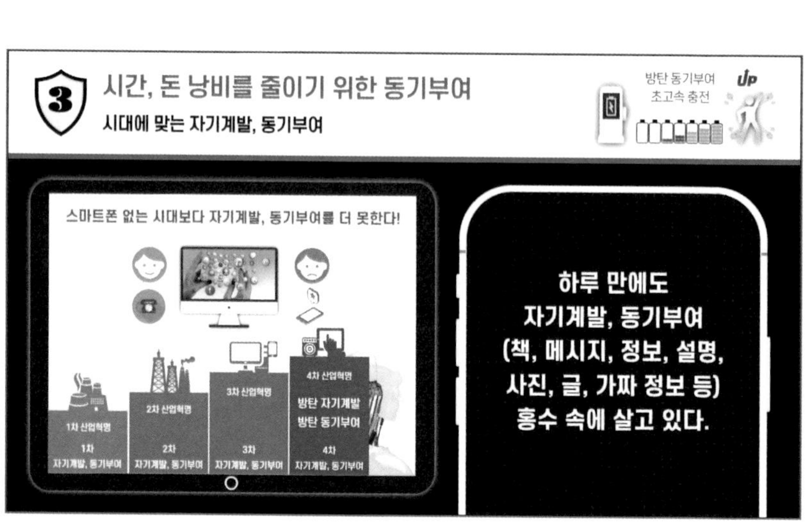
3
시간, 돈 낭비를 줄이기 위한 동기부여
시대에 맞는 자기계발, 동기부여
방탄 동기부여
초고속 충전
UP
스마트폰 없는 시대보다 자기계발, 동기부여를 더 못한다!
4차 산업혁명
방탄 자기계발
방탄 동기부여
3차 산업혁명
2차 산업혁명
1차 산업혁명
1차
자기계발, 동기부여
2차
자기계발, 동기부여
3차
자기계발, 동기부여
4차
자기계발, 동기부여
하루 만에도
자기계발, 동기부여
(책, 메시지, 정보, 설명,
사진, 글, 가짜 정보 등)
홍수 속에 살고 있다.

시간, 돈 낭비를 줄이기 위한 동기부여

시대에 맞는 자기계발, 동기부여

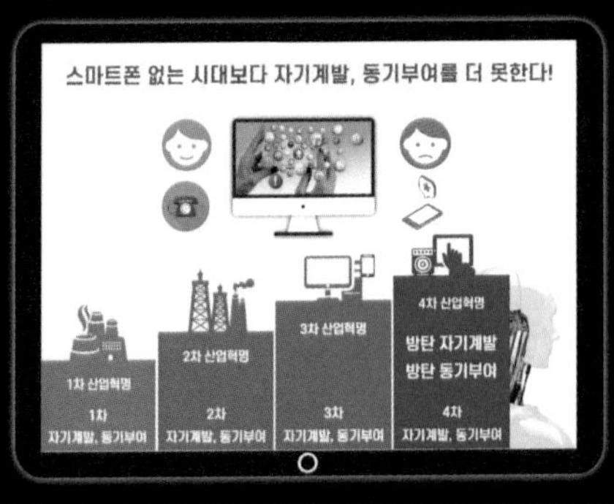

**하지만 아이러니하게도
홍수가 나면 물은 많지만
식수(먹는 물)가
더 부족하듯 10년 전보다
스마트폰 없는 시대보다
자기계발, 동기부여를
더 하지 못한다.**

시간, 돈 낭비를 줄이기 위한 동기부여

시대에 맞는 자기계발, 동기부여

5엑사바이트다.

YB: 요타바이트
ZB: 제타바이트
EB: 엑사바이트
PB: 페타바이트
TB: 테라바이트
GB: 기가바이트
MB: 메가바이트
KB: 킬로바이트

5G

정보의 홍수 체감

**지구상에 모든
모래알 수가 얼마일까요?
40제타바이트다.**

**인류가
시작에서 ~ 2003년까지가
3000년
그동안 쌓였던 데이터가
5엑사바이트다.**

시간, 돈 낭비를 줄이기 위한 동기부여
시대에 맞는 자기계발, 동기부여
방탄 동기부여
초고속 충전
2017년
하루
2020년
10초
2019년
1분
2023년
?
YB: 요타바이트
ZB: 제타바이트
EB: 엑사바이트
PB: 페타바이트
TB: 테라바이트
GB: 기가바이트
MB: 메가바이트
KB: 킬로바이트
5G
정보의 홍수 체감
2017년에는 3,000년
동안 쌓였던
5엑사바이트가
하루(1일)만에 쌓인다.

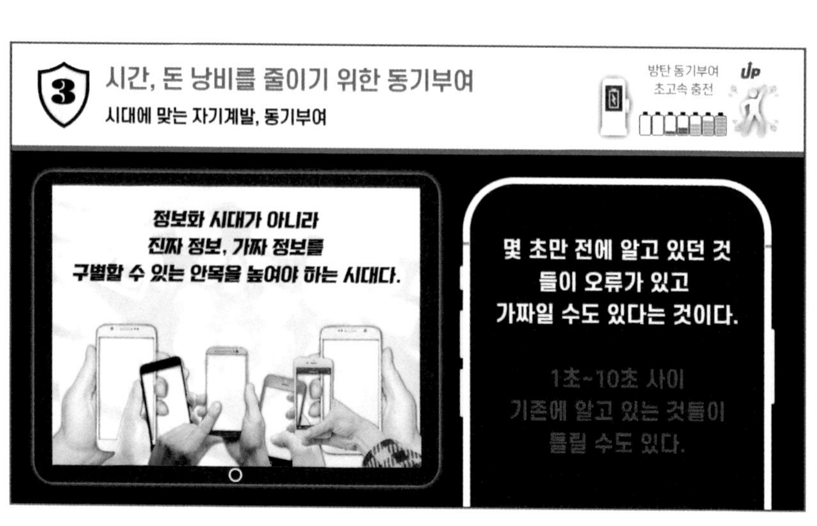
시간, 돈 낭비를 줄이기 위한 동기부여
시대에 맞는 자기계발, 동기부여
방탄 동기부여
초고속 충전
정보화 시대가 아니라
진짜 정보, 가짜 정보를
구별할 수 있는 안목을 높여야 하는 시대다.
몇 초만 전에 알고 있던 것
들이 오류가 있고
가짜일 수도 있다는 것이다.
1초~10초 사이
기존에 알고 있는 것들이
틀릴 수도 있다.

데이터의 1bit가 8개 모이면 1바이트(byte)가 된다. 그게 1000개 모이면 1킬로바이트, 그게 다시 1000개 모이면 1메가이트. 그렇게 1000배가 될 때마다 기가바이트, 테라바이트, 페타바이트, 엑사바이트, 제타바이트, 요타바이트, 브론토 바이트 등으로 확장된다. 지구상의 모든 모래알 수는 얼마일까. 40제타바이트다. 2003년 구글의 에릭 슈미츠 회장이 3000년 동안 지구상에 쌓인 문서를 모두 디지털화했다고 발표했다. 그게 5엑사바이트였다. 미국 국회도서관 5000개 분량의 데이터다."
이 말끝에 킴킴은 질문을 던졌다. "인류가 3000년 동안 쌓은 5엑사바이트의 데이터를 생산하는데 2017년에는 얼마나 걸렸을까? 하루가 걸렸다. 날마다 그만큼의 데이터가 축적되는 셈이다. 지금(2019년)은 얼마나 걸리는지 아나? 1분밖에 안 걸린다. 그럼 2020년에는 얼마나 걸릴까. 딱 10초다. 저녁 먹고 인증샷을 페이스북에 올릴 때마다 빅데이터가 생산된다. 빅데이터는 무시무시한 속도로 확장되고 있다. 과학자로서, 엔지니어로서 나는 그게 무섭다."

<중앙일보 마이크로소프트사 킴킴 "빅데이터와 인공지능, 그리고 명상">

시간, 돈 낭비를 줄이기 위한 동기부여

시대에 맞는 자기계발, 동기부여

자기계발, 동기부여
내용들이 너무 많아
혼동이 된다.
이것저것 많이 해보지만
시간, 돈 낭비만 한다.

"이건 다르겠지"라는
마음으로 영상, 교육, 코칭을
받지만 악순환은 계속된다.

시간, 돈 낭비를 줄이기 위한 동기부여

시대에 맞는 자기계발, 동기부여

자신에게 맞는
자기계발, 동기부여를
만들어 가기 위해서는
시행착오, 대가 지불,
인고의 시간을 통해
자기계발, 동기부여 안목을
키워야 된다.

좀 더 빠르게
자신 분야 자기계발, 동기부여를
하고 싶다면 자기계발, 동기부여를
제대로 하고 있는 멘토를 만나야 한다.

평균 희망 은퇴 73세, 현실 은퇴 나이 49세!
100세 시대 언제까지 몸(노동)으로만
일해서 돈을 벌 것인가?

세상, 현실 기준에서 스펙, 돈, 인맥, 자산 등이 없어서 100세까지 노동을 해야 되고 몸까지 아프면 더 답이 없는 상황! 젊을 때는 100가지 중 99가지를 할 수 있지만 나이 들면 100가지 중 99가지를 할 수 없다. 3고 시대, AI 시대, 챗GPT 시대에 자신의 직업이 사라 질 수 있는 상황에서 어떻게 준비, 대비할 것인가?

방탄BOOK기술력
선택이 아닌 필수!

- 방탄 리더 동기부여 교육 PPT 목차 3-2

· [출간 한《방탄 리더 동기부여》책 내용]

★ 방탄리더십은 노오력 아닌 올바른 노력!

20,000명 심리 상담, 코칭! 리더 자기계발서 39권 출간! 리더 습관 320가지 만들면서 알게 된 방탄리더십의 비밀! 올바른 노력을 하기 위한 방탄리더십 3:7공식 공개한다.

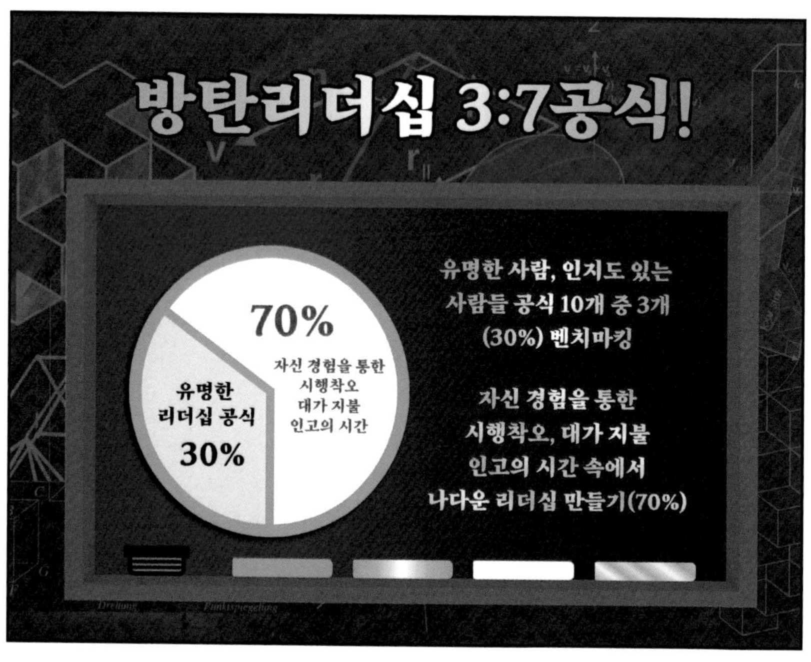

방탄리더십 창시자!
리더 책 39권 출간
리더 책
2,000권 독서
20,000명
심리 상담, 코칭
45년간
리더 습관 320가지 만듦

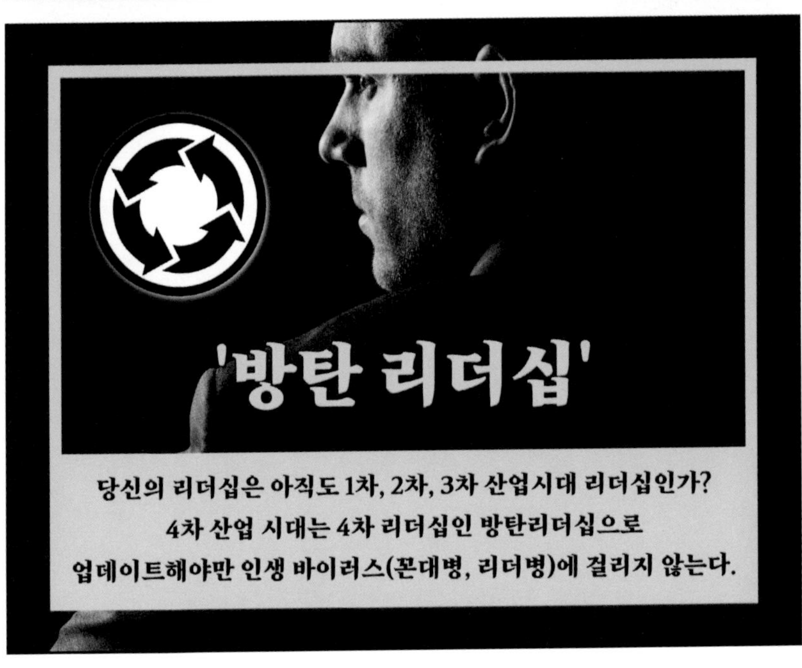
'방탄 리더십'
당신의 리더십은 아직도 1차, 2차, 3차 산업시대 리더십인가?
4차 산업 시대는 4차 리더십인 방탄리더십으로
업데이트해야만 인생 바이러스(꼰대병, 리더병)에 걸리지 않는다.

지금 시대는 위치가 사람을 만드는 것이 아니라 위치가 사람을 망치는 사람들이 많아지고 있으며 하루에도 수도 없이 리더십에 연관된 영상, 글, 책, 사진들 3혹을 시킨다. 지금 시대는 노력이 배신하는 시대에 살고 있다. 노력이 배신하는 시대에 필요한 리더십이 무엇일까?

노력이 다 배신하는 것이 아니다.
자연의 이치인 인간이 하는 모든 것은 시행착오, 대가지불, 인고의 시간이라는 노력이 들어가야만 결과를 얻을 수 있다. 하지만 지금 시대는 4차 산업 시대이다. 한마디로 1차, 2차, 3차 산업 시대의 노력이 아닌 4차 노력인 올바른 노력을 해야만 노력이 배신하지 않는다.
당신은 아직도 3차 리더십인가? 그렇다면 4차 리더십인 방탄리더십으로 업데이트하라!

지금 리더십 환경이 어떤지 아는가?
하루에도 리더십에 연관된 영상, 글, 책, 사진들 수도 없이 엄청나게 많이 보는데 10년 전보다 스마트폰 없는 시대보다 1,000배는 더 좋은 환경인데도 스마트폰이 없던 시대 10년 전보다 리더십을 더 못하는 현실이다.
10년 전 스마트폰이 없던 시대보다 리더십이 더 못하는 이유가 뭘까?
단언컨대 리더십의 본질을 모르고 하기 때문이다.

다음은 외적인 것보다 내적인 것이 중요함을 깨닫게 하는 스토리텔링이다.

겉은 화려한데 왠지 모를 허무함을 느낀다면?
꽃이 자꾸 시든다. 꽃잎에 물도 뿌려보고, 줄기도 정성스레 닦아준다. 그래도 꽃은 시든 채로 있다. 그래서 꽃을 바꾼다. 하지만 얼마 안 가 또다시 꽃이 시들고, 전과 같은 과정을 반복하며, 꽃을 열심히 살려보려 노력하지만, 또 실패한다. 화가 나서 화분을 바닥에 내리친다.
그리고선 깨닫는다. 뿌리가 썩어있었다는 것을 눈에 보이는 현상이 아니라, 눈에 보이지 않은 본질이 썩어 있다면, 처음엔 화려할 수 있으나, 시간이 지날수록 시들어 버린다는 것을 마침내 깨닫는다. 당신은 꽃잎을 가꾸고 있는가? 뿌리를 가꾸고 있는가?
눈에 보이는 현상에 집중하느라 본질이 흐려지는 것은 아닌가?

<facebook.com/ggumtalk>

가장 중요한 뿌리(리더 자존감, 리더 멘탈, 리더 습관, 리더 행복)를 학습, 연습, 훈련하지 않으면 리더 삼성(진정성, 전문성, 신뢰성)을 올릴 수 없고 꽃, 열매(결과)는 얻을 수 없으며 결과가 나오더라도 오래 지속되지 않는 인스턴트 결과가 나온다.

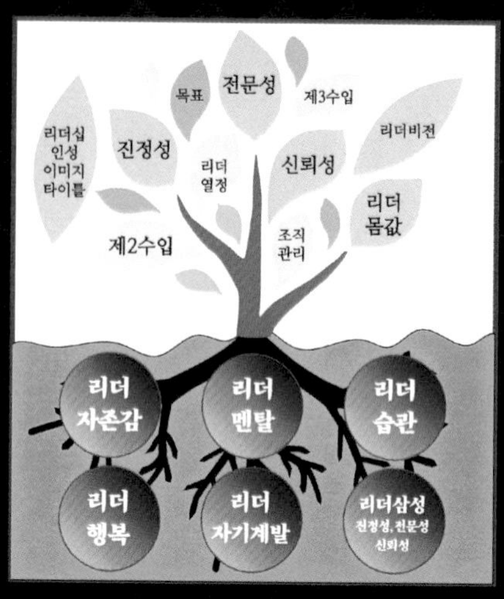
꽃, 열매는(결과 리더십) 화려하고 보기 좋았는데
뿌리가(리더십 본질) 썩어 죽어가고 있다?
목표
전문성
제3수입
리더십
인성
이미지
타이틀
진정성
리더
열정
신뢰성
리더비전
리더
몸값
제2수입
조직
관리
리더
자존감
리더
멘탈
리더
습관
리더
행복
리더
자기계발
리더삼성
진정성, 전문성
신뢰성

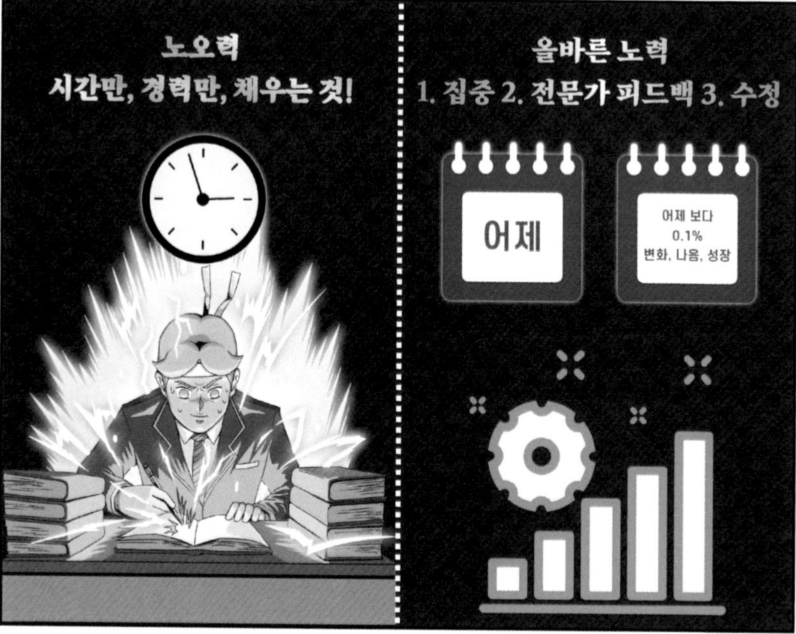
노오력
시간만, 경력만, 채우는 것!
올바른 노력
1. 집중 2. 전문가 피드백 3. 수정
어제
어제 보다
0.1%
변화, 나음, 성장

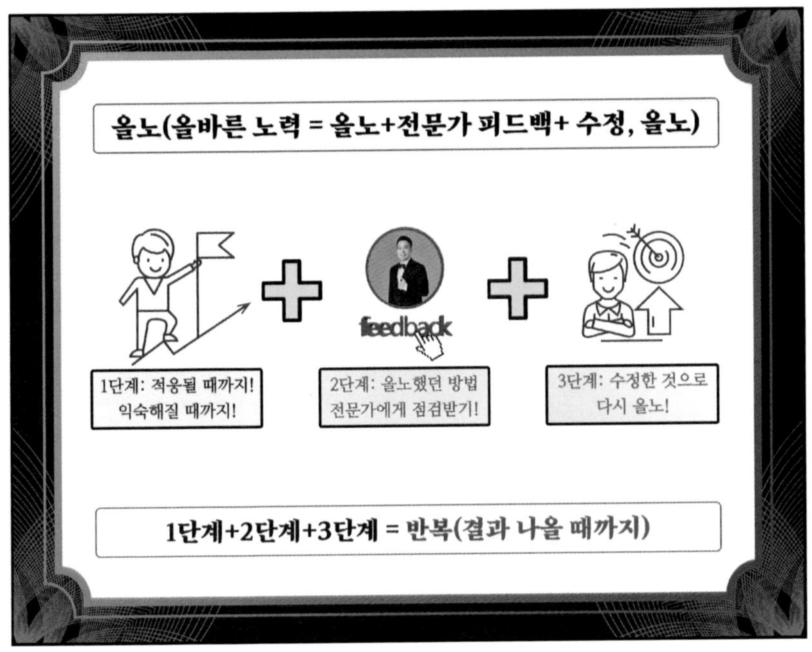

올노(올바른 노력 = 올노+전문가 피드백+ 수정, 올노)
feedback
1단계: 적응될 때까지!
익숙해질 때까지!
2단계: 올노했던 방법
전문가에게 점검받기!
3단계: 수정한 것으로
다시 올노!
1단계+2단계+3단계 = 반복(결과 나올 때까지)

인간이 하는 모든 것의 본질을 알아야만 노오력이 아니라 올바른 노력을 할 수 있다. 노력은 경험만 채우고 시간만 때우는 노력이다. 지금 시대는 노력이 배신하는 시대다.

올바른 노력은 어제보다 0.1% 다르게, 변화, 나음, 성장하는 것이다.

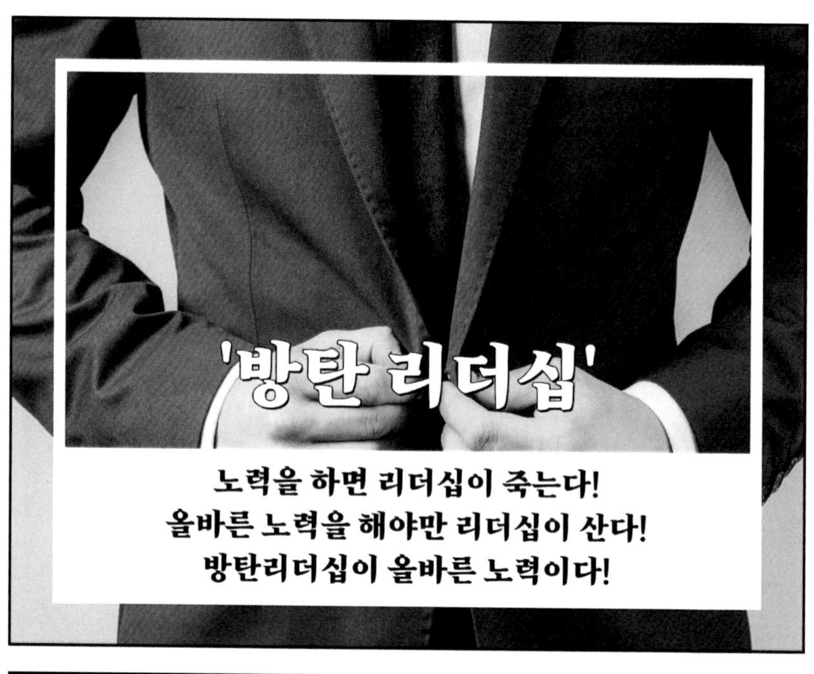
'방탄 리더십'
노력을 하면 리더십이 죽는다!
올바른 노력을 해야만 리더십이 산다!
방탄리더십이 올바른 노력이다!

인생의 본질	
	헬스, 운동 본질
	직장, 일 본질
	연애, 사랑 본질
	인간관계 본질
방탄 자기계발	자기계발 본질
	리더십 본질

인생의 모든 본질은 정답이 없지만 기본(자존감, 멘탈, 습관, 행복, 자기계발)을 지키지 않으면 결과가 나오지 않는다.

운동의 본질은 헬스, 운동의 기본기를 배우지 않는 사람이 좋은 헬스장으로 옮긴다고 헬스, 운동 습관이 만들어지는 것이 아니다.
직장의 본질은 월급 날짜만 기다리는 사람이 직장을 바꾼다고 일에 대한 의욕이 생기지 않는다.
사랑의 본질은 평상시에 사랑받을 행동을 안 하는 사람은 사랑하는 사람이 생겨도 사랑받을 수가 없다.
인간관계의 본질은 내가 좋은 사람이 되기 위해 학습, 연습, 훈련을 안 하면 좋은 사람이 생겨도 금방 떠나간다.
기계발 본질은 "어제 보다 0.1% 나은 사람이 되자."라는 태도로 꾸준히 안 하면 시간, 돈 낭비를 한다.

리더십의 본질은 경력, 나이를 내세우면서 시대에 맞는 리더십으로 업데이트하지 않으면 리더십이 아닌 꼰대십이 나온다. 리더십의 본질은 리더 자존감, 리더 멘탈, 리더 습관, 리더 행복, 리더 자기계발에서 시작한다.

- 방탄 리더 동기부여 교육 PPT 목차 3-2

· [출간 한《방탄 리더 동기부여》책 내용을 방탄 동기부여 교육 PPT로 디자인]

본질을 모르면 시간, 돈 낭비를 한다!

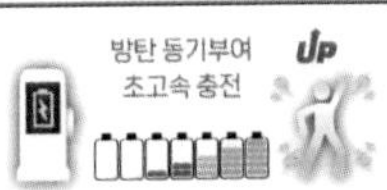

본질 스토리텔링 2

고양이를
무서워하는 생쥐!

마법사님
개로 만들어 주세요!

본질을 모르면 시간, 돈 낭비를 한다!

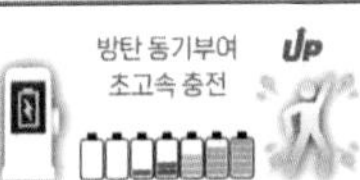

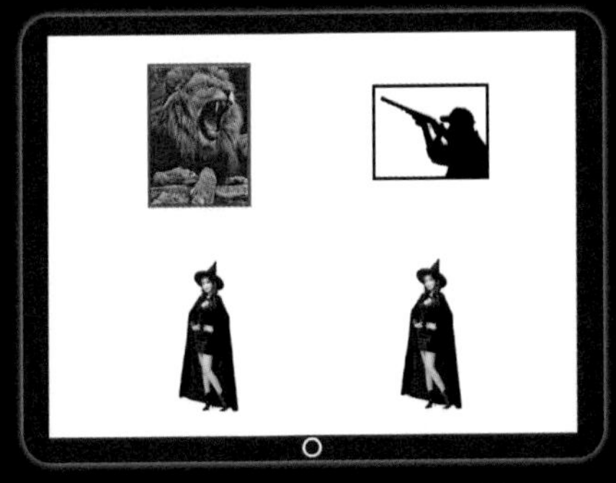

본질 스토리텔링 2

마법사님
사자로 만들어 주세요!

마법사님
사냥꾼으로 만들어 주세요!

본질을 모르면 시간, 돈 낭비를 한다!

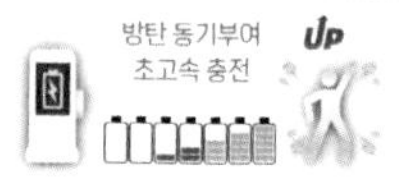

본질 스토리텔링 2

"너의 모습이
아무리 좋게 바뀌어도
생쥐의 가슴을
가지고 있는 한
그때뿐이다."

3
본질을 모르면 시간, 돈 낭비를 한다!
방탄 동기부여
초고속 충전
UP
생쥐의 심장을 사자 심장으로
만들어 주는 것이 방탄 동기부여!

▶ 스토리텔링 전체 내용!

생쥐가 한 마리가 있었다. 생쥐는 늘 고양이를 무서워하며 살았다. 마법사에게 찾아가 고양이의 천적인 개로 만들어 달라고 했다. 레드썬! 개의 모습이 되어 고양이 앞에 갔는데 또 무서움이 사라지지 않았다.
마법사에게 찾아가 호랑이로 만들어 달라고 했다. 레드썬! 호랑이의 모습이 되어 고양이 앞에 갔는데 또 무서움이 사라지지 않았다.
마법사에게 찾아가서 사람으로 만들어 달라고 했다. 레드썬! 사람의 모습이 되어 고양이 앞에 갔는데 또 무서움이 사라지지 않았다.

결국 생쥐를 도와줬던 마법사가 사람이 된 생쥐를 다시 본래의 생쥐를 만들어 주면서 이렇게 말했다.

"너의 모습이 아무리 좋게 바뀌어도 생쥐의 가슴을 가지고 있는 한 그때뿐이다".

《마음을 밝혀주는 소금 1》 내용 각색

본질을 모르면 시간, 돈 낭비를 한다!

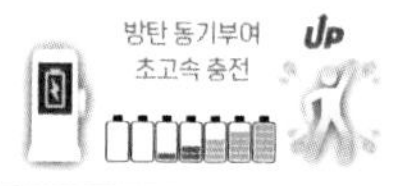

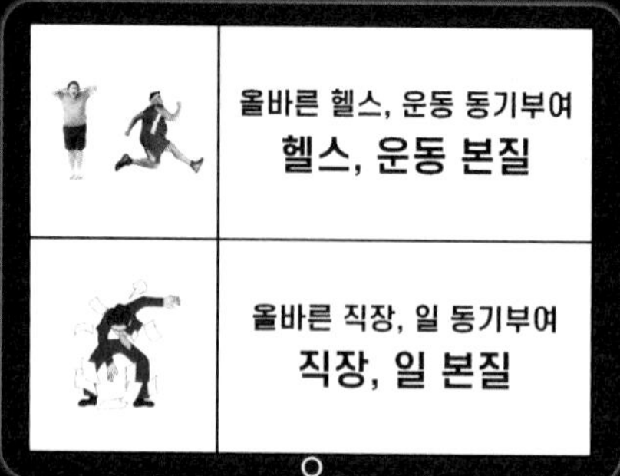

헬스, 운동의 기본기를 배우지 않는 사람이 좋은 헬스장으로 옮긴다고 헬스, 운동 습관이 만들어지는 것이 아니다.

월급 날짜만 기다리는 사람이 직장을 바꾼다고 일에 대한 의욕이 생기지 않는다.

본질을 모르면 시간, 돈 낭비를 한다!

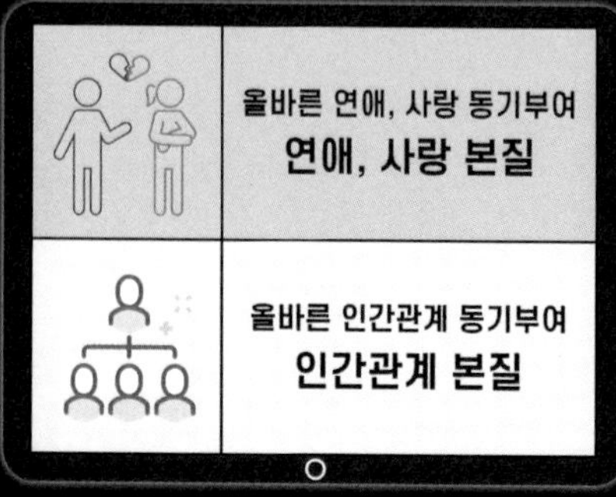

평상시에 사랑받을 행동을 안 하는 사람은 사랑하는 사람이 생겨도 사랑받을 수가 없다.

내가 좋은 사람이 되기 위해 인간관계 학습, 연습, 훈련을 안 하면 좋은 사람이 생겨도 금방 떠나간다.

본질을 모르면 시간, 돈 낭비를 한다!

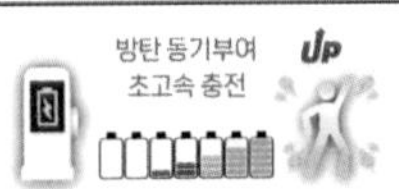

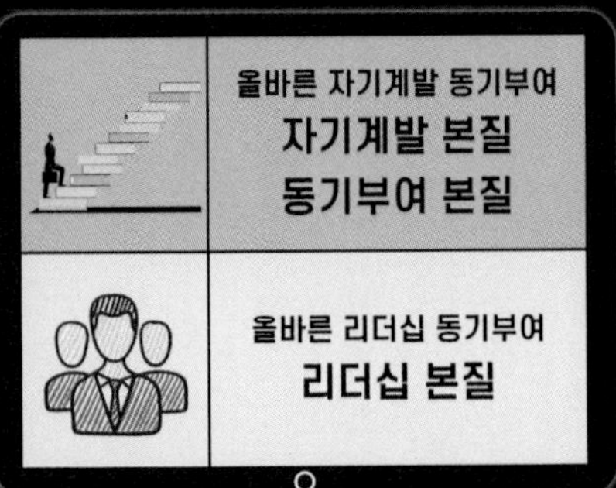

"어제 보다 0.1% 나은 사람이 되자."
라는 태도로 꾸준히
자기계발, 동기부여하지 않으면
시간, 돈 낭비를 한다.

경력, 나이를 내세우면서
시대에 맞는 리더십으로
업데이트하지 않으면
리더십이 아닌 꼰대십이 나온다.

본질을 모르면 시간, 돈 낭비를 한다!

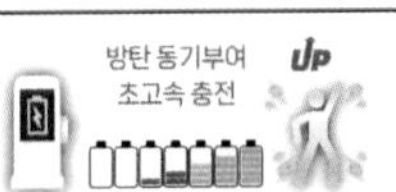

올바른 헬스, 운동 동기부여. 헬스, 운동 본질

올바른 직장, 일 동기부여. 직장, 일 본질

올바른 연애, 사랑 동기부여. 연애, 사랑 본질

올바른 인간관계 동기부여. 인간관계 본질

올바른 자기계발 동기부여. 자기계발 본질

올바른 리더십 동기부여. 리더십 본질

본질(기본기)이
되어 있지 않으면
시간, 돈, 인생 낭비가 되어
악순환이 반복된다.

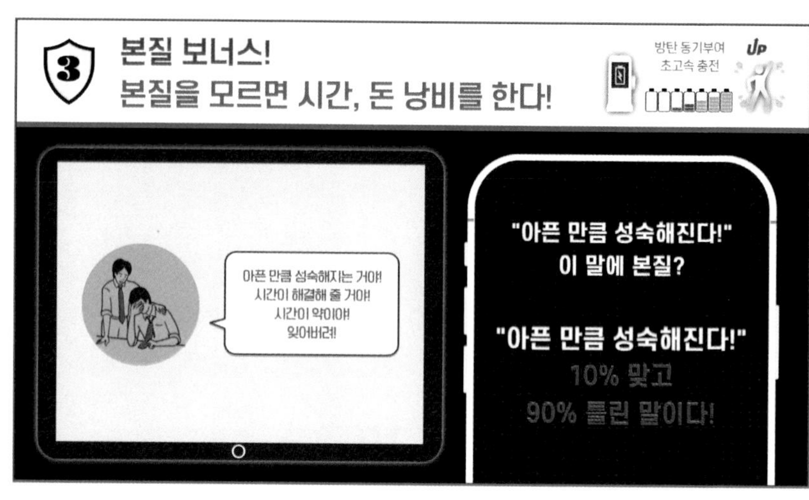
본질 보너스!
본질을 모르면 시간, 돈 낭비를 한다!
방탄 동기부여
초고속 충전
UP
아픈 만큼 성숙해지는 거야!
시간이 해결해 줄 거야!
시간이 약이야!
잊어버려!
"아픈 만큼 성숙해진다!"
이 말에 본질?
"아픈 만큼 성숙해진다!"
10% 맞고
90% 틀린 말이다!

본질 보너스!
본질을 모르면 시간, 돈 낭비를 한다!
방탄 동기부여
초고속 충전
UP
아픈 만큼 성숙해지는 거야!
시간이 해결해 줄 거야!
시간이 약이야!
잊어버려!
아픈 경험만 많다고 성숙해지는 것이 아니다. 아픔 상황 속에서 극복하기 위한 학습, 연습, 훈련을 하지 않으면 악순환 반복이다!
어떻게 하면 다음에는 겪지 않을까?
아픔 경험만 많다고
성숙해지는 것이 아니다.
(자존감 높은 사람은 가능)
시간의 흐름 속에서 성숙해지는 것은
10% 상황밖에 없다.
90% 상황은 그 아픔 속에서 되풀이
하지 않기 위해서 극복하기 위한
학습, 연습, 훈련이 되어야만
비로써 성숙해진다.

평균 희망 은퇴 73세, 현실 은퇴 나이 49세!
100세 시대 언제까지 몸(노동)으로만
일해서 돈을 벌 것인가?

세상, 현실 기준에서 스펙, 돈, 인맥, 자산 등이 없어서 100세까지 노동을 해야 되고 몸까지 아프면 더 답이 없는 상황! 젊을 때는 100가지 중 99가지를 할 수 있지만 나이 들면 100가지 중 99가지를 할 수 없다. 3고 시대, AI 시대, 챗 GPT 시대에 자신의 직업이 사라 질 수 있는 상황에서 어떻게 준비, 대비할 것인가?

방탄BOOK기술력
선택이 아닌 필수!

- 방탄 리더 동기부여 교육 PPT 목차 3-3
· [출간 한《방탄 리더 동기부여》책 내용]

★ 99도에서 1도를 올려주는 방탄 리더 자기계발

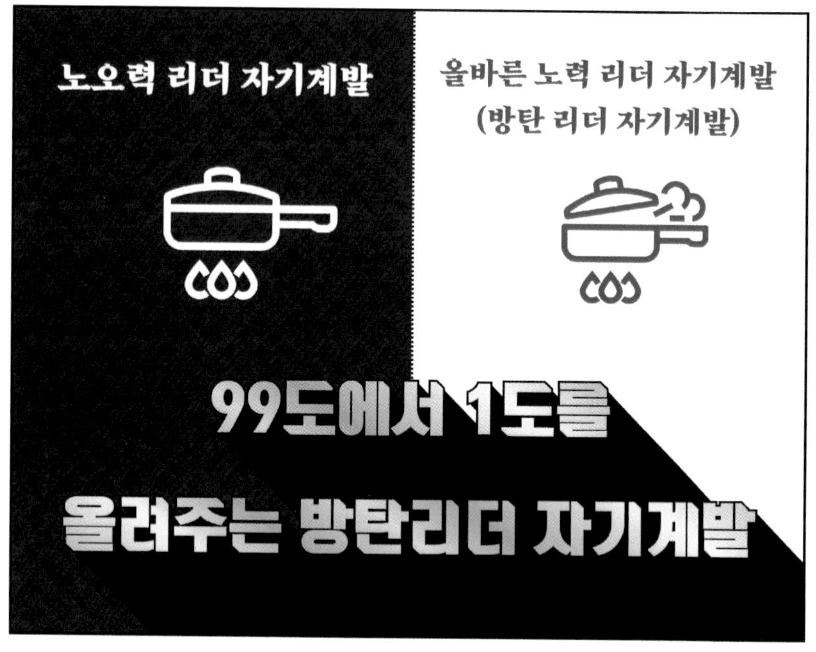

노오력이란? 시간, 경험, 횟수만 채우는 것이다. 경력은 스펙이 아니라고 계속 언급을 했다. 어느 정도 수준에서는 더 이상 올라가지 않는다. 99도까지는 물이 절대 끓지 않듯이 마지막 99도에서 100도가 될 때까지 1도를 올리려면 올바른 노력이 있어야 한다. 다음은 사소함의 차이, 디테일함의 차이가 크다는 것을 깨닫게 해주는 스토리텔링이다.

옛날 어느 시장에 짚신을 파는 가게가 두 군데 있었다. 두 가게는 서로 마주 보고 장사를 했는데 한 가게는 늘 장사가 잘되었고, 한 가게는 늘 장사가 안되었다. 장사가 안되는 가겟집 주인은 도무지 그 이유를 알 수 없어 답답했다. 짚신도 똑같고 값도 똑같은데 왜 저쪽 가게는 언제나 손님이 북적거리고 자기네 가게는 파리만 날아다니는지 정말 알 수 없는 노릇이었다. 그런데 뜻밖에도 비결은 아주 작은 것이었다. 장사가 잘되는 집 주인은 짚신 안쪽에 돋아 있는 보푸라기를 잘라내어 발이 훨씬 편하게 만들었던 것이다. 이것이 그 가게에만 손님이 몰리게 만든 비결이었다.

《통찰의 기술》

알고 나면 우주에서 가장 쉬운 것이 되고 사소한 것도 모르면 우주에서 가장 어려운 것이 되는 게 인생이다.

마찬가지로 노오력과 올바른 노력에 차이도 사소한 것에서 차이를 만든다. 자신 분야 99도에서 1도 올리는 방법이 의외로 사소한 것으로도 될 수도 있다는 것이다. 사소한 것을 잘 보기 위해서는 올바른 노력의 개념을 알아야 한다. 리더는 올바른 노력의 개념을 그 누구보다 제대로 알아야만 조직체가 노력에 배신을 당하지 않는다. 집중하자! 올바른 노력이란? 올바른 노력은 1단계 집중, 2단계 전문가의 피드백, 3단계 수정의 세 단계를 반복적으로 결과가 나올 때까지 꾸준하게 하는 것이다.

99도에서 1도를 올려주는 방탄 리더 자기계발

노오력
시간, 경력만 채우는 것!
경력은 스펙이 아니다!

올바른 노력
(방탄 리더 자기계발)

1. 집중 2. 전문가 피드백 3. 수정

99도에서 1도를 올려주는 방탄 리더 자기계발

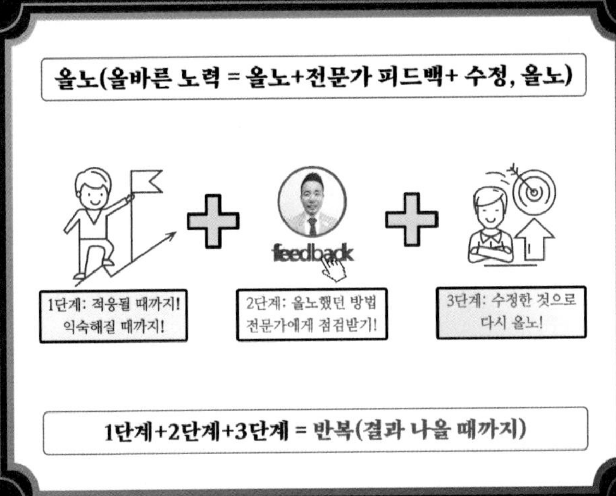

- 방탄 리더 동기부여 교육 PPT 목차 3-3

· [출간 한《방탄 리더 동기부여》책 내용을 방탄 동기부여 교육 PPT로 디자인]

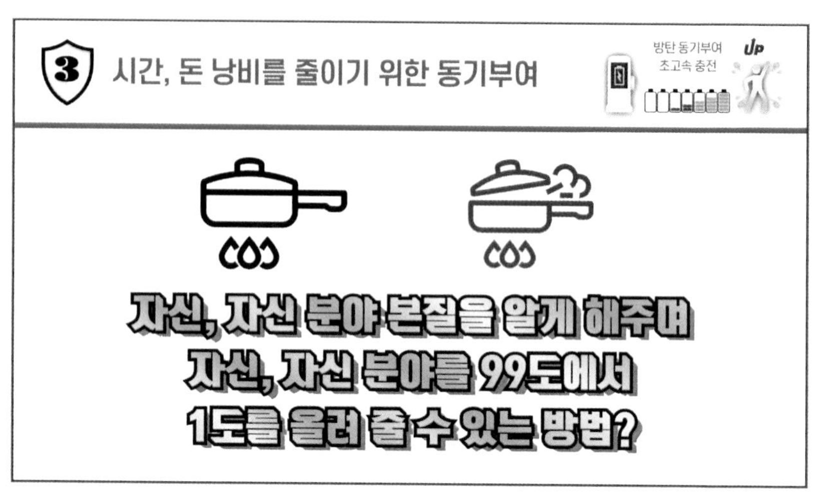

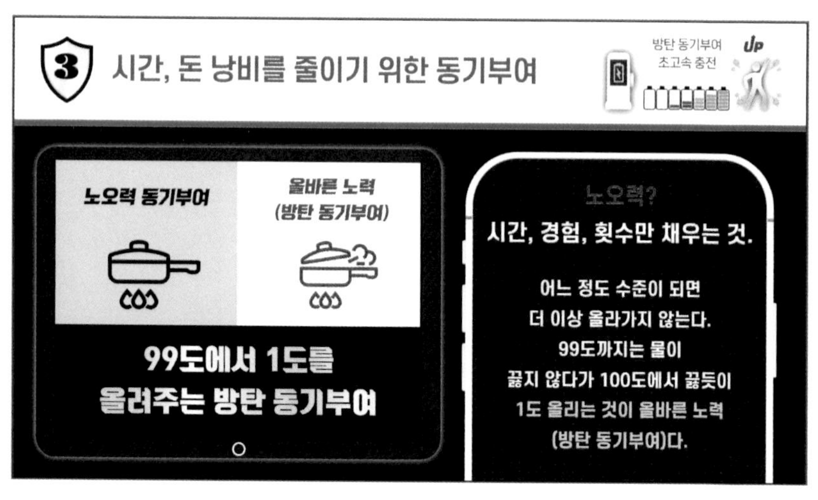

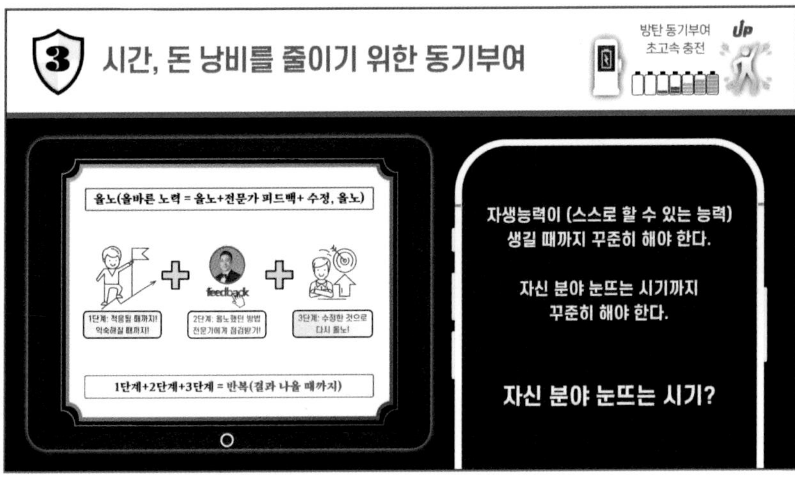
3
시간, 돈 낭비를 줄이기 위한 동기부여
방탄 동기부여
초고속 충전
UP
올노(올바른 노력 = 올노+전문가 피드백+ 수정, 올노)
feedback
1단계: 적용될 때까지!
익숙해질 때까지!
2단계: 올노했던 방법
전문가에게 점검받기!
3단계: 수정한 것으로
다시 올노!
1단계+2단계+3단계 = 반복(결과 나올 때까지)
자생능력이 (스스로 할 수 있는 능력)
생길 때까지 꾸준히 해야 한다.
자신 분야 눈뜨는 시기까지
꾸준히 해야 한다.
자신 분야 눈뜨는 시기?

3
시간, 돈 낭비를 줄이기 위한 동기부여
방탄 동기부여
초고속 충전
UP
자신 분야 눈뜨는 시기
스토리텔링
한 가정에 강아지가 태어났다.
눈도 뜨지 못하고
젖을 먹던 강아지들이
한 달이 다 되어가자
드디어 눈을 떴다.
아들이 아빠에게 묻는다.

시간, 돈 낭비를 줄이기 위한 동기부여

자신 분야 눈뜨는 시기 스토리텔링

아들: "다른 동물은 낳자마자 눈을 뜨고 심지어 뛰어다니기까지 하는데 왜 강아지는 눈을 못 떠요?

아빠: "개들은 무엇이 발달되어 있지?"

아들: 냄새를 잘 맡아요. 코가 잘 발달되어 있어요.

시간, 돈 낭비를 줄이기 위한 동기부여

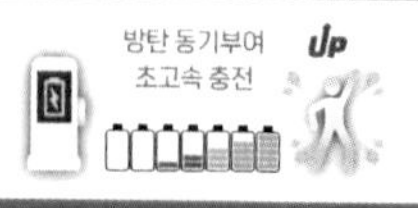

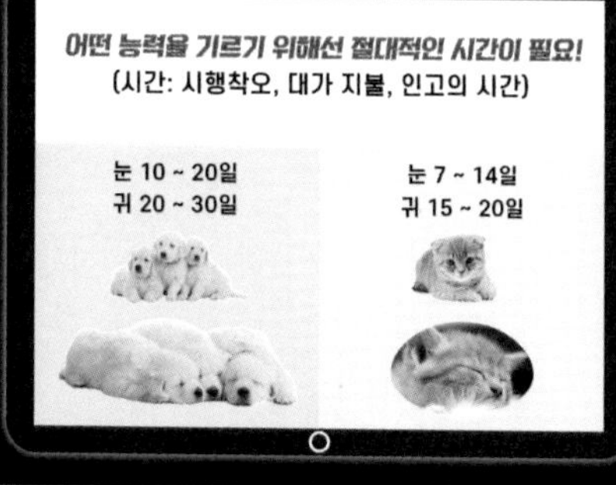

어떤 능력을 기르기 위해선 절대적인 시간이 필요!
(시간: 시행착오, 대가 지불, 인고의 시간)
눈 10 ~ 20일
귀 20 ~ 30일
눈 7 ~ 14일
귀 15 ~ 20일

자신 분야 눈뜨는 시기 스토리텔링

아빠: 바로 그거야. 후각을 발달시키기 위해 신이 강아지를 한 달 동안 눈을 뜨지 못하게 한 것이 아닐까?

어떤 능력을 기르기 위해선 절대적인 시간이 필요하단다.

- 책 《그러니까 상상하라》-

▶ 스토리텔링 전체 내용!

맹도견으로 유명한 레트리버 한 마리를 교회에서 기르는데 새끼를 아홉 마리나 낳았다. 꼬물꼬물 눈도 뜨지 못하고 젖을 먹던 강아지들이 한 달이 다 되어가자 드디어 눈을 떴다.
아들이 내게 물었다.
"다른 동물은 낳자마자 눈을 뜨고 심지어 뛰어다니기까지 하는데 왜 강아지는 눈을 못 떠요?"
내가 아들에게 물었다.
"개들은 무엇이 발달되어 있지?"
아들이 대답했다.
"냄새를 잘 맡아요. 코가 발달되어 있지요."
"바로 그거야. 후각을 발달시키기 위해 하나님은 강아지를 한 달 동안 눈을 뜨지 못하게 한 것이 아닐까. 어떤 능력을 기르기 위해선 절대적인 시간이 필요하거든."

《그러니까 상상하라》

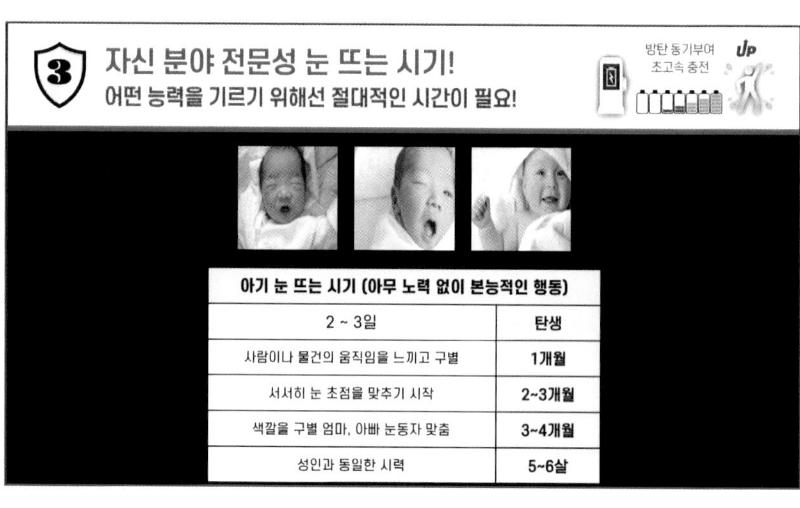
자신 분야 전문성 눈 뜨는 시기!
어떤 능력을 기르기 위해선 절대적인 시간이 필요!
방탄 동기부여
초고속 충전
UP

아기 눈 뜨는 시기 (아무 노력 없이 본능적인 행동)	
2 ~ 3일	탄생
사람이나 물건의 움직임을 느끼고 구별	1개월
서서히 눈 초점을 맞추기 시작	2~3개월
색깔을 구별 엄마, 아빠 눈동자 맞춤	3~4개월
성인과 동일한 시력	5~6살

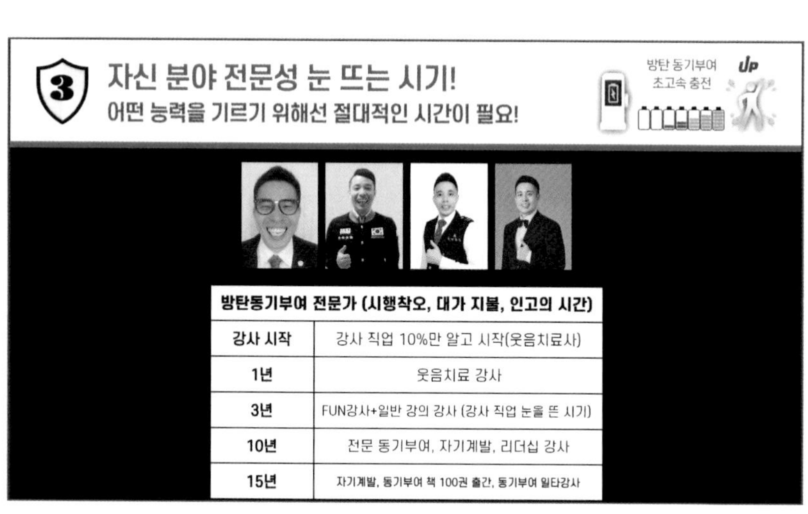
자신 분야 전문성 눈 뜨는 시기!
어떤 능력을 기르기 위해선 절대적인 시간이 필요!
방탄 동기부여
초고속 충전
UP

방탄동기부여 전문가 (시행착오, 대가 지불, 인고의 시간)	
강사 시작	강사 직업 10%만 알고 시작(웃음치료사)
1년	웃음치료 강사
3년	FUN강사+일반 강의 강사 (강사 직업 눈을 뜬 시기)
10년	전문 동기부여, 자기계발, 리더십 강사
15년	자기계발, 동기부여 책 100권 출간, 동기부여 일타강사

자신 분야 전문성 눈 뜨는 시기!

어떤 능력을 기르기 위해선 절대적인 시간이 필요!

아기 눈 뜨는 시기 (아무 노력 없이 본능적인 행동)	
2 ~ 3일	탄생
사람이나 물건의 움직임을 느끼고 구별	1개월
서서히 눈 초점을 맞추기 시작	2~3개월
색깔을 구별 엄마, 아빠 눈동자 맞춤	3~4개월
성인과 동일한 시력	5~6살

방탄동기부여 전문가 (시행착오, 대가 지불, 인고의 시간)	
강사 시작	강사 직업 10%만 알고 시작(웃음치료사)
1년	웃음치료 강사
3년	FUN강사+일반 강의 강사 (강사 직업 눈을 뜬 시기)
10년	전문 동기부여, 자기계발, 리더십 강사
15년	자기계발, 동기부여 책 100권 출간, 동기부여 일타강사

시간, 돈 낭비를 줄이기 위한 동기부여

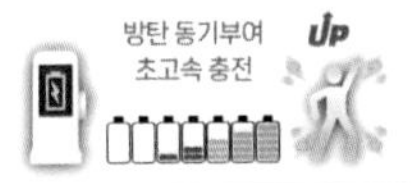

노오력, 올바른 노력

사소한 차이 스토리텔링 1

미국 유수의 회사들이 힘을 합쳐
2,000만 달러를 공동 투자를 해서

정상에 있는
세일즈맨, 창업자, 기업인들이
평소에 어떤 생각을 하고 있는지 조사

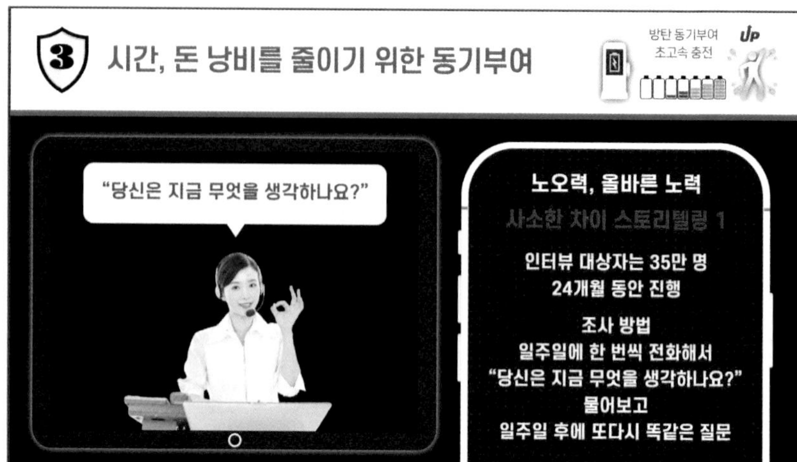
3
시간, 돈 낭비를 줄이기 위한 동기부여
방탄 동기부여
초고속 충전
UP
"당신은 지금 무엇을 생각하나요?"
노오력, 올바른 노력
사소한 차이 스토리텔링 1
인터뷰 대상자는 35만 명
24개월 동안 진행
조사 방법
일주일에 한 번씩 전화해서
"당신은 지금 무엇을 생각하나요?"
물어보고
일주일 후에 또다시 똑같은 질문

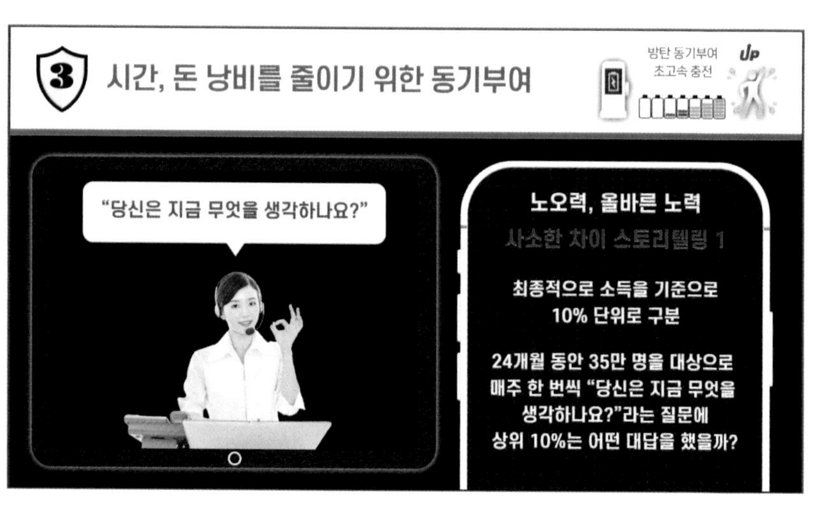
3
시간, 돈 낭비를 줄이기 위한 동기부여
방탄 동기부여
초고속 충전
UP
"당신은 지금 무엇을 생각하나요?"
노오력, 올바른 노력
사소한 차이 스토리텔링 1
최종적으로 소득을 기준으로
10% 단위로 구분
24개월 동안 35만 명을 대상으로
매주 한 번씩 "당신은 지금 무엇을
생각하나요?"라는 질문에
상위 10%는 어떤 대답을 했을까?

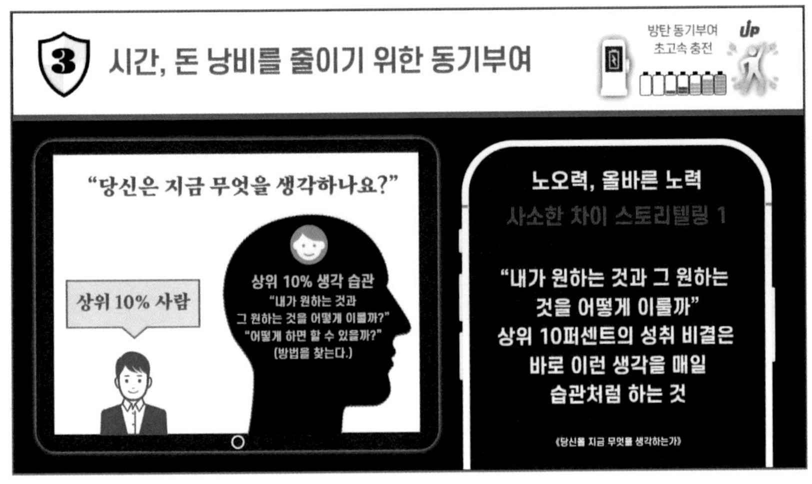

▶ 스토리텔링 전체 내용!

당신은 지금 어떤 생각을 하고 무엇을 이룰 것인가? 미국 유수의 회사들이 힘을 합쳐 2,000만 달러를 투자, 정상에 있는 세일즈맨, 창업자, 기업인들이 평소에 어떤 생각을 하고 있는지 조사한 적이 있다.

인터뷰 대상자는 무려 35만 명이었고, 조사는 24개월 동안 진행되었다. 조사 방법은 간단했다. 일주일에 한 번씩 전화해서 "당신은 지금 무엇을 생각하나요?"를 물어보고, 일주일 후에 또다시 똑같은 질문을 하는 것이다. 시간이 흐르고 데이터가 쌓이면서 차츰 인터뷰 대상자들의 프로파일이 잡혀갔다. 최종적으로 소득을 기준으로 10퍼센트 단위로 구분해 보았다.
24개월 동안 35만 명을 대상으로 매주 한 번씩 “당신은 지금 무엇을 생각하나요?”라는 질문에 상위 10퍼센트는 어떤 대답을 했을까? 그들의 대답은 다름 아닌 “내가 원하는 것과 그 원하는 것을 어떻게 이룰까”였다.

대부분의 시간을 ‘내가 원하는 것과 그것을 어떻게 이룰까’를 생각하는 것! 상위 10퍼센트의 성취 비결은 바로 이런 생각을 매일 습관처럼 하는 것이었다.

《당신을 지금 무엇을 생각하는가》

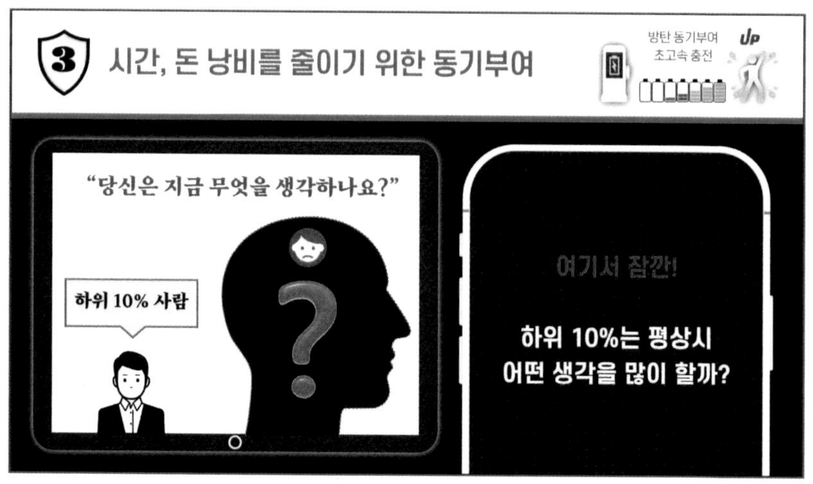

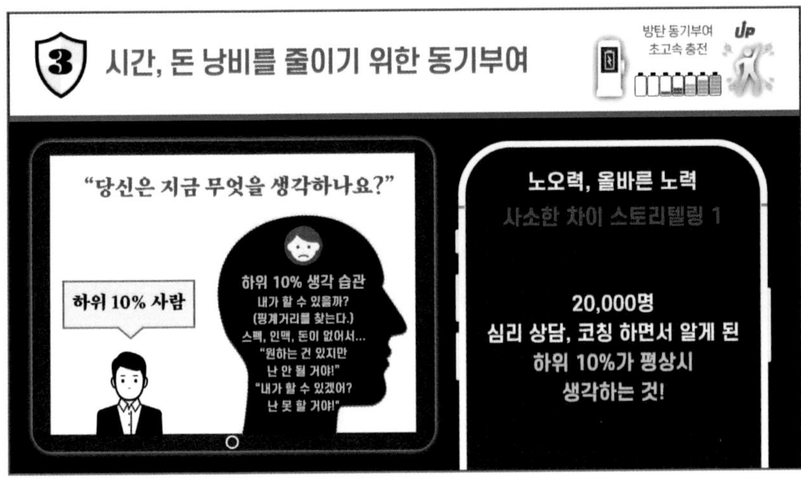

3
시간, 돈 낭비를 줄이기 위한 동기부여
방탄 동기부여
초고속 충전
UP
"당신은 지금 무엇을 생각하나요?"
하위 10% 사람
하위 10% 생각 습관
내가 할 수 있을까?
(핑계거리를 찾는다.)
스펙, 인맥, 돈이 없어서...
"원하는 건 있지만
난 안 될 거야!"
"내가 할 수 있겠어?
난 못 할 거야!"
노오력, 올바른 노력
사소한 차이 스토리텔링 1
20,000명
심리 상담, 코칭 하면서 알게 된
하위 10%가 평상시
생각하는 것!

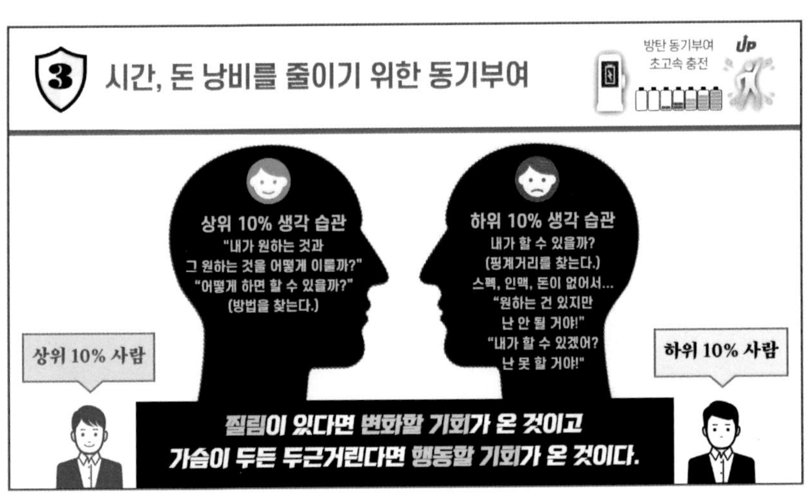

3
시간, 돈 낭비를 줄이기 위한 동기부여
방탄 동기부여
초고속 충전
UP
상위 10% 생각 습관
"내가 원하는 것과
그 원하는 것을 어떻게 이룰까?"
"어떻게 하면 할 수 있을까?"
(방법을 찾는다.)
하위 10% 생각 습관
내가 할 수 있을까?
(핑계거리를 찾는다.)
스펙, 인맥, 돈이 없어서...
"원하는 건 있지만
난 안 될 거야!"
"내가 할 수 있겠어?
난 못 할 거야!"
상위 10% 사람
하위 10% 사람
찔림이 있다면 변화할 기회가 온 것이고
가슴이 두근 두근거린다면 행동할 기회가 온 것이다.

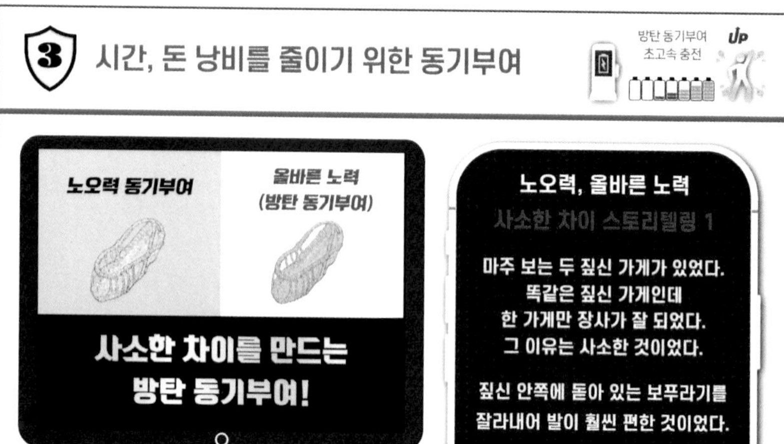
3
시간, 돈 낭비를 줄이기 위한 동기부여
방탄 동기부여
초고속 충전
UP
노오력 동기부여
올바른 노력
(방탄 동기부여)
사소한 차이를 만드는
방탄 동기부여!
노오력, 올바른 노력
사소한 차이 스토리텔링 1
마주 보는 두 짚신 가게가 있었다.
똑같은 짚신 가게인데
한 가게만 장사가 잘 되었다.
그 이유는 사소한 것이었다.
짚신 안쪽에 돋아 있는 보푸라기를
잘라내어 발이 훨씬 편한 것이었다.

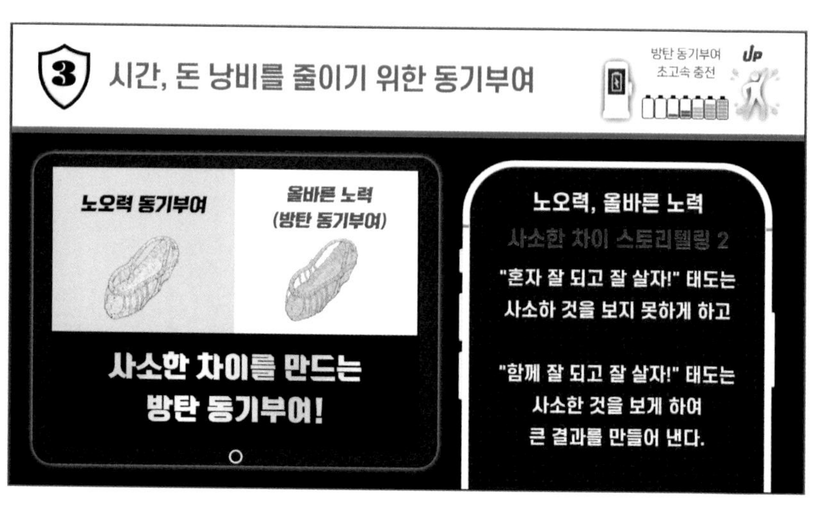
3
시간, 돈 낭비를 줄이기 위한 동기부여
방탄 동기부여
초고속 충전
UP
노오력 동기부여
올바른 노력
(방탄 동기부여)
사소한 차이를 만드는
방탄 동기부여!
노오력, 올바른 노력
사소한 차이 스토리텔링 2
"혼자 잘 되고 잘 살자!" 태도는
사소하 것을 보지 못하게 하고
"함께 잘 되고 잘 살자!" 태도는
사소한 것을 보게 하여
큰 결과를 만들어 낸다.

▶ 스토리텔링 전체 내용!

옛날 어느 시장에 짚신을 파는 가게가 두 군데 있었다. 두 가게는 서로 마주 보고 장사를 했는데 한 가게는 늘 장사가 잘되었고, 한 가게는 늘 장사가 안되었다. 장사가 안되는 가겟집 주인은 도무지 그 이유를 알 수 없어 답답했다. 짚신도 똑같고 값도 똑같은데 왜 저쪽 가게는 언제나 손님이 북적거리고 자기네 가게는 파리만 날아다니는지 정말 알 수 없는 노릇이었다. 그런데 뜻밖에도 비결은 아주 작은 것이었다. 장사가 잘되는 집 주인은 짚신 안쪽에 돋아 있는 보푸라기를 잘라내어 발이 훨씬 편하게 만들었던 것이다. 이것이 그 가게에만 손님이 몰리게 만든 비결이었다.

《통찰의 기술》

시간, 돈 낭비를 줄이기 위한 동기부여

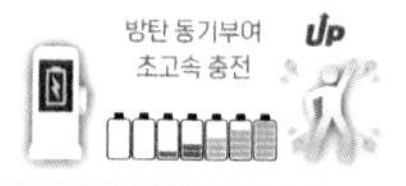
방탄 동기부여
초고속 충전
UP

10만 유로(1억 4,286만 8,000 원)가
생기면 어떻게 할 것인가?

노오력, 올바른 노력

사소한 차이 스토리텔링 3

독일 한 라디오 방송국에서
거액의 상금을 걸고 공모전을 했다.

10만 유로(1억 4,286만 8,000 원)가
생기면 어떻게 할 것인가?
청취자 투표에서 가장 많은 투표를
받은 사람에게 10만 유로를 지급하겠다.

시간, 돈 낭비를 줄이기 위한 동기부여

방탄 동기부여
초고속 충전
UP

노오력, 올바른 노력

사소한 차이 스토리텔링 3

무인도를 사겠다.
프러포즈 광고를 만들어 TV에 방송.
속옷 박물관 만들겠다.... 등
아이, 어른... 다양한 계층이 응모 참여!

당선자는 아이디어가 넘치는 젊은이도
지식이 풍부한 대학교수도 아닌
수많은 응모자를 제치고 상금을
차지한 사람은 트럭 운전사였다.

시간, 돈 낭비를 줄이기 위한 동기부여

노오력, 올바른 노력

사소한 차이 스토리텔링 3

과연 트럭 운전사의 아이디어는?

상금의 4분의 3인 7만 5,000유로를
나를 뽑아준 독일 시민들을 위해
마을 광장에서 뿌리겠다.
실제로 마을 광장에서
기중기에 올라탄 체
7만 5,000유로(1억)를 뿌렸다.

시간, 돈 낭비를 줄이기 위한 동기부여

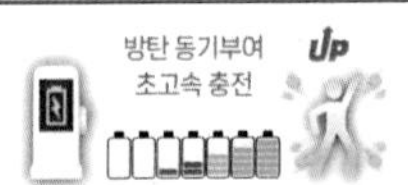

노오력, 올바른 노력

사소한 차이 스토리텔링 3

대부분 사람들은 자신을 위해서만
10만 유로를 쓴다고 했는데
(혼자 잘되고 잘 살자 태도)

트럭 운전사는
(함께 잘되고 잘 살자)
혼자의 이득만을 위함이 아닌
함께 이득이 될 수 있는 것을 선택!

▶ 스토리텔링 전체 내용!

독일의 한 라디오 방송국에서 거액의 상금을 걸고 다음과 같은 흥미로운 공모전을 실시했다.

만약 당신에게 10만 유로가 생긴다면 얼마나 멋지게 돈을 쓸 것인가?

방송국은 청취자 투표에서 가장 많은 표를 한 사람에게 실제로 10만 유로를 지급하겠다고 공표했다. 공모가 시작되자 각양각색의 글들이 방송사로 쏟아졌다. “상금을 받으면 우주여행을 하겠다. 무인도를 사서 1년 동안 로빈스 크루소가 되겠다. 프러포즈 광고를 만들어서 TV에 방송하겠다. 속옷 박물관을 만들겠다.” 등 아이부터 주부, 할아버지, 교사 가릴 것 없이 다양한 계층이 응모에 참여했다.

공모는 성황리에 마감되었고, 과연 누가 거액의 상금을 거머쥘 것인가에 귀추가 주목됐다. 그런데 당선자는 아이디어가 넘치는 젊은이도, 지식이 풍부한 대학교수도 아니었다. 수많은 응모자를 제치고 상금을 차지한 주인공은 마르코 힐게르트라는 이름의 머리가 희끗한 트럭 운전사였다. 과연 그의 아이디어는 무엇이었을까?

상금의 4분의 3인 7만 5,000유로를 나를 뽑아준 독일 시민들을 위해 하늘에서 뿌리겠다. 2007년 1월 26일 마르코는 약속대로 카이제르슬라우테른이란 마을의 광장에서 기중기에 올라탄 채 7만 5,000유로를 광장에 모여든 군중을 향해 뿌렸다. 조이사의 설명에 신의 무릎을 쳤다. 게임의 룰을 완벽 하게 파악하다니, 그 사람 천재군요! 트럭 운전사가 공모전에 당선된 이유를 알겠는가?

신은 자신이 상금을 받은 것처럼 흥분된 어조로 말했다.

게임의 승패를 결정한 것은 기발한 아이디어가 아니었습니다. 트럭 운전사는 게임의 결정자가 청취자라는 게임의 본질을 파악하고 그들에게 상금의 4분의 3을 내놓았던 겁니다. 먼저 주었기 때문에 받을 수 있었던 거죠.

《관계의 힘》

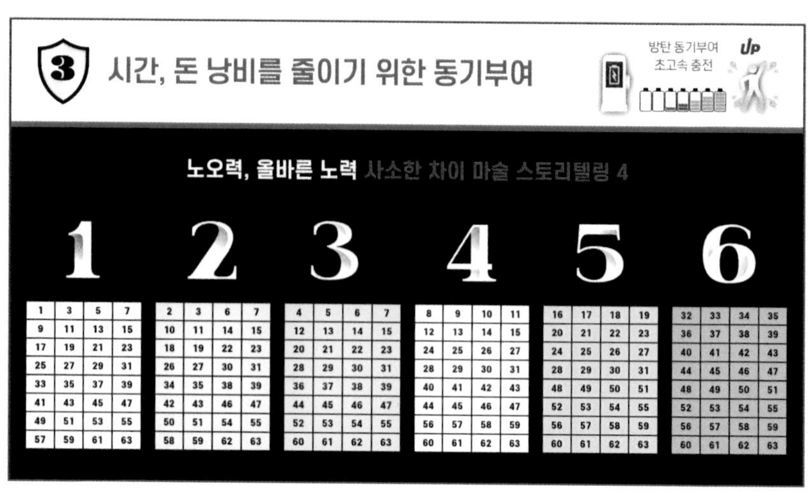
3
시간, 돈 낭비를 줄이기 위한 동기부여
방탄 동기부여
초고속 충전
UP
노오력, 올바른 노력 사소한 차이 마술 스토리텔링 4
1
1 3 5 7
9 11 13 15
17 19 21 23
25 27 29 31
33 35 37 39
41 43 45 47
49 51 53 55
57 59 61 63
2
2 3 6 7
10 11 14 15
18 19 22 23
26 27 30 31
34 35 38 39
42 43 46 47
50 51 54 55
58 59 62 63
3
4 5 6 7
12 13 14 15
20 21 22 23
28 29 30 31
36 37 38 39
44 45 46 47
52 53 54 55
60 61 62 63
4
8 9 10 11
12 13 14 15
24 25 26 27
28 29 30 31
40 41 42 43
44 45 46 47
56 57 58 59
60 61 62 63
5
16 17 18 19
20 21 22 23
24 25 26 27
28 29 30 31
48 49 50 51
52 53 54 55
56 57 58 59
60 61 62 63
6
32 33 34 35
36 37 38 39
40 41 42 43
44 45 46 47
48 49 50 51
52 53 54 55
56 57 58 59
60 61 62 63

정답!

시간, 돈 낭비를 줄이기 위한 동기부여

노오력, 올바른 노력 사소한 차이 마술 스토리텔링 4

1	3	5	7
9	11	13	15
17	19	21	23
25	27	29	31
33	35	37	39
41	43	45	47
49	51	53	55
57	59	61	63

2	3	6	7
10	11	14	15
18	19	22	23
26	27	30	31
34	35	38	39
42	43	46	47
50	51	54	55
58	59	62	63

4	5	6	7
12	13	14	15
20	21	22	23
28	29	30	31
36	37	38	39
44	45	46	47
52	53	54	55
60	61	62	63

4

8	9	10	11
12	13	14	15
24	25	26	27
28	29	30	31
40	41	42	43
44	45	46	47
56	57	58	59
60	61	62	63

16	17	18	19
20	21	22	23
24	25	26	27
28	29	30	31
48	49	50	51
52	53	54	55
56	57	58	59
60	61	62	63

32	33	34	35
36	37	38	39
40	41	42	43
44	45	46	47
48	49	50	51
52	53	54	55
56	57	58	59
60	61	62	63

노오력, 올바른 노력 사소한 차이 마술 스토리텔링 4 설명!

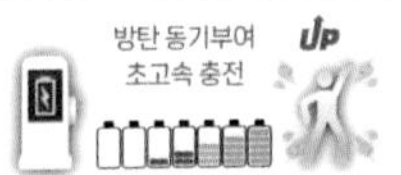

포커페이스를 잘 하는 사람 지원자 한 명 받는다.
마음속으로 1~ 63 중에 숫자 하나를 생각하라고 한다.
강사는 뒤돌아 있는 상태에서 마음속으로 생각한 숫자를
청중들에게 말하지 않고 손가락으로 표현해서 공유하라고 한다.
표 한 개씩 보면서 마음속으로 생각한 숫자가 있는지 없는지 말을 하라고 한다.
숫자가 있다고 한 표 왼쪽 상단에 숫자를 더하면 된다.

예) 7이라고 가정했을 때 1, 2, 3표에만 7이 있다.
그래서 표에 있는 왼쪽 상단에 숫자 1+2+4=7이 된다.

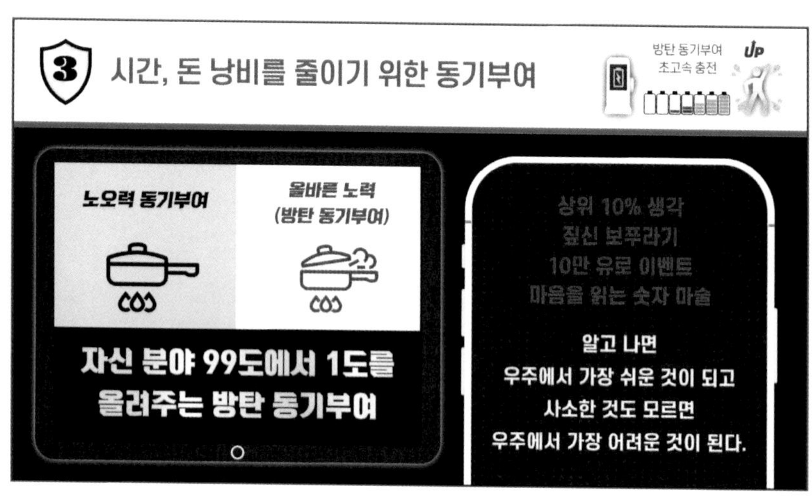
3
시간, 돈 낭비를 줄이기 위한 동기부여
방탄 동기부여
초고속 충전
UP
노오력 동기부여
올바른 노력
(방탄 동기부여)
자신 분야 99도에서 1도를
올려주는 방탄 동기부여
상위 10% 생각
짚신 보푸라기
10만 유로 이벤트
마음을 읽는 숫자 마술
알고 나면
우주에서 가장 쉬운 것이 되고
사소한 것도 모르면
우주에서 가장 어려운 것이 된다.

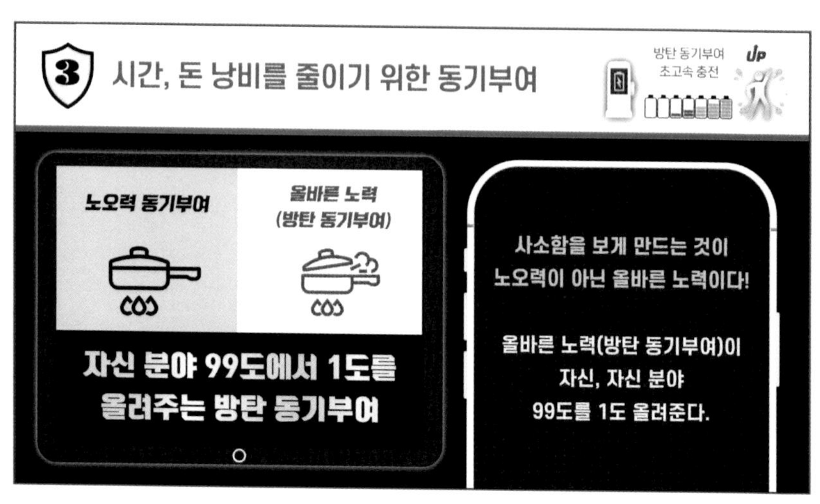
3
시간, 돈 낭비를 줄이기 위한 동기부여
방탄 동기부여
초고속 충전
UP
노오력 동기부여
올바른 노력
(방탄 동기부여)
자신 분야 99도에서 1도를
올려주는 방탄 동기부여
사소함을 보게 만드는 것이
노오력이 아닌 올바른 노력이다!
올바른 노력(방탄 동기부여)이
자신, 자신 분야
99도를 1도 올려준다.

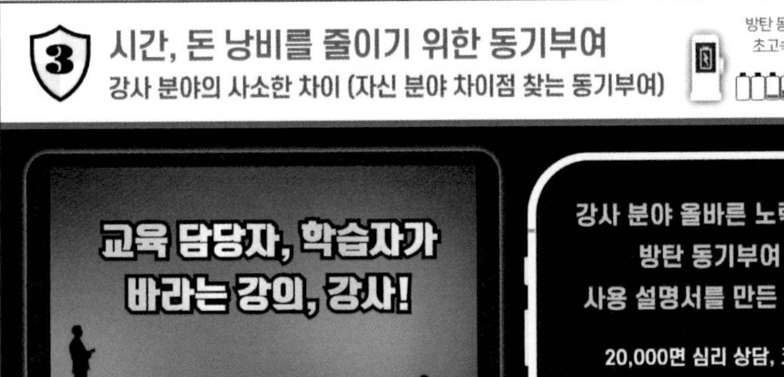
3
시간, 돈 낭비를 줄이기 위한 동기부여
강사 분야의 사소한 차이 (자신 분야 차이점 찾는 동기부여)
방탄 동기부여
초고속 충전
UP
교육 담당자, 학습자가
바라는 강의, 강사!
-20,000명 심리 상담, 코칭 데이터-
강사 분야 올바른 노력으로
방탄 동기부여
사용 설명서를 만든 계기!
20,000면 심리 상담, 코칭
강사 15년 경력 / 6,000회 강의
경력으로 알게 된
교육 담당자, 학습자가 바라는
강의, 강사!

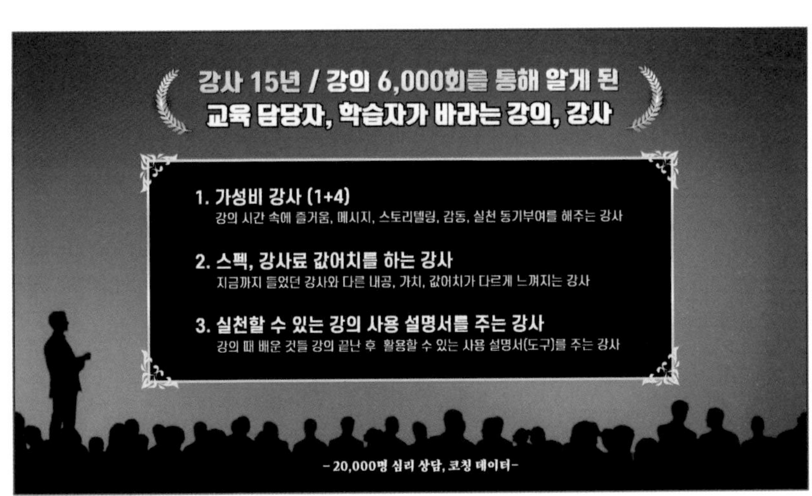
강사 15년 / 강의 6,000회를 통해 알게 된
교육 담당자, 학습자가 바라는 강의, 강사
1. 가성비 강사 (1+4)
강의 시간 속에 즐거움, 메시지, 스토리텔링, 감동, 실천 동기부여를 해주는 강사
2. 스펙, 강사료 값어치를 하는 강사
지금까지 들었던 강사와 다른 내공, 가치, 값어치가 다르게 느껴지는 강사
3. 실천할 수 있는 강의 사용 설명서를 주는 강사
강의 때 배운 것들 강의 끝난 후 활용할 수 있는 사용 설명서(도구)를 주는 강사
-20,000명 심리 상담, 코칭 데이터-

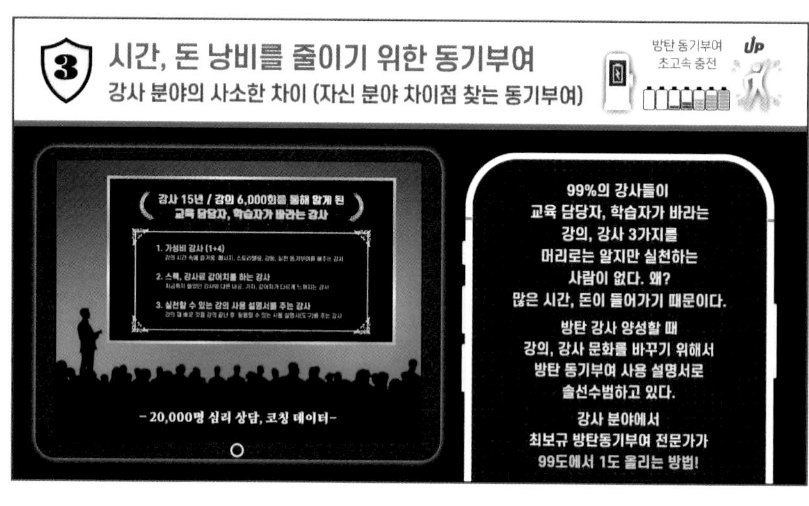
3
시간, 돈 낭비를 줄이기 위한 동기부여
강사 분야의 사소한 차이 (자신 분야 차이점 찾는 동기부여)
방탄 동기부여
초고속 충전
UP
강사 15년 / 강의 6,000회를 통해 알게 된
교육 담당자, 학습자가 바라는 강사
1. 가성비 강사 (1+4)
2. 스펙, 강사료 값어치를 하는 강사
3. 실천할 수 있는 강의 사용 설명서를 주는 강사
-20,000명 심리 상담, 코칭 데이터-
99%의 강사들이
교육 담당자, 학습자가 바라는
강의, 강사 3가지를
머리로는 알지만 실천하는
사람이 없다. 왜?
많은 시간, 돈이 들어가기 때문이다.
방탄 강사 양성할 때
강의, 강사 문화를 바꾸기 위해서
방탄 동기부여 사용 설명서로
솔선수범하고 있다.
강사 분야에서
최보규 방탄동기부여 전문가가
99도에서 1도 올리는 방법!

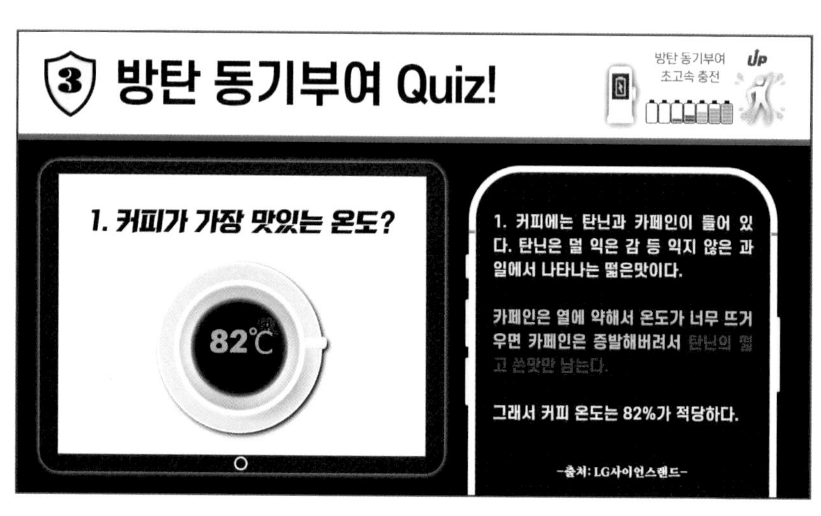
3
방탄 동기부여 Quiz!
방탄 동기부여
초고속 충전
UP
1. 커피가 가장 맛있는 온도?
82℃
1. 커피에는 탄닌과 카페인이 들어 있다. 탄닌은 덜 익은 감 등 익지 않은 과일에서 나타나는 떫은맛이다.
카페인은 열에 약해서 온도가 너무 뜨거우면 카페인은 증발해버려서 탄닌의 떫고 쓴맛만 남는다.
그래서 커피 온도는 82%가 적당하다.
-출처: LG사이언스랜드-

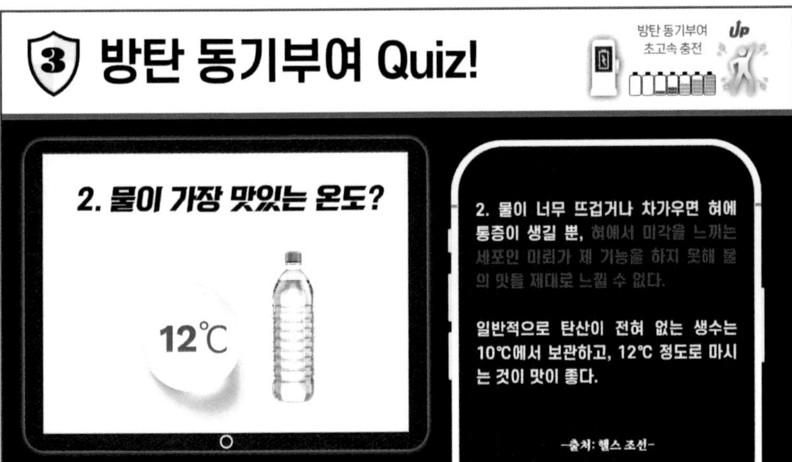
3 방탄 동기부여 Quiz!
방탄 동기부여
초고속 충전
UP
2. 물이 가장 맛있는 온도?
12℃
2. 물이 너무 뜨겁거나 차가우면 혀에 통증이 생길 뿐, 혀에서 미각을 느끼는 세포인 미뢰가 제 기능을 하지 못해 물의 맛을 제대로 느낄 수 없다.
일반적으로 탄산이 전혀 없는 생수는 10℃에서 보관하고, 12℃ 정도로 마시는 것이 맛이 좋다.
-출처: 헬스 조선-

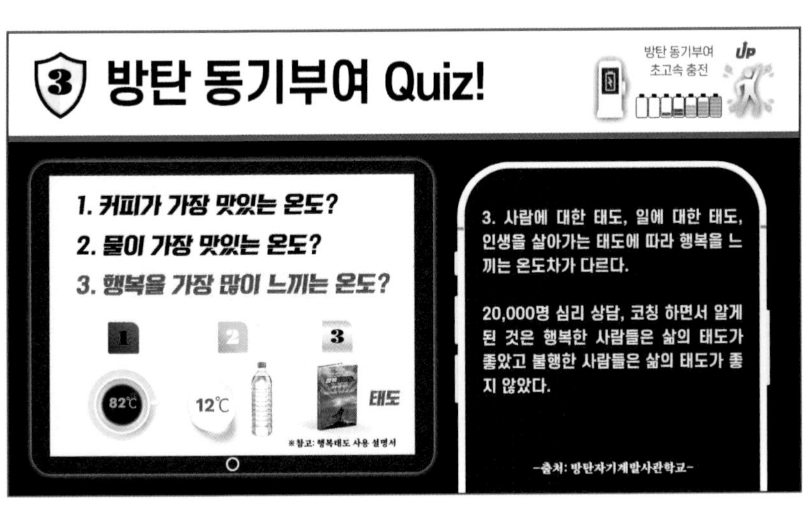
3 방탄 동기부여 Quiz!
방탄 동기부여
초고속 충전
UP
1. 커피가 가장 맛있는 온도?
2. 물이 가장 맛있는 온도?
3. 행복을 가장 많이 느끼는 온도?
1
2
3
82℃
12℃
태도
※참고: 행복태도 사용 설명서
3. 사람에 대한 태도, 일에 대한 태도, 인생을 살아가는 태도에 따라 행복을 느끼는 온도차가 다르다.
20,000명 심리 상담, 코칭 하면서 알게 된 것은 행복한 사람들은 삶의 태도가 좋았고 불행한 사람들은 삶의 태도가 좋지 않았다.
-출처: 방탄자기계발사관학교-

세상에서 가장 강력한 스펙?
세상에서 가장 강력한 동기부여?
방탄 동기부여
초고속 충전
UP
몸이 여기저기 아픈 곳이 많아서
컨디션이 너무 안 좋아.
모든 게 하기 싫다.
평상시 건강관리 좀 잘 할걸...
모든 시작은 건강관리에서 시작
한다! 평상시 Body(몸) 건강관리,
Head(머리) 건강관리, Mind(마
음) 건강관리를 꾸준히 하자!
건강 스펙, 태도 스펙
건강(자기관리) 동기부여
몸이 아프면 모든 것이 하기 싫어지고
몸이 건강하면 사소한 것도
동기부여가 되어 태도가 좋다.

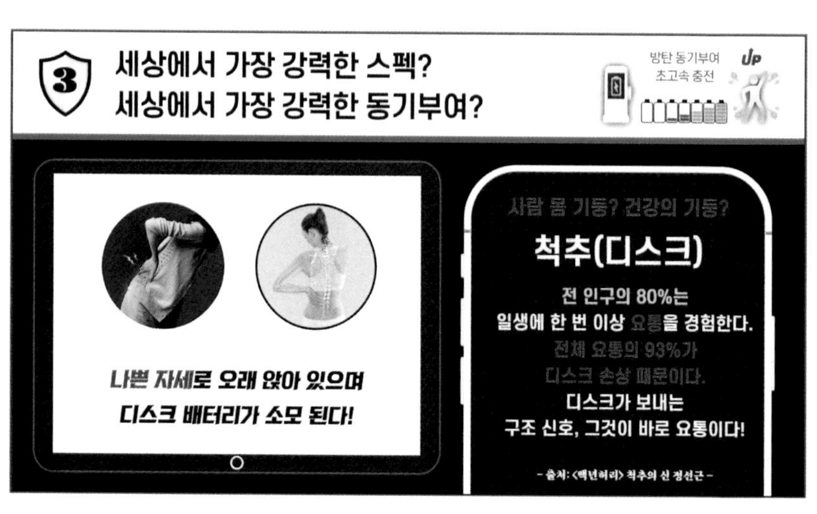
세상에서 가장 강력한 스펙?
세상에서 가장 강력한 동기부여?
방탄 동기부여
초고속 충전
UP
나쁜 자세로 오래 앉아 있으며
디스크 배터리가 소모 된다!
사람 몸 기둥? 건강의 기둥?
척추(디스크)
전 인구의 80%는
일생에 한 번 이상 요통을 경험한다.
전체 요통의 93%가
디스크 손상 때문이다.
디스크가 보내는
구조 신호, 그것이 바로 요통이다!
- 출처: <백년허리> 척추의 신 정선근 -

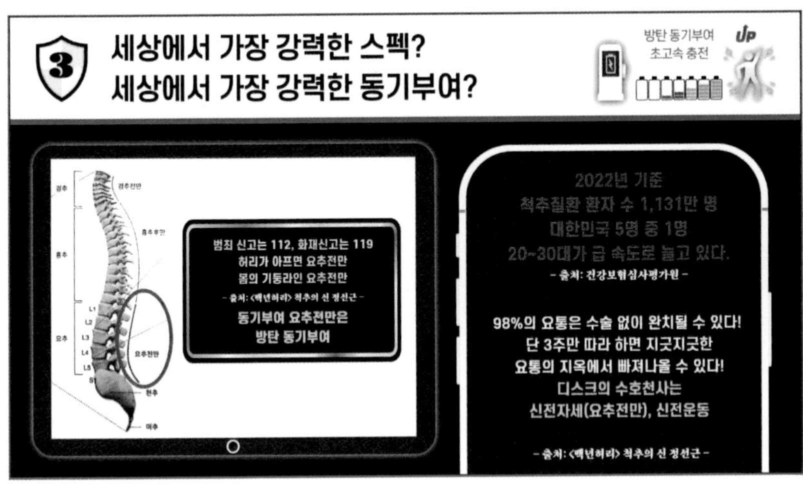
3
세상에서 가장 강력한 스펙?
세상에서 가장 강력한 동기부여?
방탄 동기부여
초고속 충전
UP
경추
흉추
요추
L1
L2
L3
L4
L5
S1
천추
미추
경추전만
흉추후만
요추전만
범죄 신고는 112, 화재신고는 119
허리가 아프면 요추전만
몸의 기둥라인 요추전만
- 출처: <백년허리> 척추의 신 정선근 -
동기부여 요추전만은
방탄 동기부여
2022년 기준
척추질환 환자 수 1,131만 명
대한민국 5명 중 1명
20~30대가 급 속도로 늘고 있다.
- 출처: 건강보험심사평가원 -
98%의 요통은 수술 없이 완치될 수 있다!
단 3주만 따라 하면 지긋지긋한
요통의 지옥에서 빠져나올 수 있다!
디스크의 수호천사는
신전자세(요추전만), 신전운동
- 출처: <백년허리> 척추의 신 정선근 -

3
'척추의 신' 정선근 교수가 알려주는 디스크 통증 수술 없이 낫는 방법!
- 출처 <유튜브 EBS 건강> -

▶ 영상 1 전체 내용!

디스크 통증 수술 없이 낫는 방법!

온몸을 자유롭게 움직일 수 있는 힘 그 중심에는 척추, 그리고 허리가 있다. 그러나 일평생 수도 없이 수그리고 굽힐 수밖에 없는 허리. 전 국민의 80퍼센트가 한 번쯤은 허리 통증을 겪는다. 같은 척추에서 비롯된 목의 통증 또한 그 누구도 자유로울 수 없다. 일상을 무너뜨리는 허리와 목의 통증.

정선근 교수(척추의신): 본인의 허리 디스크를 일상생활 속에서 계속 찢고 있다는 뜻입니다. 병원에서 해드릴 건 없어요. 본인만 잘하면 됩니다. 제가 도와드릴 거는 지금 병원에서 약을 드리거나 주사하거나 시술할 건 전혀 없습니다. 병원에서 치료할 게 아니고 본인 스스로 치료하셔야 됩니다.

수술 없이 생활 속 작은 노력만으로도 심각한 통증에서 벗어날 수 있다고 하는 정선근 교수.

정선근 교수(척추의신): 좋은 자세로 가만히 있기만 하면 디스크가 스스로 붙는 힘이 있기 때문에 시간만 어느 정도 지나면 좋아지게 되어 있습니다.
허리 통증의 대부분이 디스크 손상이나 디스크 탈출 때문이다. 척추는 우리 몸 중심 목에서부터 엉덩이까지 뻗어있다. 목쪽 뼈인 경추는 일곱 개, 가슴 부분 뼈인 흉추는 열 두개, 허리 쪽 뼈인 요추는 다섯개 그리고 나머지 엉덩이와 꼬리뼈 쪽에 천추와 미추가 있다. 척추뼈는 여러 개의 뼈가 디스크로 연결되어 이루어져 있다. 척추뼈 속에는 척수 즉 신경이 지나간다. 신경을 둘러싸고 있는 것이 바로 척추관이다.

또 척추를 이루는 여러 개의 뼈 사이에는 물렁뼈 형태의 디스크가 있어 척추에 충격을 흡수하는데, 허리를 구부리면 서 있을 때에 비해 50%, 등받이가 없는 의자에 앉을 경우 서 있을 때에 비해 80% 이상 압력이 증가한다.

정선근 교수(척추의신): 우리 디스크가 손상이 되는 이유는 크게 3가지 있습니다. 아주 무거운 물건을 그냥 세게 들어 올리려다가 디스크 속에 압력이 높아지면서 톡 터져버리는 거죠. 한 번에 강한 힘으로 손상 받는 것 있고, 두 번째는 작은 힘이지만 그 반복이 계속되는 거예요. 낙숫물에 바위가 뚫리듯이.
김장하기 위해 1톤 덤프트럭에 있는 배추를 300포기를 내리다가 디스크가 터져서 오신 분이 계셨습니다.
작은 힘들이 계속 누적이 돼서 낙숫물에 바위가 파이듯 디스크가 찢어진다.
세 번째는 아주 작은 힘이라도 오랫동안 지긋이 수핵이 섬유륜을 밀어내는 경우입니다. 아주 작은 힘이라도 그게 나쁜 자세로 앉아 있는 게 가장 흔합니다.

디스크 손상되는 이유 3가지
1. 한 번에 강한 힘을 줌
2. 여러 번 작은 힘을 반복
3. 아주 작은 힘을 오래동안 지긋이 유지

디스크는 눌리는 압력에 따라 조금 찢어지기도 하고, 원래 있던 자리에서 돌출 혹은 탈출되기도 한다. 디스크는 한 덩어리의 무렁뼈가 아니다. 디스크는 섬유륜이라 불리는 여러 곳의 강한 껍질로 둘러싸여 있다. 가운데에는 젤리처럼 생긴 수핵이 있다. 뼈와 물렁뼈가 닿는 부위에는 종판이라는 탄성이 높은 구조물이 있어 디스크에 충격을 흡수한다.
디스크가 압력을 받으면 주로 손상을 입는 부분은 디스크를 감싸고 있는 껍질인 섬유륜이다. 통증은 섬유륜이 손상되면서부터 시작된다. 그 상태에서 허리를 계속적으로 심하게 굽히면 섬유륜은 얇아지고 수핵은 건조해진다. 결국은 수핵이 섬유륜을 찢고 나와 디스크 탈출증이 생긴다.

그 결과 통증은 더 심해진다. 이러한 디스크 손상 과정은 실제 사체 실험에서 증명되기도 했다. 양쪽 뼈에 기계를 부착해 인위적으로 디스크를 손상시킨 후 허리를 굽혔다 폈다 하는 것과 같은 동작을 반복했을 때 처음에는 수핵이 섬유륜을 찢으면서 뒤로 밀리더니, 나중에는 섬유륜이 완전히 찢어져 수액이 디스크 밖으로 탈출하는 것을 발견했다.

디스크 탈출은 허리 통증을 일으키는 대표적인 원인인데 왜 어떤 사람은 허리만 아프고, 또 어떤 사람은 허리와 다리까지 아프게 되는 걸까? 허리 통증은 크게 두 가지다. 허리에 국한된 디스크성 통증과 다리까지 뻗치는 방사통이다. 디스크 속에 있는 수핵이 섬유륜에 찢어 상처가 생기면, 수핵 세포가 죽으면서 염증 물질이 생긴다. 이 과정에서 통증이 발생하게 되는데, 이것이 디스크성 통증이다. 허리 주위에만 통증에 국한되어 나타나는 경향이 있다.

디스크 섬유륜의 상처가 심해지면 섬유륜이 얇아지고 수핵도 건조해져, 수핵이 섬유륜을 찢고 밖으로 탈출한다. 이때 척추나 신경까지 눌려 다리가 저리기도 한다.

또 수핵이 탈출되면서 생긴 염증 물질이 신경에 닿아 신경 뿌리에 염증이 생긴 다음, 그 신경뿌리가 눌리거나 당겨질 때 심한 통증이 다리 쪽으로 뻗치는데, 이를 방사통이라고 한다.

방사통은 허리에서 통증이 시작하여 엉덩이를 지나 허벅지, 종아리, 발로 내려가는 양상을 보인다. 방사통의 고통은 상상을 초월한다. 디스크의 수핵이 껍질을 뚫고 탈출하면, 죽은 수핵에서 나온 염증 물질이 신경 뿌리와 그 뒤쪽으로 흘러나온다. 신경뿌리 뒤쪽엔 감각신경 세포들이 모여 있는 배측신경절이라는 신경 다발이 있는데, 이쪽에 염증 물질이 묻게 되면 극심한 통증이 유발된다.
결과적으로 방사통의 고통은 배측신경절과 밀접한 연관이 있다.

정선근 교수(척추의신): 방사통이 다양한 양상으로 나타나는 이유가 뭔가 하니, 신경 뿌리로 오는 감각신경세포들이 다 모여 있는 배측신경절이라는 곳에 염증이 생겨서 아픈 거고 그 배측신경절로 오는 감각신경은 저린거를 담당하는 감각신경, 뜨거운 걸 담당하는 감각신경, 찌르면 아픈 걸 담당하는 감각신경, 뼈에서 올라오는 감각신경, 근육에서 올라오는 감각신경들이 다 거기 모여 있기 때문에 거기만 딱 염증이 생기고 아프게 하면 온갖 기기묘묘한 통증을 느끼게 만들어져 있는 겁니다. 그게 이 허리 통증의 비밀입니다. 그 곡선(요추전만)이 있을 때 디스크가 가장 안정되게 됩니다.

수핵이 섬유륜을 뒤쪽으로 찢으면 많이 아프고 방사통도 생기고, 섬유륜을 뒤쪽으로 찢어서 신경을 건드리고 척추를 누르게 되고 수핵이 뒤로 밀리면 여러문제가 발생한다. 그런데 요추전만 하면 수핵이 앞으로 밀리게 돼 있습니다. 그렇기 때문에 요추전만이 중요하고요. 또 요추전만 자세로 있을 때 우리 몸의 무게중심이 가장 안정적이게 됩니다. 그렇다면 요추전만이 어떻게 디스크를 치유하게 되는 걸까? 허리 통증은 보통 디스크의 껍질은 섬유륜이 찢어지고 디스크 속에 있는 수핵이 터지면서 염증 물질이 생겨 발생한다. 하지만 염증 물질은 통증을 일으키는 것과 동시에 찢어진 섬유륜을 붙이는 역할도 한다.

피부의 상처가 자연 치유되는 것과 같은 원리다. 요추전만을 강조하는 것은 이 시기에 요추가 C자 모양이 되면 요추의 압박 효과로 찢어진 상처가 서로 잘 붙게 되기 때문이다. 반면 허리를 굽히는 자세로 섬유륜을 벌어지려 하면 상처가 서로 붙지 않아 상처가 아무는데 방해가 된다.

정선근 교수(척추의신): 칼로 손을 베여서 반창고를 붙이면 상처가 아물듯 똑같이 허리 디스크 섬유륜도 찢어졌다가 그걸 다시 벌리지만 않으면 붙여서 가만히 두면 섬유륜끼리 다시 붙어서 통증도 없어지고, 탈출되는 디스크 수핵도 막아줄 수 있고 기능을 다시 되찾게 되는 겁니다. 좋은 자세로 가만히 있기만 하면 디스크가 스스로 붙는 힘이 있기 때문에 시간만 어느 정도 지나면 좋아지게 되어 있습니다.

디스크의 자연 치유 효과는 여러 실험에서 증명됐다. 대표적인 한 실험을 보면, 디스크 탈출로 방사통을 앓는 환자 77명을 디스크 손상 정도에 따라 세 그룹으로 나누어 지켜봤는데, 가장 통증이 심했던 그룹에서 놀라운 결과가 나타났다. 77명 중 49명은 탈출된 디스크가 저절로 줄어들었고, 10명의 환자에서 탈출된 디스크가 흔적도 없이 사라졌다. 실제 이런 결과는 진료실에서 드물지 않게 확인할 수 있다. 특별한 치료를 하지 않았는데도 통증 발생 후 6개월 이상 시간이 지나면 디스크의 수핵이 줄어들거나 디스크에 찢어진 섬유륜이 회복돼 있는 것을 종종 볼 수 있다. 운동보다 좋은 자세로 허리 통증을 치유해야 한다고 말하는 정선근 교수. 그도 늘 허리를 뒤로 펴서 젖히는 신전자세를 유지한다.

그가 운동과 허리 치료의 상관관계에 대해 특별히 관심을 가지게 된 건 그 또한 심각한 허리 통증 환자였기 때문이다. 젊은 시절부터 일상적으로 운동했는데, 언제부턴가 허리가 아팠다.

정선근 교수(척추의신): 한 5~6년 정도 굉장히 심하게 아팠습니다. 저는 제가 한참 아플 때는 아, 나이가 40대 중반이 되면 누구나 다 이렇게 아픈 줄 알았어요. 누구나 다 아침에 일어나면 허리가 뻐근하고 정도의 차이는 있지 다 아프지 않나, 이런 생각을 했는데 그때는 당연히 이제 허리는 운동으로 치료해야 된다. 허리를 유연하게 해야 되고, 허리 근력을 강화해서 허리를 튼튼하게 해야 되고 그것도 굉장히 열심히 했습니다. 했는데 점점 더 굉장히 많이 아팠습니다. 디스크성 통증이 제 외래(진료에) 오는 어떤 환자들보다 심하게 많이 아팠습니다. 그렇게 계속 아프면서 내 환자분들 치료하는데 치료도 잘 안 되고 그래서 아~ 이거 허리 치료하는 운동이 분명히 내가 보기에 잘못된 것 같다고 생각을 들었다.

그 후 허리 통증과 관련된 다양한 지식을 공부했고, 전 세계 척추 전문가들과도 적극적으로 교류했다. 그 과정을 거치면서 운동이 허리 통증이 나쁘고 자세가 좋아져야 허리 통증을 고칠 수 있다는 신념이 확고해졌다.

정선근 교수(척추의신): 허리가 아픈 이유는 허리 속에

들어가 있는 디스크가 찢어져서 아픈 거고 찢어지다 못해 그 속에 있는 수핵이 터져 나와서 아픈 건데 그거를 근력 운동으로 좋게 한다는 게 사실 알고 보면 잘못된 생각이었다는 거죠. 디스크는 그게 아물어야 좋아지는 거지 옆에 있는 근육이 커진다고 해서 그게 빨리 아무는 건 아니고 오히려 옆에 있는 근육을 세게 키우는 과정에서 디스크가 오히려 더 찢어 먹고 터뜨려 먹는다는 사실을 망각했던 것이죠.

척추관협착이 심하게 있는 상중하! 척추관협착증 단계 ! 경미하다. 보통 좁아졌다. 아주 심하게 좁아졌다. 관이 3분의2(중증 척추관협착증) 이상 좁아진 심하게 좁아진 사람들 100명을 모아놓고 척추관협착증 증상이 있습니까? 걸어가다가 아파서 자꾸 쉬십니까? 물어봤더니 100명 중에 83명은 전혀 아프지 않아요.

17명만 걷다가 방사통이 생긴다. 걸어가다 보면 허리가 빠근해서 걸어가다 보면 다리에서 감각이 안 올라와서 허공을 밟는 것 같아요. 스펀지를 밟는 것 같아요. 빈대떡을 하나 붙여놓은 것 같아요. 그래서 자꾸 넘어질 것 같아요. 그래서 내가 쉽니다. 혹은 걸어가다 보면 다리에 힘이 빠지는 것 같아서 쉬어야 됩니다. 그런 분들이 100명 중에 17명밖에 없었습니다. 그렇다면 어떻게? 이게 좁아졌다고 해서 좁아진 사람 중에 하다 못해 70명은 아프고 30명은 안 아파야 그나마 좁아진 게 그게 원인이라고 말할 수 있지. 100명 중에 83%가 안 아파요. 그러면 아픈 17명이 문제가 있는 거죠. 그 사람들은 척추관이 좁아진 상태에서 최근에 새로운 디스크 손상이 있는 게 분명하다.

세계 최고 권위의 의학지 <뉴잉글랜드저널오브메디슨(2001)> 실린 논문에서도 요통의 93%가 디스크 손상 때문이고 4% 정도가 골절에서 비롯됐다고 보고하고 있다. 결과적으로 디스크뿐 아니라 척추관협착증이나 전방전위증 또한 디스크의 손상을 확인하고 이를 잘 치료하는 것이 허리 통증을 줄이는 해법인 것이다. 그렇다면 자세 교정 이외에 허리 통증을 줄이는 또 다른 방법은 없는 걸까?

정선근 교수(척추의신): 허리가 아플 때 치료하는 방법은 3가지가 있을 수 있습니다. 하나는 허리가 저절로 나을 때까지 기다리는 방법. 두 번째는 그 기다림이 너무 길 것 같으면 약을 먹는 방법. 세 번째는 좀 더 빨리 좋게 하고 싶으면 주사를 맞는 방법 이 세 가지가 있습니다. 신경이 압박이 돼서 그때는 염증이 아니고요. 그때는 압박입니다. 강한 압박으로 신경이 죽을 것 같다면 수술해야 한다. 근육 마비, 소변을 못 가리거나 할 때는 수술하는 게 적절합니다.

스테로이드 주사를 맞게 되면 즉각적으로 통증이 없어지기도 하는데 그건 대부분 마취제 때문이다. 실제 스테로이드로 인한 효과는 주사를 맞고 1, 2주 후부터 천천히 나타나며 약효는 2~3개월 지속된다. 그런데 주사를 맞고도 간혹 통증을 가라앉지 않는 경우가 있다. 왜 그럴까?

정선근 교수(척추의신): 저는 그렇게 생각합니다. 통증 조절이 잘 안 되는 방사통이 잘 해결되지 않는 것은 배측신경절에 염증이 생긴다는 사실을 잘 모릅니다. 의사가 주는 주사를 어디에다 묻혀야 되는지 잘 모릅니다. 꼴대가 어딘지 모르고 공차는 사람들이 많습니다. 공을 차도 정확하게 못 넣는 사람들이 많습니다. 또 척추 위생 개념이 없기 때문에 주사를 잘 놓아놓고도 나쁜 운동을 많이 시킵니다. 그러니까 금방 아프게 되는 겁니다. 전 인류의 80%가 허리 통증으로 고생을 하는데 나쁜 운동만 안 해도 그게 40%가 확 줍니다. 거기다가 약을 제대로 쓰고 주사를 제대로 하면 그 중에 20%는 해결이 됩니다. 나머지 20%는 척추위생을 잘하면 해결됩니다. 그래서 아픈 걸로 수술하는 경우는 극히 드뭅니다. 제 경험으로는 그렇습니다.

그렇다면 구체적으로 자세 교정을 얼마나 어떻게 해야

요추전만이 완성되는 걸까?

정선근 교수(척추의신): 신전동작을 통해서 요추전만을 조금 인위적으로 만들어주는 그런 동작이거든요. 다리를 어깨 넓이로 약간 벌리고 손을 허리 뒤로 가져가는데 양쪽 손을 허리에 갖다 붙이고 그다음에 배를 앞으로 내밀면서 상체를 뒤로 젖히면서 코로 숨을 들이쉬고, 머리도 같이 젖혀줍니다. 5초 유지 후 입으로 숨을 내쉬면서 돌아옵니다.

고혈압 알약을 하루에 몇 개? 먹어라 이런 식으로 딱 나오는 정답은 없습니다. 그렇지만 엎드려서 하는 신전동작은 엎드릴 때가 있어야 되니까 회사에서는 할 수 없잖아요. 아침저녁으로 잠자기 전 자고 일어났을 때 한 번씩 해주는 게 좋고 엎드려서 하는 신전운동은 한 번 할 때 한 5분 내지 10분 정도 유지해 주시면 좋고요. 특히 아침에 일어났는데 허리가 갑자기 뻐근하다. 이런 분들은 바로 그냥 엎드려서 신전동작을 해 주시면 좋습니다.

그 다음에 서서 하는 신전동작이나 앉아서 하는 신전동작은 자주 하면 할수록 좋긴 하나 자주 한다고 해서 1분에 한 번씩 할 수는 없는 거라 보통 상황이 허락하는 대로 한 30분에 한 번 정도 해주시면 좋고 한 번 할 때마다 5초 유지하다가 돌아오고 5초 유지하다가 돌아오고 하는 걸 한 5번 정도 해주시면 좋습니다.

<유튜브 EBS 건강>

▶ 참고 디스크 내용!

디스크 탈출증 감기처럼 저절로 낫는다?
디스크 탈충증으로 좌골신경통을 치료하지 않고 쭉 지켜봤더니, 이럴 수가!
신경뿌리 염증이 자연적으로 호전되는 현상을 사람에게서도 기대할 수 있을까? 2001년 핀란드 오울루(Oulu)대학병원의 재활의학과 의사야로 카피넨(Jaro Karppinen) 박사는 신경뿌리 주변에 스테로이드를 주입하는 경막외 스테로이드 주사 치료의 효과를 보여주는 임상시험 결과를 발표했다. 디스크 탈출증으로 생긴 좌골신경통이 있는 환자를 무작위로 두 그룹으로 나누어 한 그룹은 스테로이드를, 다른 한 그룹은 같은 양의 생리식염수, 즉 아무 효과가 없는 위약(僞藥, placebo)을 주사하고 좌골신경통의 변화를 관찰하였던 것이다.

결과는 스테로이드 주사 치료를 받지 않은 환자도 26주, 즉 6개월 정도 지나자 좌골신경통이 확연히 완화되었다는 것이다. 이 연구의 원래 취지는 '신경뿌리에 스테로이드를 주사하는 경막 외 스테로이드 주사는 좌골 신경통의 초기 (6개월 이내)에 통증을 줄이는 효과가 있고 1년이 지나면 큰 차이가 없다.'라는 것을 보여 주는 것이었다.

그렇지만 결과를 자세히 들여다보면 또 다른 흥미로운 사실을 발견하게 된다. 바로 '디스크 탈출로 생긴 좌골 신경통은 가만두어도 6개월이 지나면 저절로 낫는다.'라는 것이다. 신기하지 않은가? 엉덩이와 허벅지가 땅겨서 허리를 펴지도, 똑바로 걷지도 못할 정도로 아픈 좌골신경통에 특별한 치료를 하지 않아도 시간이 지나면 감기가 낫듯이 저절로 좋아진다는 것이다! 더욱 재미있는 것은 탈출된 디스크 덩어리가 쪼그러드는데 평균 1~2년 걸리는데 (1권 2장의 '고모리 박사, 탈출된 디스크는 어디로 갔소?' 참조) 좌골신경통은 6개월 만에 회복된다는 것이다. 신경뿌리의 염증이 좌골신경통에 기여하는 바가 크다는 것을 실감하게 하는 대목이다.

기억해야 할 것은 좌골신경통이 저절로 좋아지는 속성 때문에 사이비 치료가 기승을 부린다는 것이다. 이에 관한 문제를 하나 낸다. 다음 중 허리 디스크 있는 사람이 6개월간 지속하면 좌골신경통 증상이 좋아지는 것은?

① 매일 아침 동쪽 하늘을 보고 나는 좋아질 것이라고 다섯 번 외친다.

② 싸이의 강남 스타일 말춤을 하루 5분씩 춘다.

③ 허리에 좋다는 신비의 약을 매일 먹는다.

④ 특수 지압을 매일 받는다.

⑤ 세끼 밥 먹고 일상생활을 한다.

정답은? 모두 맞다.

《백년허리 1》

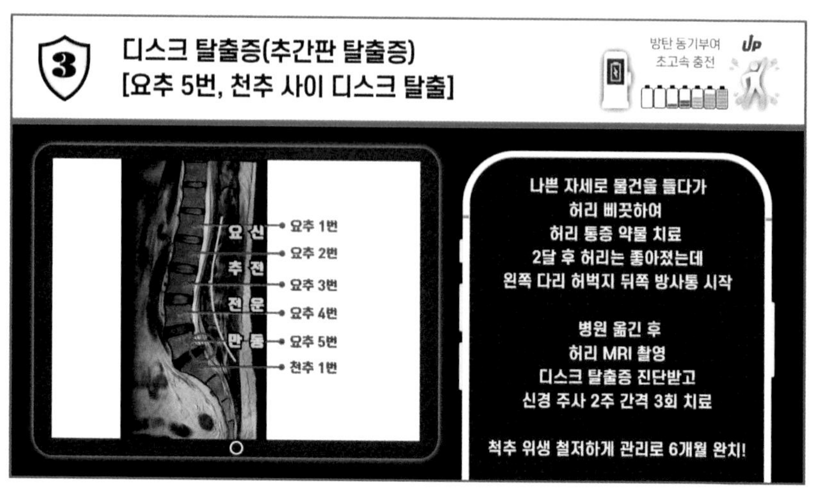

디스크 탈출증(추간판 탈출증) 6개월 완치!
[요추 5번, 천추 사이 디스크 탈출]

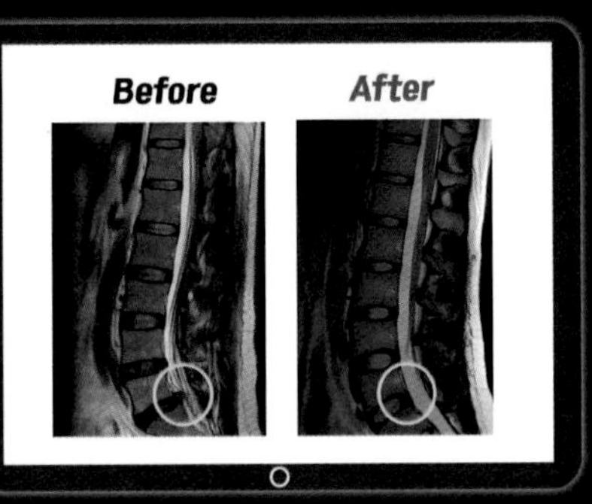

척추 위생 6달
약물 치료 2개월
신경 주사 3회 (2주간격)

척추위생

허리에 좋은 자세를 유지하자는 것이다. 피부에 상처가 났을 때, 가만히 두면 저절로 상처가 아무는 것과 같다. 찢어지거나 염증이 생긴 허리 디스크도 좋은 자세를 유지해 준다면 충분히 회복될 수 있지만 좋지 않은 자세, 운동 등을 통해 지속적으로 디스크에 스트레스를 가한다면 회복이 될 수 없다는 것이다.

- 출처: <백년허리> 척추의 신 정선근 -

디스크 탈출증(추간판 탈출증) 6개월 완치!
[요추 5번, 천추 사이 디스크 탈출]

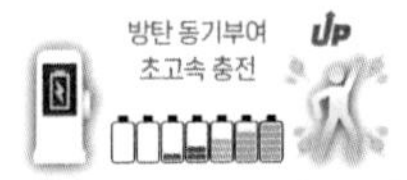

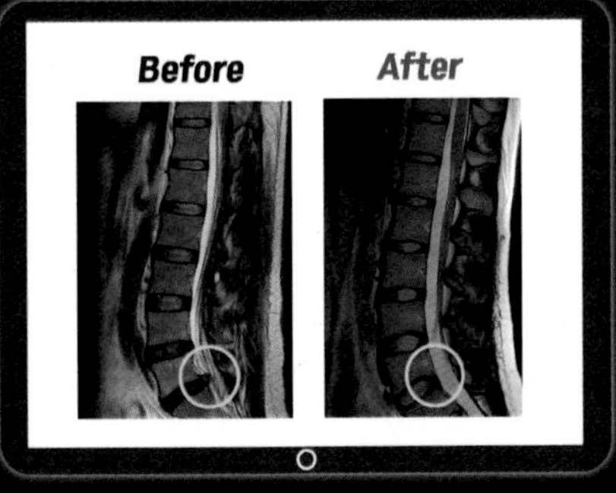

"운동으로 좋아지는 허리는 없다."

"허리는 자세로 좋아진다."

"허리는 다른 사람보다 자기 스스로 손상시키는 경우가 훨씬 많다."

"허리가 아픈 것은 디스크가 다쳐서 아픈 것이다."

"요추전만을 24시간 유지하는 것이 척추 위생"

"허리를 좋게 하는 운동은 걷기와 달리기이다."

- 출처: <백년허리> 척추의 신 정선근 -

방탄 동기부여 2시간 강의 강사료 200만 원 교육 PPT 교안 순서

방탄 동기부여
동기부여는 누구나 한다.
다만 방탄 동기부여는 아무나 못한다.

① 방탄 동기부여 라포 형성 기법, 마음을 여는 기법
② 방탄 동기부여 고.틀.선.편 깨기
③ 방탄 동기부여 서론
④ SPOT 기법, 강의 집중 기법, 강의 환기 기법
⑤ 방탄 동기부여 본론
⑥ SPOT 기법, 강의 집중 기법, 강의 환기 기법
⑦ 방탄 동기부여 결론
⑧ SPOT 기법, 강의 집중 기법, 강의 환기 기법
⑨ 방탄 동기부여 총정리
⑩ 방탄 동기부여 피크앤드법칙(The Peak End Rule)

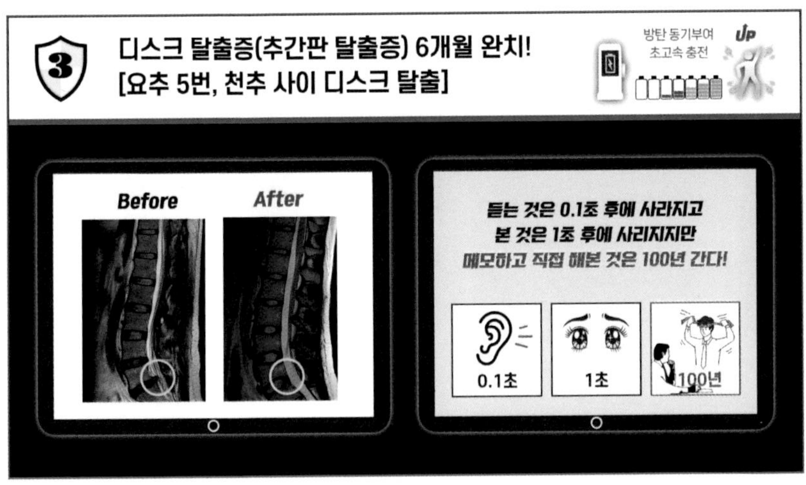

3
디스크 탈출증(추간판 탈출증) 6개월 완치!
[요추 5번, 천추 사이 디스크 탈출]
방탄 동기부여
초고속 충전
UP
Before
After
듣는 것은 0.1초 후에 사라지고
본 것은 1초 후에 사라지지만
메모하고 직접 해본 것은 100년 간다!
0.1초
1초
100년

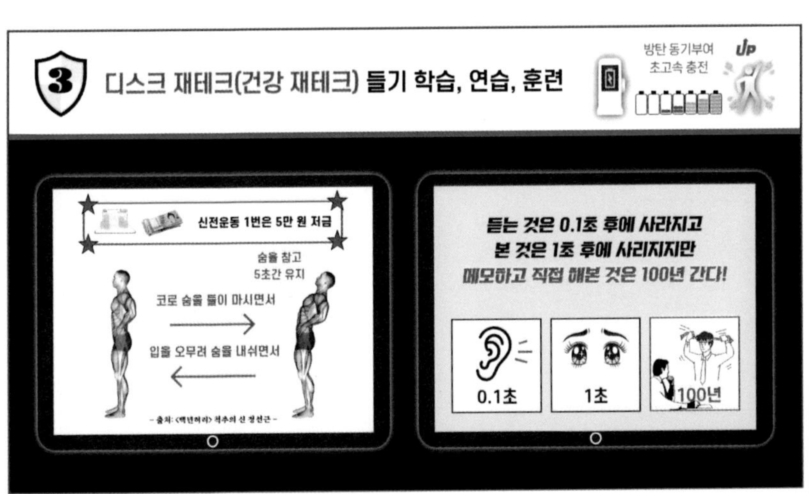

3
디스크 재테크(건강 재테크) 듣기 학습, 연습, 훈련
방탄 동기부여
초고속 충전
UP
신전운동 1번은 5만 원 저금
숨을 참고
5초간 유지
코로 숨을 들이 마시면서
입을 오무려 숨을 내쉬면서
- 출처: 《백년허리》 척추의 신 정선근 -
듣는 것은 0.1초 후에 사라지고
본 것은 1초 후에 사라지지만
메모하고 직접 해본 것은 100년 간다!
0.1초
1초
100년

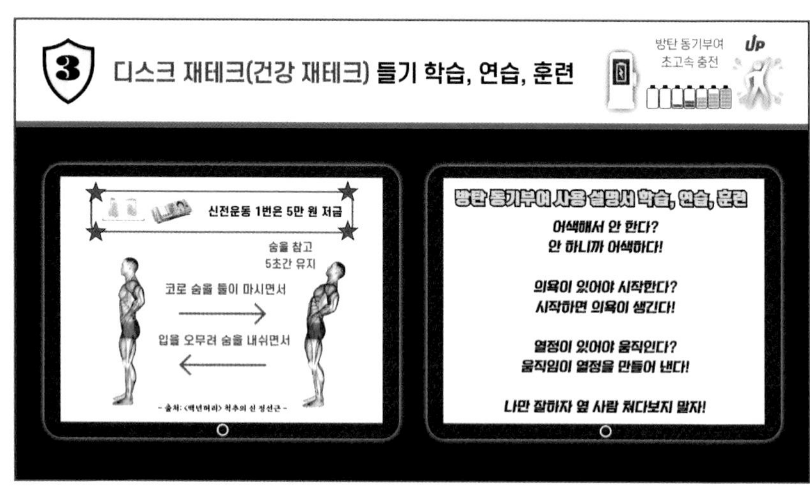
3
디스크 재테크(건강 재테크) 들기 학습, 연습, 훈련
방탄 동기부여
초고속 충전
UP
신전운동 1번은 5만 원 저금
숨을 참고
5초간 유지
코로 숨을 들이 마시면서
입을 오무려 숨을 내쉬면서
방탄 동기부여 사용 설명서 학습, 연습, 훈련
어색해서 안 한다?
안 하니까 어색하다!
의욕이 있어야 시작한다?
시작하면 의욕이 생긴다!
열정이 있어야 움직인다?
움직임이 열정을 만들어 낸다!
나만 잘하자 옆 사람 쳐다보지 말자!

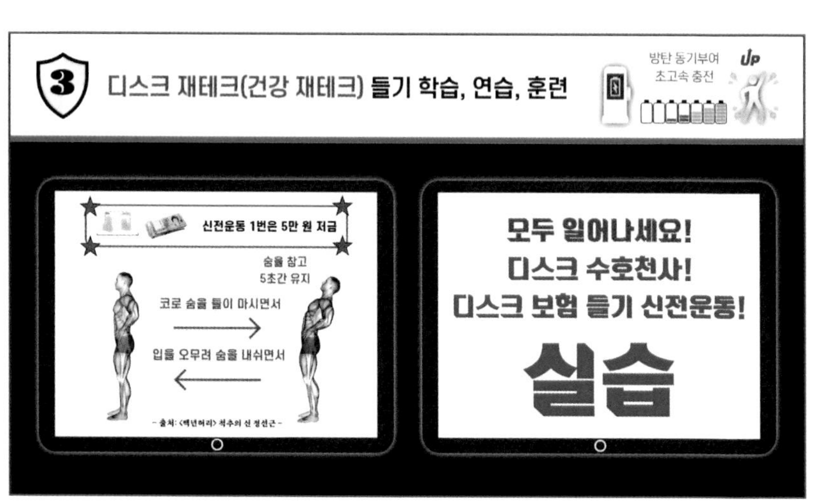
3
디스크 재테크(건강 재테크) 들기 학습, 연습, 훈련
방탄 동기부여
초고속 충전
UP
신전운동 1번은 5만 원 저금
숨을 참고
5초간 유지
코로 숨을 들이 마시면서
입을 오무려 숨을 내쉬면서
모두 일어나세요!
디스크 수호천사!
디스크 보험 들기 신전운동!
실습

한 분야 전문성으로 힘든 시대다. 이제는 포트폴리오 커리어 시대다. (포트폴리오 커리어: 한 분야 전문성 외 다수에 전문성이 있는 사람) 자신 경력을 왜 썩히고 있는가! 자신 경력을 활용해서 6가지 수입을 발생시킬 수 있는 방탄book기술력! 언제까지 몸(노동)으로 일할 것인가? 자신 경력이 일하게 하자! 자신 콘텐츠가 일하게 하자! 시스템이 일하게 하자!

직장은 자신 인생을 책임져 주지 않지만
방탄book기술력은 자신 인생을 책임져 준다.
직장은 자신을 배신하지만
방탄book기술력은 자신을 배신하지 않는다.

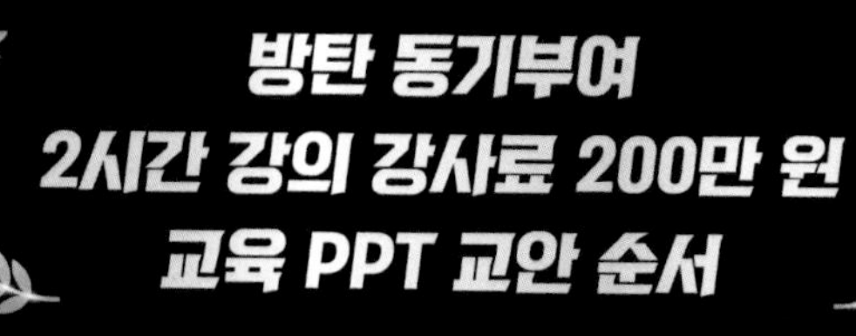

① 방탄 동기부여 라포 형성 기법, 마음을 여는 기법
② 방탄 동기부여 고.틀.선.편 깨기
③ 방탄 동기부여 서론
④ SPOT 기법, 강의 집중 기법, 강의 환기 기법
⑤ 방탄 동기부여 본론
⑥ SPOT 기법, 강의 집중 기법, 강의 환기 기법
⑦ 방탄 동기부여 결론
⑧ SPOT 기법, 강의 집중 기법, 강의 환기 기법
⑨ 방탄 동기부여 총정리
⑩ 방탄 동기부여 피크앤드법칙(The Peak End Rule)

⑦ 방탄 동기부여 결론

- 방탄 리더 동기부여 교육 PPT 목차 4

· [출간 한 《방탄 리더 동기부여》책 내용]

20,000명 심리 상담, 코칭 하면서 알게 된 리더 자 기계발, 동기부여 비밀!

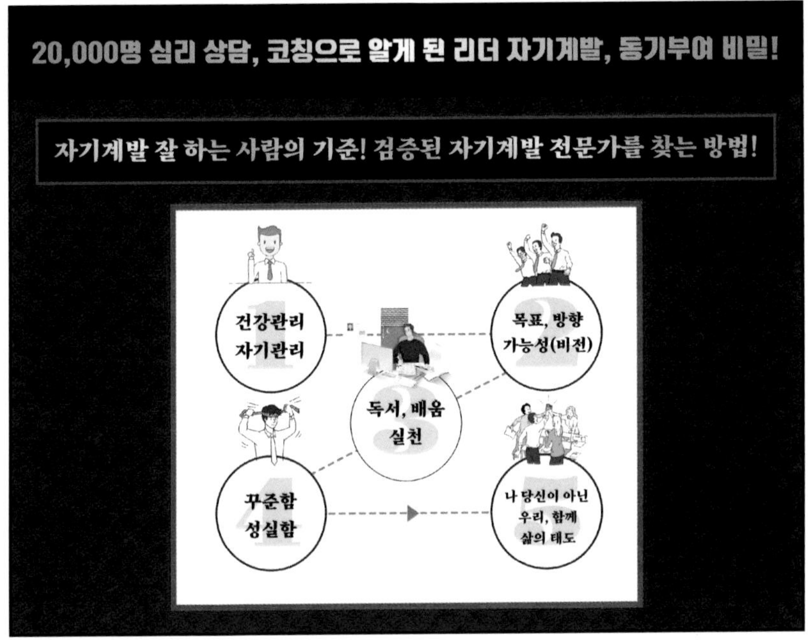

※ 자기계발 잘 하는 사람의 5가지 기준!

첫 번째, 자기 관리, 건강관리를 잘하는 사람.

모든 시작은 자기 관리, 건강에서 시작한다. 자기 관리가 안 돼서 몸이 아프면 모든 게 만사가 귀찮다. 몸이 아프면 부정적인 생각이 드는 게 사람의 심리다. 바디갑이 자존감, 멘탈 갑이듯 자기 관리, 건강관리가 잘 돼야

마인드 컨트롤이 잘 되서 자신 삶의 페이스 유지를 잘 할 수 있다. 자기 관리, 건강관리를 잘하는 사람이 주위에 있는가? 내가 그런 사람이 아니라면 주변에 자기관리, 건강관리 잘 하는 사람이 대부분 없다. 상대방이 자기계발을 잘하는 사람인지 아닌지 알 수 있는 방법은 가장 먼저 밝은 표정인지, 말투에서 힘이 느껴지는지, 모습이 자기 관리, 건강관리가 잘 되어 보이는지 이런 것들을 보고 판단할 수 있다. 그래서 필자는 320가지 자기계발 습관 중에 50%가 자기 관리, 건강관리다.

두 번째, 목표, 방향, 가능성(비전)이 있는 사람.

"저 사람 옆에 있으면 나도 변할 수 있겠다. 나도 무엇이든 되겠다. 저 사람은 내가 좋은 사람이 되고 싶도록 만들어!" "저 사람과 함께라면 나도 가능성이 있겠다." 라는 함께 하고 싶다는 마음을 주는 사람이다.

리더라면 누구나 이런 사람이 되고 싶어 할 것이다. 그래서 필자도 이런 사람이 되기 위해서 가치, 비전, 목표, 방향, 가능성을 높이기 위해 실천했다. 사람마다 다르겠지만 필자의 결과물이 50개였다면 5,000,000배 시행착오, 대가 지불, 인고의 시간이 들어갔다. 이제는 시행착오, 대가 지불, 인고의 시간을 단축시키는 기술력을 익히게 되었다. 그 결과물들 벤치마킹해서 당신답게 만들길 바란다.

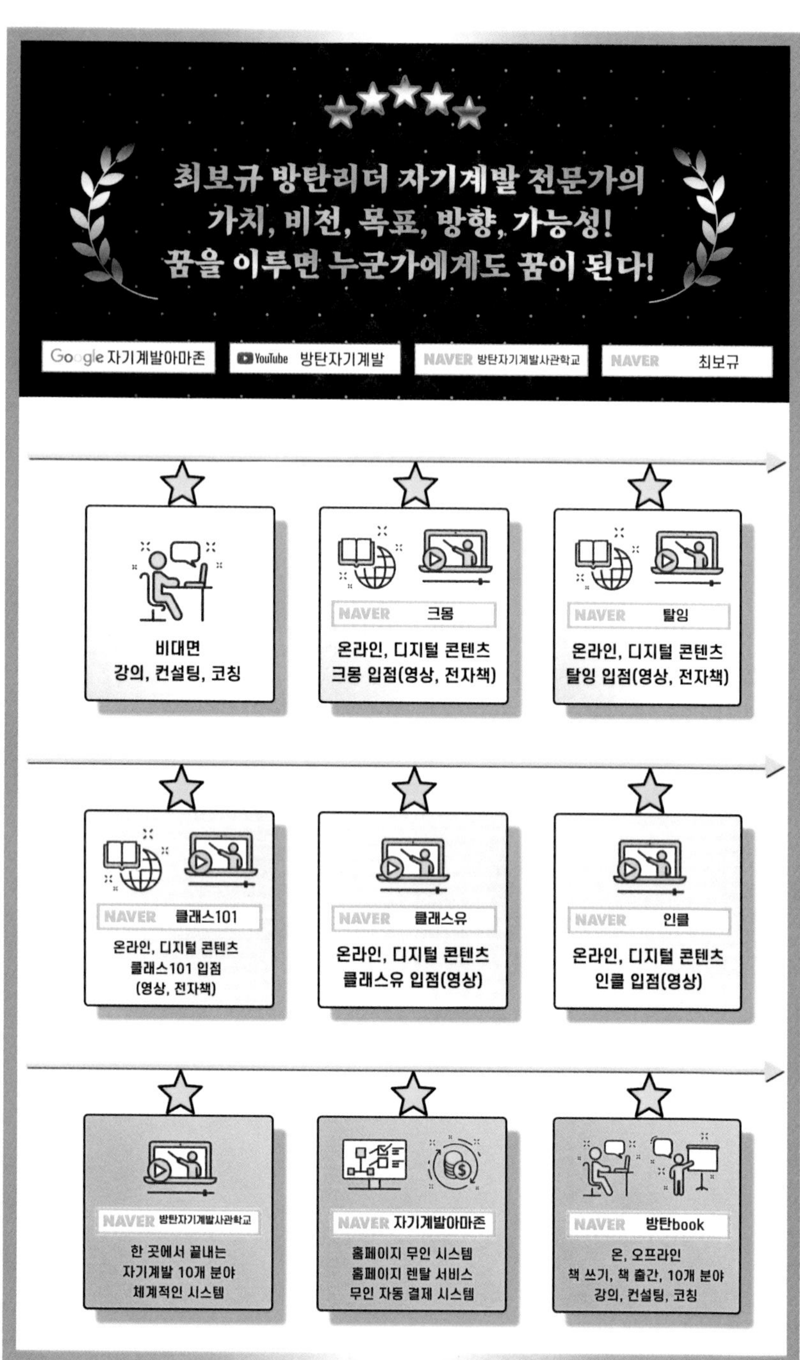
최보규 방탄리더 자기계발 전문가의
가치, 비전, 목표, 방향, 가능성!
꿈을 이루면 누군가에게도 꿈이 된다!
Google 자기계발아마존
YouTube 방탄자기계발
NAVER 방탄자기계발사관학교
NAVER 최보규
비대면
강의, 컨설팅, 코칭
NAVER 크몽
온라인, 디지털 콘텐츠
크몽 입점(영상, 전자책)
NAVER 탈잉
온라인, 디지털 콘텐츠
탈잉 입점(영상, 전자책)
NAVER 클래스101
온라인, 디지털 콘텐츠
클래스101 입점
(영상, 전자책)
NAVER 클래스유
온라인, 디지털 콘텐츠
클래스유 입점(영상)
NAVER 인클
온라인, 디지털 콘텐츠
인클 입점(영상)
NAVER 방탄자기계발사관학교
한 곳에서 끝내는
자기계발 10개 분야
체계적인 시스템
NAVER 자기계발아마존
홈페이지 무인 시스템
홈페이지 렌탈 서비스
무인 자동 결제 시스템
NAVER 방탄book
온, 오프라인
책 쓰기, 책 출간, 10개 분야
강의, 컨설팅, 코칭

최보규 방탄리더 자기계발 전문가의
가치, 비전, 목표, 방향, 가능성!
꿈을 이루면 누군가에게도 꿈이 된다!
온라인, 디지털 콘텐츠 연결 시켜
50층 온라인 건물주!

Google 자기계발아마존 | YouTube 방탄자기계발 | NAVER 방탄자기계발사관학교 | NAVER 최보규

온라인 플랫폼 디지털 플랫폼	온라인, 디지털 콘텐츠 수입 발생 (무인 시스템)	100년 월세, 연금 발생
자기계발아마존 1층 ~ 3층	온라인 건물주 되는 자격증 교육! 온라인 강사코칭전문가2급 온라인 자기계발코칭전문가2급 / 리더십코칭전문가2급 자존감, 멘탈, 습관, 행복, 사랑, 웃음, 강사, 책쓰기, 유튜버, 리더십 10개 분야 코칭 / 영상 / 전자책	자격증, 재교육, 강사섭외 코칭, 종이책 전자책 수입 발생
클래스유 4층	자신 분야 삼성(진정성, 전문성, 신뢰성)을 높여 제2수입, 3수입 올리는 방탄자기계발 재태크 / 영상	영상, 자격증, 강사섭외, 코칭 종이책, 전자책 수입 발생
클래스101 5층 ~ 15층	강사 분야, 사랑 분야, 습관 분야, 자존감 분야 행복 분야, 자기계발 분야 영상 원포인트 클래스 / 전자책	영상, 강사섭외, 코칭 종이책, 전자책 수입 발생
크몽 16층 ~ 22층	강사 분야, 사랑 분야, 습관 분야 자존감 분야, 행복 분야, 자기계발 분야 영상 / 코칭 / 전자책	영상, 자격증, 강사섭외, 코칭 종이책, 전자책 수입 발생
탈잉 23층 ~ 25층	자존감 분야, 습관 분야, 행복 분야 영상 / 전자책	강사섭외, 코칭 종이책, 전자책 수입 발생
인클 26층	4차 산업시대는 4차 자기계발인 방탄자기계발 재테크 / 영상	영상, 자격증, 강사섭외, 코칭 종이책, 전자책 수입 발생
온라인 서점 디지털 서점 27층 ~ 50층	출간 한 31권 자기계발서 종이책 , 전자책	검증된 전문가 강사료 10배 상승

세 번째, 책을 꾸준하게 보고 실천하는 사람.

책을 많이 읽는 사람인지 아닌지 대화 5분만 해봐도 알 수 있다. 책을 많이 보는 사람의 대화와 책을 아예 안 읽는 사람의 대화는 완전히 다르다. 표정, 행동, 기운이 다르다.

우종만 박사님이 이런 말을 했다. 아는 것이 힘이던 시대는 지났다. 생각이든 결심이든 실천이 없으면 아무 소용이 없다. 쓰레기 된다. 하는 것이 힘이다. 1%를 하더라도 실천하는 자가 행복한 사람이다.

그래서 필자는 한 달에 15권씩 꾸준히 책을 읽고 15년 동안 2,000권 독서, 자기계발 책 200권을 출간하고 리더 자기계발 습관 320가지를 만들었다는 것이다. 대한민국에 리더 자기계발교육을 잘하는 사람들은 많다. 최보규 빵탄리더 자기계발 전문가만큼 내공이 있는 사람은 단언컨대 세상에 없다.

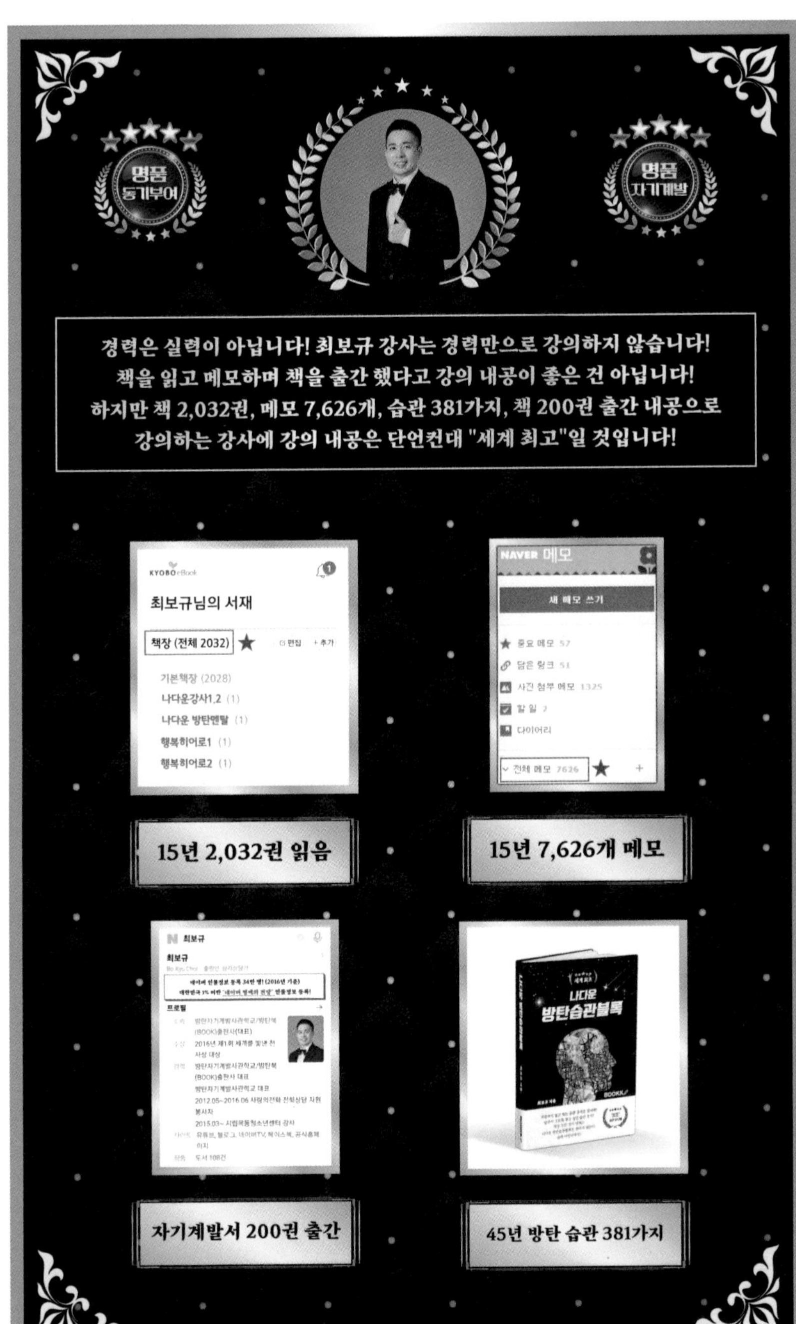
명품 동기부여
명품 자기계발
경력은 실력이 아닙니다! 최보규 강사는 경력만으로 강의하지 않습니다!
책을 읽고 메모하며 책을 출간 했다고 강의 내공이 좋은 건 아닙니다!
하지만 책 2,032권, 메모 7,626개, 습관 381가지, 책 200권 출간 내공으로
강의하는 강사에 강의 내공은 단언컨대 "세계 최고"일 것입니다!
최보규님의 서재
책장 (전체 2032)
기본책장 (2028)
나다운강사1,2 (1)
나다운 방탄멘탈 (1)
행복히어로1 (1)
행복히어로2 (1)
NAVER 메모
새 메모 쓰기
15년 2,032권 읽음
15년 7,626개 메모
나다운 방탄습관블록
자기계발서 200권 출간
45년 방탄 습관 381가지

네 번째, 꾸준히 하는 것이 많은 사람.

꾸준함 속에 성실함, 인내심, 목표, 긍정, 희망, 미래, 성장, 변화, 배움이 있다.

자동차에 연료가 없으면 움직이지 않듯 자신이 이루고자 하는 모든 것들은 꾸준함이라는 연료가 있어야 한다. 꾸준히 하고 있는 게 많으면 진짜 자기계발 잘하는 사람이다.

다음은 좌절, 실망, 실패를 겪더라도 꾸준함이 있어야만 결과를 만들어 낼 수 있다는 것을 깨닫게 해주는 스토리텔링이다.

다람쥐는 모아둔 도토리의 대부분을 잃어버린다.

두 볼 가득 도토리를 채운 다람쥐는 하루 37번을 왕복하며 겨울을 대비할 식량을 땅속에 저장한다. 하지만, 여러 군데 나누다 어느새 너무 흩어 저버린 도토리. 결국 다람쥐가 다시 찾게 되는 도토리는 겨우 1/10정도. 나머지 도토리들은 다 어떻게 된 걸까?

이듬해 봄이 돌아오면 다람쥐가 찾던 도토리들은 그렇게, 잃어버린 줄 알았던 90%의 도토리가 참나무 숲을 이루고 그 나무들은 몇 년이 지나 다람쥐들에게 수천 개의 도토리로 돌아온다. 우리에게도 도토리를 찾지 못하고 있는 시간들이 있다. 오랜 시간 최선의 노력을 기울였던 시험에서 속절없이 떨어졌을 때 오랜 기간 준비해온 것이 너무도 쉽게 물거품이 되어 버렸을 때 우리 어떠한 노력의 결과도 얻지 못한 거 같아 좌절하곤 한다.
하지만 당신의 도토리는 결코 사라진 것이 아니다.
단지 땅에서 씨앗이 되고 있을 뿐이다. 한번 생각해보라. 당신이 몇 개의 도토리를 잃어버렸는지 그리고 당신에게 몇 그루의 참나무가 열릴 것인지를 기억하자 실패는 끝이 아닌 시작이다.

<열정에 기름 붓기>

다람쥐의 양질전환 법칙을 생각해야 한다. 양이 많아야 질적으로 전환이 되는 것처럼 결과가 바로 나오지 않더라도 꾸준히 하고 있는 것이 많아야 한다. 꾸준함 속에서 어떤 것이 결과를 만들어 낼지 모르기 때문이다.

곰곰이 생각해 보자! 이 책을 보고 있는 당신은 지금 꾸준히 하고 있는 게 몇 개나 되는가?
대부분 사람들은 꾸준히 하고 있는 게 많다? 치킨을 꾸준히 먹는다. 담배를 꾸준히 피운다. 인스턴트를 꾸준히 먹는다. 정신, 몸에 무리가 가는 행동들을 꾸준히 한다.
필자는 15년 전 강사가 되고 나서 지금까지 꾸준히 하고 있는 게 책 2,000권 독서, 한 달에 15권 독서, 자기계발 습관 320가지를 만듦, 450명에게 점심 간 때 좋은 메시지, 영상 공유, 기부, 나눔을 실천 하고 있으며 생명지킴이 심리 상담 봉사, 유튜브 5년 차, 2019년 ~ 2024년 까지 150권 출간을 꾸준히 하고 있다.

다섯 번째, 함께 잘 되기 위한 행동을 많이 하는 사람.
나의 1%는 누군가에게는 살아가는 100%가 될 수 있다. "내가 어려운 사람을 돕는 것이 아니라 어려운 사람이 내게 도울 기회를 주는 거다." 이런 마음으로 자신의 사소한 말, 표정, 행동들이 오로지 자신을 위해서가 아니라 함께 잘 되기 위한 행동들이 많은 사람이다.

한 마디로 "혼자 잘 되고 잘살자" 마인드가 아니라 "함께 잘 되고 잘살자" 마인드가 있는 사람이다.

내가 보는 게, 내가 듣는 게, 내가 행동하는 게 오로지 나를 위함이 아닌 함께 잘 살기 위한 행동이 많은 리더 자기계발을 해야 한다. 혼자만이 발전, 변화, 성장, 나음이 아닌 우리, 함께 발전, 변화, 성장, 나음이 될 수 있는 방탄리더 자기계발이 되어야 한다. 더 나아가 사회와 나라 발전에 이바지할 수 있는 방탄리더 자기계발을 해야 한다. 다음은 공생관계 스토리텔링이다.

터키 도안 통신(DHA)과 외신은 실제로 피해를 입은 남성의 유튜브와에 올라온 사연을 전했습니다. 터키 북동부의 트라브존에서 양봉업 이브라힘 세데프(Ibrahim Sedef)는 3년 전부터 상습적인 곰의 습격으로 1만 달러(한화 약 1,200만원)에 달하는 피해를 보았습니다.

그는 곰이 꿀을 훔쳐 가지 못하도록 철장 안에다 넣었습니다. 또 다른 음식을 두기도 했지만 곰의 꿀을 향한 집념을 막을 수 없었습니다. 모든 방법과 시도들이 물거품이 되자, 그는 역발상을 하게 됐습니다. 그의 양봉 농장에 카메라를 설치하였고 다양한 꿀을 나열해 놓았습니다. 그리고 밤손님 곰에게 시식을 맡긴 것이었죠. 결과는 대박이었습니다. 여러 날의 시식 결과 곰은 세데프의 안제르(Anzer) 꿀만 찾았습니다. 그는 이 촬영 영상과 함께 안제르 꿀을 쇼핑몰에 올렸고, 불티나게 그의 꿀이 팔렸습니다. 안제르 꿀은 1kg에 300달러를 호가한다고 합니다.

<유튜브 Demirören Haber Ajansı>

공생 관계인 코뿔소와 코뿔소 새, 소나무와 송이버섯, 곰치와 청소놀래기처럼 리더 자기계발은 함께 잘 살기 위한 방탄자기계발을 했을 때 더 시너지효과가 나는 것이다.

필자가 공생관계대로 리더십(20,000명 심리 상담, 코칭)을 통해 책을 쓰는데, 코칭하는데, 국가등록 민간 자격증 만드는데, 10개 분야 50시간 코칭 커리큘럼을 만드는데, 사람을 살리는데, 책 39권을 출간하는데, 도움이 되어 수익도 창출하고 100조의 가치를 얻을 수 있었다. 필자는 15년 동안 20,000명을 심리 상담, 코칭 하면서 늘 함께 잘 되기 위해서 상담, 코칭을 했고 습관을 만들었고 39권의 출간한 책 내용도 함께 잘 되기 위한 내용이며 유튜브를 찍더라도 작은 거라도 도움을 주기 위해서 노하우를 오픈하고 있다.

최보규 방탄리더십 전문가의 말, 표정, 행동에서 "함께 잘 되고 잘 살자" 마인드로 표현하는지 자기 자신만 생각하고 말, 표정, 행동하는지는 대화 30분만 해보면 알 것이다. "함께 잘 되고 잘 살자" 마인드가 어떤 표현인지 어떤 것인지 30분 안에 느끼고 싶다면 무료 상담 받아 보라. <최보규 방탄리더십 창시자 010-6578-8295> 단언컨대 30분 안에 "함께 잘 되고 잘 살자" 마인드가 어떤 것인지 느끼게 해줄 수 있다.

방탄리더 자기계발을 통해 리더는 인재를 알아볼 수 있는 기술을 쌓아야 한다. 인재를 알아보고 인재를 양성하는 것도 스펙이고 기술력이다. 30분만 대화를 해보면 함께 하고 싶은 사람인지 멀리하고 싶은 사람인지 느낄 수 있어야 걸러낼 수 있다. 리더는 함께 할 사람인지 걸러내야 할 사람인지 구분을 할 수 있어야만 조직체가 튼튼해진다. 그러기 위해서는 리더가 일반 자기계발이 아닌 방탄리더 자기계발을 해야 한다. 방탄리더 자기계발을 잘 하기 위한 최고의 방법은 방탄리더 자기계발을 잘하는 사람을 찾아야 한다. 직접 만나 배우고 꾸준히 a/s, 피드백, 관리받을 때 배움이 오래 지속되고 자생능력(스스로 할 수 있는 능력)이 생기는 것이다.

자기계발 잘하는 사람의 기준을 알면 자기계발 잘하는 사람들을 찾을 수 있다. 주위에 있는가? 잘하는 사람은 있지만 검증된 사람은 아마 없을 것이다. 검증된 사람에게 코칭을 받아야 돈과 시간 낭비를 줄일 수 있다,
교육, 코칭을 받더라도 순간 단타로 끝나는 것이 아니라 함께 잘 되기 위해서 한 번의 코칭으로 150년 A/S, 관리, 피드백해 줄 수 있는 코칭 과정이 대한민국에 있을까?
세상에 필자보다 자기계발 코칭을 잘하는 사람은 많다. 단언컨대 최보규 방탄자기계발 전문가보다 코칭 받는 사람을 사랑으로 150년 a/s, 피드백, 관리, 코칭해 주는 검증된 전문가는 대한민국에 없다! 세계에 없다!

- 방탄 리더 동기부여 교육 PPT 목차 4

· [출간 한 《방탄 리더 동기부여》책 내용을 방탄 동기부여 교육 PPT로 디자인]

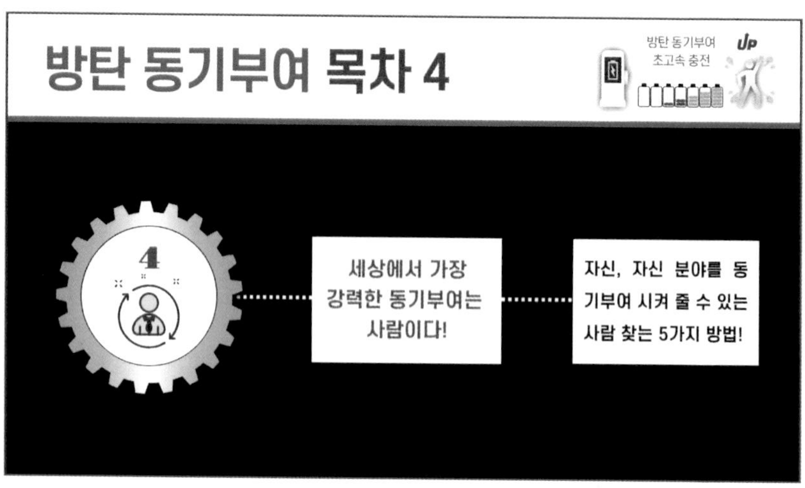

▶ 영상 전체 내용!

성실하라! 노력하라!
복종하라! 의심하지 마라!
시키는 대로 최선을 다해 뛰고 또 뛰어라!
"승리할 수 없을 것이다."
단 한번이라도 네 생각, 네 방식대로 너만의 게임을
뛰어 본 적이 있는가?
네가 뛰고 있는 이 게임에 이름은 '인생.'
이기고 싶다면 너만의 주먹을 뻗어라!
"Make your Rule."
- 현대카드 광고 -

Mentor: 우리가 멘토라 부르는 그들. 그들의 멘토는
누구였을까?

"멍청한 자식. 진실이야말로 최고의 사진이야."
종군기자였던 로버트 카파에게
사진의 의미를 가르쳐 준 멘토.

"내 만화는 흔해 빠진 아류일 뿐이에요."
아톰의 원작자 데즈카 오사무가 좌절할 때마다
그를 일으켜 세워 준 멘토.

"건출물은 생명을 가진 나무처럼 스스로 뻗어 가야 해."
건축학교 열등생 가우디에게 끝없이
영감을 불어넣어 준 멘토.

"맙소사! 여자니까 로맨스 소설이나 쓰라구?"
출판사들의 퇴짜에도 아가사 크리스티를
믿어 준 단 하나의 멘토.

우리가 멘토라 부르는 그들에게도 멘토는 있었다!
그들의 멘토는 바로 그들 자신!
누구의 인생도 카피하지 마라.
스스로 멘토가 되라!
"Make your Rule."
<현대카드>

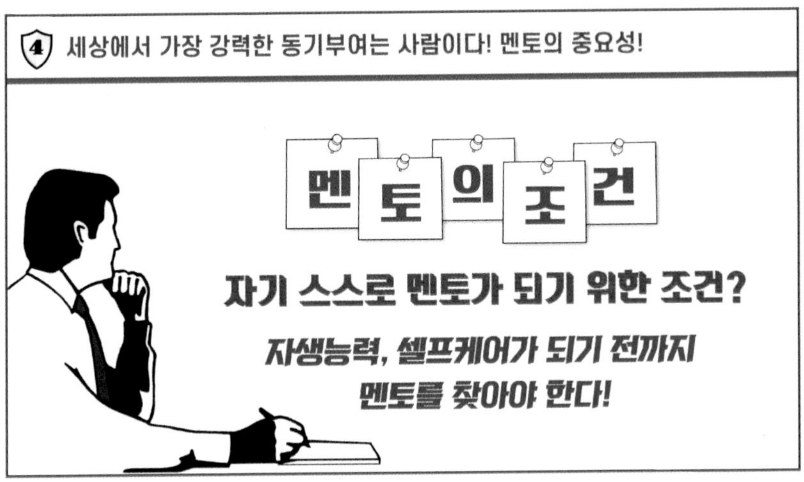

4
세상에서 가장 강력한 동기부여는 사람이다! 멘토의 중요성!
멘토의 조건
자기 스스로 멘토가 되기 위한 조건?
자생능력, 셀프케어가 되기 전까지
멘토를 찾아야 한다!

방탄 동기부여 Quiz!

★ 자신 동기부여 배터리를 5G 속도로 방전 시키는 것은?

① 세상, 현실 기준 ② 돈
③ 스펙 ④ 콤플렉스
⑤ 낮은 자존감 ⑥ 낮은 멘탈
⑦ 부정적인 태도 ⑧ 소심한 성격
⑨ 가짜 전문가 ⑩ 자기 자신
⑪ 소중한 사람들 ⑫ 주위 사람들 ✓

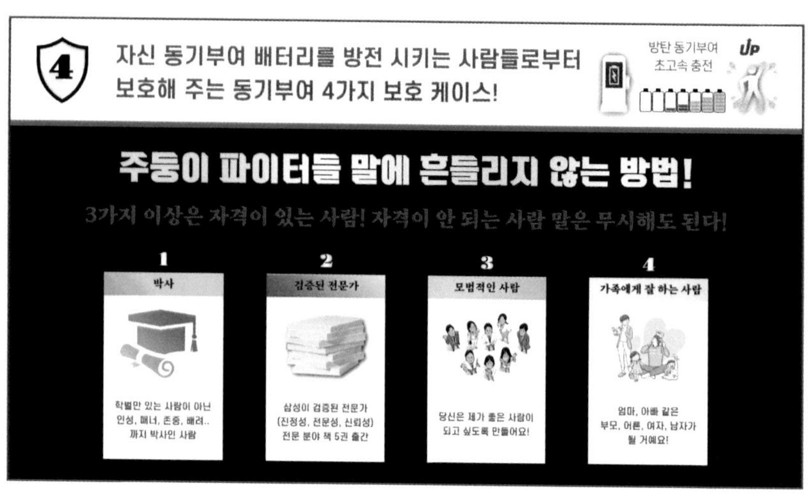
4
자신 동기부여 배터리를 방전 시키는 사람들로부터
보호해 주는 동기부여 4가지 보호 케이스!
방탄 동기부여
초고속 충전
UP
주둥이 파이터들 말에 흔들리지 않는 방법!
3가지 이상은 자격이 있는 사람! 자격이 안 되는 사람 말은 무시해도 된다!
1
박사
학벌만 있는 사람이 아닌
인성, 매너, 존중, 배려..
까지 박사인 사람
2
검증된 전문가
삼성이 검증된 전문가
(진정성, 전문성, 신뢰성)
전문 분야 책 5권 출간
3
모범적인 사람
당신은 제가 좋은 사람이
되고 싶도록 만들어요!
4
가족에게 잘 하는 사람
엄마, 아빠 같은
부모, 어른, 여자, 남자가
될 거예요!

4
자신 동기부여 배터리를 방전 시키는 사람들로부터
보호해 주는 동기부여 4가지 보호 케이스!
방탄 동기부여
초고속 충전
UP
당신은 할 수 없어!
당신 돈 없잖아!
당신 빽 없잖아!
내가 해 봐서 아는데
당신은 못해!
주제를 아세요!
4가지 중
1도 없네?
너나 잘 하세요!
4가지 중
하나 있네?
어디서 멍멍이가 짓나?

▶ 영상 전체 내용!

타이로페즈(5만원으로 600억을 만든 사람)
타이로페즈는 미국의 사업가이자 강연가로 유명합니다. 그는 한화 오만원의 재산을 수백억대로 불렸고 그의 TED톡 영상은 수백만명이 봤습니다. 그런 그가 그 자리게 오를 수 있었던 가장 큰 이유 두가지를 공유합니다.
멘토가 필요하냐구요?
책을 읽어야하냐구요?
겁나 많은 의견들이 있어서 뭘 믿어야 할지 모르겠죠? 제가 한마디 하죠. 누군가가 저에게 해준 말인데 사람은 거짓말을 하지만 숫자는 진실을 말한다. 헷갈리면 숫자를 보세요. 내말을 듣지 말고 남들 말도 듣지 말아보죠. 그냥 숫자를 검색해 봐요. 겁나 쉽습니다. Forbes 리스트를 보세요. 세상 가장 성공한 기업가들 리스트죠. 그 사람들이 멘토가 있었을까? 책을 읽었을까? 내가 읽어 줄게요. 그럼! 오마이갓! 내가 존경하는 사람들인데 리스트에 몇 명을 말해볼게요.

빌게이츠 멘토 = 책, Ed 로버츠

오프라윈프리 멘토 = 책, 메리던킨

스티브잡스 멘토 = 책, 로버트 프리드랜드

워렌버핏 멘토 = 책, 벤저민그레이엄

마이클조던 멘토 = 책, 필잭슨

마크저커버그 멘토 = 책, 스티브잡스

리스트에 모두가 멘토가 있었어요. 누가 누구의 제자였는지요. 작년에 코비 브라이언트랑 같이 앉아서 경기를 봤는데 그와 라커룸에서 대화를 했어요. 비디오로도 찍었는데 내가 물어봤죠. "코비, 너 멘토 있었어?" 바로 답하더군요. "타이, 멘토가 가장 중요해." 코비는 많은 부류의 멘토가 있더군요. 마이클 잭슨도 코비에게 조언을 해줬대요. 디즈니의 CEO를 멘토로 만나는 등 각기 다른 멘토들요. 알버트 아인슈타인도 마찬가지에요. 인류 역사상 가장 위대한 천재도 멘토가 있었어요. 십대때부터 매주 목요일 멘토의 가족들과 함께 점심을 먹었죠. 대화하며 수학과 물리학을 배웠어요. 당신이 누군지 모르겠지만 저는 아인슈타인보다 똑똑하지 않아요.
만약 그들이 멘토가 필요했다면 저는 더욱 필요하다고 느껴요. 역사를 돌아봐도 마찬가지에요. 위대한 정복자 알렉산더 대왕도 멘토가 있었어요. 15세때 그의 아버지가 위대한 철학자 아리스토텔레스를 고용해 아들과 같이 여행해달라고 부탁하죠. 아리스토텔레스는 그렇게 그를 가르쳤어요. 아리스토텔레스의 놀라운 사실은 그는 철학자 프라토의 멘티였어요. 플라토는 소크라테스를 멘토로 두었죠. 연결고리가 보이시나요? 스티브 잡스도 멘토를 두고 있었지만 결국 자신도 누군가의 멘토가 되었죠. 멘토는 조언만 해주는 사람이 아니라 동기부여도 해줍니다. 세계 최고의 기업들이 바로 이렇게 탄생했다구요. 학습의 방법은 단 두가지에요. 누군가에게 직접 배우던가 누군가가 쓴 책이나 영상으로 배우죠. 그게 다입니다. 한글, 수학 어떻게 배웠어요? 누워서 배워야지 생각만 하니까 배워졌어요? 누군가는 말하겠죠. "타이, 만약 멘토링과 책을 읽는데 행동을 안하면 어떻게 돼?"
당연히 행동도 해야죠. 지하방에 박혀서 책읽고 유튜브에 동기부여나 멘토 영상만 본다고 되겠어요? 하지만 한가지 더 열심히만 행동, 일하면서 똑똑하게 일하지 않으면 마찬가지로 얻는건 별로 없을겁니다.
예를 들어보면 누가 더 열심히 일할까요? 일용직 노동자와 스티브 잡스 혹은 일론머스크 중에서요. 물론 일용직 노동자는 꼭 필요해요. 그분들을 욕하는게 아닙니다. 하지만 성취한 수확물을 보면 열심히 보다 똑똑하게 일하는게 더 큽니다.
포브스 리스트를 봐요 최고 부자 리스트 아마존 창업자 제프베조스는 아이러니하게도 책관련 사업으로 시작했죠. 그는 책을 엄청 읽어요. 특히나 그의 샘월튼의 자서전은 거의 인생에 멘토가 되었고 얼마나 많이 읽었는지 페이지들이 다 낡았더군요. 제프는 세계 3위 부자에요. 나는 제프에게 상대가 안되죠. 그런데 그가 책과 멘토가 필요하면
나에겐 더 필요한 존재들이죠. 때로는 나도 일을 미뤄요. 그리고는 읽는 책들 자서전들의 조언을 생각하죠. 혹은 직접 만나서 들은 조언들요.
일론머스크가 뭐라고 했는지 알아요? 제가 물었어요.
"일론, 어떻게 스페이스 X를 창업했어?" "우주선 분야에는 경험도 없었잖아" "페이팔 경력밖에 없었을 텐데"
그가 대답하길 "책으로 다 배웠어." "수 많은 책을 읽었지."
이렇듯 책은 비대면 멘토에요. 사람이 아니니까요. 하지만 효과는 동일합니다. 그 책의 작가가 멘토가 되는거에요. 나는 알아. 모두가 스티브잡스가 되길 원하진 않겠죠. 아인슈타인처럼 될 필요는 없어요. 제가 하는 말은 그게 아니라 나는 뭘 배우더라도 큰 일을 해낸 사람에

게 배우고 싶은 거에요. 당신이 정하세요. 누구에게 배우고 싶은 지를요. 저에 경우는 꼭대기에 있는 사람들이죠. 그리고 위대한 사람들은 항상 위대한 멘토를 가졌죠. 그리고 그들은 책을 읽어요. 마크 큐반이 제 집에서 해준 말이에요. 그는 샤크탱트라는 회사의 CEO이자 억만장자입니다. 제가 묻길 "마크, 너 책 많이 읽어?" 그는 "타이, 너 그거 알아?" "내가 LA공항에 지금 날 기다리는 전용기를 산 이유가 바빠서 못했던 독서를 누구의 방해도 받지 않고 더 하기 위해서야"

마크가 500억 짜리 전용기를 산 이유가 책을 더 읽기 위해서 라구요. 워렌버핏도 비행기에 타면 아무도 말을 못걸게 한 대요, 독서하려고 사람과 다르게 숫자는 거짓말을 안하다니까요. 열심히만 일하지 말고 똑똑하게 일하세요. 도구를 가지고 효율적으로 일하세요.

무엇이 빌케이츠를 16년 연속 세계 최고 부자로 만들었을까요? 그는 휴가를 독서하러 가고 그는 책이 주제인 블로그도 운영하죠. 그의 한마디가 정말 충격적이었는데 말하길 "나는 참 게을러요. 그래서 남들과 달리 머리를 써서 쉬운 방법을 찾죠. 그리고 가지고 싶은 슈퍼파워가 속독" 그가 시간을 쓰지 않는다는 게 아니에요. 시간은 무조건적으로 써지는 거죠. 하지만 시간을 쓰는게 목표가 아니라 적은 시간동안 많은 일을 끝내는거죠. 일은 반만 하는데 결과는 두배를 만드는 게 목표라는거에요.

그리고 그 방법은 단 한가지 머리는 써야하는 겁니다. 그게 당신을 위대하게 할거에요. 그러기 위해 위대한 멘토를 찾고 더 많이 읽는거죠. 내말 믿어요. 그리고 틀린지 시도해보세요. 못믿겠으면 직접 시도해보라니까요. 그리고 결과가 맘에 안들거나 도움 안되는거 같으면 그만두면 되죠. 각자 배우는 방식은 다를 수도 있느니까요. 하지만 열명 중 아홉의 위대한 사람들은 멘토가 있거나 책에서 멘토를 찾죠.

그러니까 믿져야 본전인거 확률을 믿고 해보세요. 멘토와 독서는 성공확률을 극대화시켜요. 이게 보증된건 아니죠. 왜나하면 행동도 해야하니까요. 배운걸 써야 한다는 거에요. "그딴거 필요 없고, 내가 최고야?" 라고 한다면 당신 겸손함에 문제가 있는거에요. 위인들이 필요한데 당신이 필요없다고? 아인슈타인도 멘토가 필요했고 뉴턴도 자기가 대단한 이유는 대단한 스승들이 있었기에 가능했다는데 음... 근데 당신이 멘토가 필요없다고? 말 안해도 미래의 통장잔고가 보이네요.

<유튜브 터닝포인트 - 위대한 성공의 시작점>

세상에서 가장 강력한 동기부여는 사람이다!
멘토의 중요성!

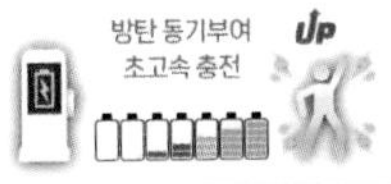

빌게이츠 멘토 = 책, Ed 로버츠
오프라윈프리 멘토 = 책, 메리던킨
스티브잡스 멘토 = 책, 로버트 프리드랜드
워렌버핏 멘토 = 책, 벤저민그레이엄
마이클조던 멘토 = 책, 필잭슨
마크저커버그 멘토 = 책, 스티브잡스

멘토 있다고 무조건 성공하는 건 아니다!
하지만 단언컨대
성공한 사람들은 100% 멘토가 있다.

최보규 방탄동기부여 일타강사의 멘토

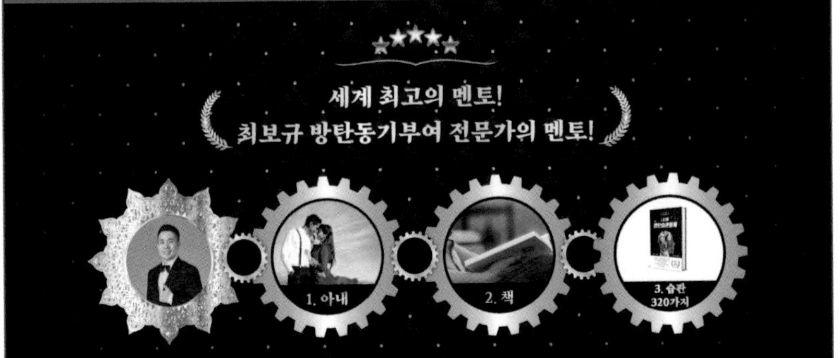

세계 최고의 멘토!
최보규 방탄동기부여 전문가의 멘토!
1. 아내
2. 책
3. 습관
320가지

4
최보규 방탄동기부여 일타강사의 멘토
방탄 동기부여
초고속 충전
UP
1. 아내 내조 덕분에 모든 것을 만들었다.
1. 아내
특허청 등록
20,000명 심리 상담, 코칭
2,000권 독서
자기계발서 100권 출간
강사 15년
7G 직업
45년간 습관 320가지 만듦
책100권 출간
상담 17,000회
코칭 13,000회
강의 경력 6,200회

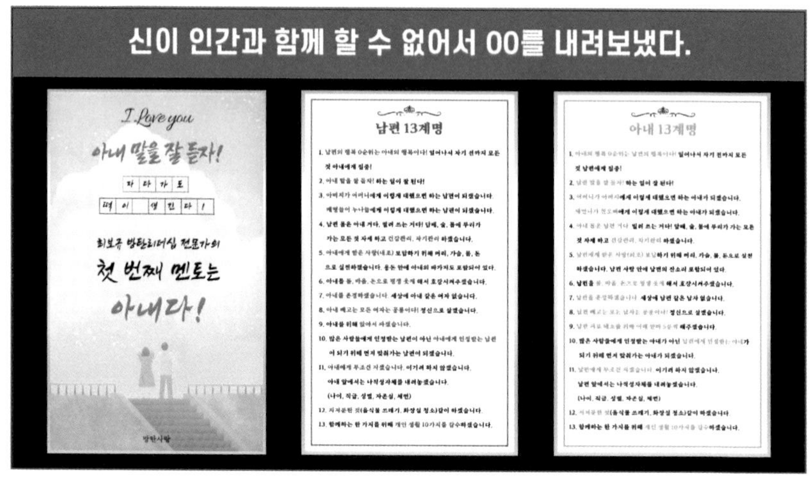
신이 인간과 함께 할 수 없어서 00를 내려보냈다.
I Love you
아내 말을 잘 듣자!
최보규 방탄리더십 전문가의
첫 번째 멘토는
아내다!
남편 13계명
아내 13계명

신이 인간과 함께 할 수 없어서 00를 내려보냈다.

I Love you

아내 말을 잘 듣자!

자다가도

떡이 생긴다!

최보규 방탄리더십 전문가의

첫 번째 멘토는

아내다!

방탄사랑

남편 13계명

1. 남편의 행복 0순위는 아내의 행복이다! 일어나서 자기 전까지 모든 것 아내에게 집중!
2. 아내 말을 잘 듣자! 하는 일이 잘 된다!
3. 아버지가 어머니에게 이렇게 대했으면 하는 남편이 되겠습니다. 매형들이 누나들에게 이렇게 대했으면 하는 남편이 되겠습니다.
4. 남편 몸은 아내 거다. 빌려 쓰는 거다! 담배, 술, 몸에 무리가 가는 모든 것 자제 하고 건강관리, 자기관리 하겠습니다.
5. 아내에게 받은 사랑(내조) 보답하기 위해 머리, 가슴, 몸, 돈으로 실천하겠습니다. 용돈 안에 아내의 바가지도 포함되어 있다.
6. 아내를 몸, 마음, 돈으로 평생 웃게 해서 호강시켜주겠습니다.
7. 아내를 존경하겠습니다. 세상에 아내 같은 여자 없습니다.
8. 아내 빼고는 모든 여자는 공룡이다! 정신으로 살겠습니다.
9. 아내를 위해 앉아서 싸겠습니다.
10. 많은 사람들에게 인정받는 남편이 아닌 아내에게 인정받는 남편이 되기 위해 먼저 맞춰가는 남편이 되겠습니다.
11. 아내에게 무조건 지겠습니다. 이기려 하지 않겠습니다. 아내 앞에서는 나직성자체를 내려놓겠습니다. (나이, 직급, 성별, 자존심, 체면)
12. 지저분한 것(음식물 쓰레기, 화장실 청소)같이 하겠습니다.
13. 함께하는 한 가지를 위해 개인 생활 10가지를 감수하겠습니다.

아내 13계명

1. 아내의 행복 0순위는 남편의 행복이다! 일어나서 자기 전까지 모든 것 남편에게 집중!
2. 남편 말을 잘 듣자! 하는 일이 잘 된다!
3. 어머니가 아버지에게 이렇게 대했으면 하는 아내가 되겠습니다.
   새언니가 친오빠에게 이렇게 대했으면 하는 아내가 되겠습니다.
4. 아내 몸은 남편 거다. 빌려 쓰는 거다! 담배, 술, 몸에 무리가 가는 모든 것 자제 하고 건강관리, 자기관리 하겠습니다.
5. 남편에게 받은 사랑(외조) 보답하기 위해 머리, 가슴, 몸, 돈으로 실천하겠습니다. 남편 사랑 안에 남편의 잔소리 포함되어 있다.
6. 남편을 몸, 마음, 돈으로 평생 웃게 해서 호강시켜주겠습니다.
7. 남편을 존경하겠습니다. 세상에 남편 같은 남자 없습니다.
8. 남편 빼고는 모든 남자는 공룡이다! 정신으로 살겠습니다.
9. 남편 피로 해소를 위해 어깨 안마 5분씩 해주겠습니다.
10. 많은 사람들에게 인정받는 아내가 아닌 남편에게 인정받는 아내가 되기 위해 먼저 맞춰가는 아내가 되겠습니다.
11. 남편에게 무조건 지겠습니다. 이기려 하지 않겠습니다.
    남편 앞에서는 나직성자체를 내려놓겠습니다.
    (나이, 직급, 성별, 자존심, 체면)
12. 지저분한 것(음식물 쓰레기, 화장실 청소)같이 하겠습니다.
13. 함께하는 한 가지를 위해 개인 생활 10가지를 감수하겠습니다.

Dear. 00는

행복을 존재하게 한다?

00는

행복을 만들어 낸다?

00는

행복을 사라지게 할 수도 있다?

신이 인간과 함께 할 수 없어서

00를 내려보냈다.

- 최보규 방탄사랑 창시자 -

2

Dear.

평생을 같이 살고
늘 함께 하는 사람을

행복하게 못해주는데
그 어느 곳에서 행복할 수 있을까요?

행복할 자격이 없는 것입니다!

가정, 가족, 아내를 행복하게 못하는데
행복하다고 하는 사람의 행복은

가짜입니다.

- 최보규 방탄사랑 창시자 -

Dear.

당신을 만나 행복을 찾았고

당신을 만나 나를 알게 되었고

당신을 만나 삶의 이유를 알았고

.

.

.

.

당신의 행복이

내 행복이라는 것을 알았습니다.

- 최보규 방탄사랑 창시자 -

4

Dear.

태양, 물, 공기, 땅, 자연,

동물, 사람 없으면 살아도

첫사랑이자 끝사랑인

그 사람 없으면 하루도 못 삽니다.

내가 지구에 온 이유는

당신을 만나기 위해서입니다!

제 삶의 이유는 당신을 웃게 하는 것이고

제 삶의 행복은

당신을 행복하게 하는 것입니다.

- 최보규 방탄사랑 창시자 -

Dear. 이 사람은 늘 감사, 긍정의 말

한마디 한마디가 저에 행복을 충전시켜줍니다.

이 사람은 꾸준한 자기관리하는 모습으로

저에 행복을 충전시켜줍니다.

이 사람은 부모를 챙기는 모습으로

저에 행복을 충전시켜줍니다.

·

무한 에너지인 태양광 에너지처럼

저에 행복을 무한 충전해 주는 사람!

아내는 가정의 행복을 지켜주는 유일한

행복 태양광 에너지!

- 최보규 방탄사랑 창시자 -

아내: ♥♥♥ ♥ 남편: 최보규

가정의 행복 법(부부 13계명)을 지키기 위해

아내 ♥♥♥는
아내 13계명을 솔선수범하겠습니다.

남편 최보규는
남편 13계명을 솔선수범하겠습니다.

천년의 약속

♥♥♥ ♥ 최보규

세계 인구 78억 인구에서 둘이 만나
봄, 여름, 가을, 겨울을 지나
다섯 번째 계절인 사랑의 계절을 시작하려고 합니다.

미안해 보다는 고마워, 사랑해 말을 더 하겠습니다.

혼자 있는 시간보다는 함께 하는 시간을
더 만들겠습니다.

맞춰 주길 바라기보다는 맞춰 주기 위해
더 행동하도록 하겠습니다.

다섯 번째 계절인 사랑의 계절을 시작하는 첫날
♥ 기쁘게 축하해 주세요 ♥
사랑하며 예쁘게 살겠습니다!

【 다섯 번째 계절인 사랑의 계절 시작 20♥♥. ♥♥ . ♥♥ 】

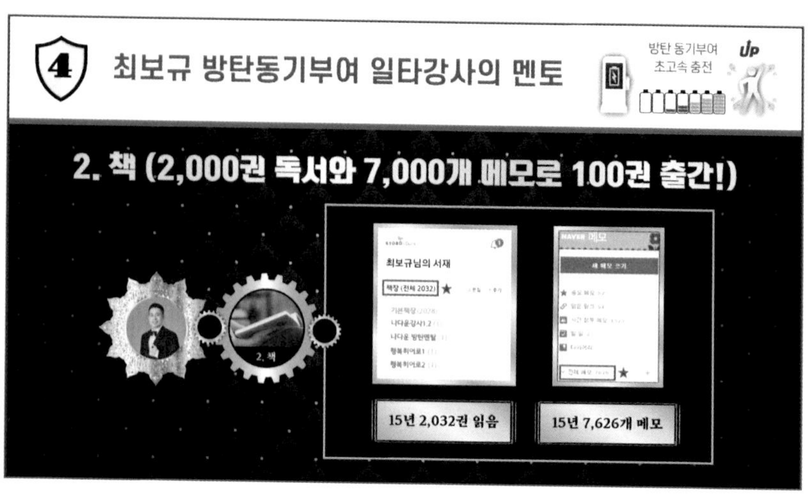
최보규 방탄동기부여 일타강사의 멘토
방탄 동기부여
초고속 충전
2. 책 (2,000권 독서와 7,000개 메모로 100권 출간!)
최보규님의 서재
2. 책
15년 2,032권 읽음
15년 7,626개 메모

최보규 방탄동기부여 일타강사의 멘토
방탄 동기부여
초고속 충전
2. 책 (2,000권 독서와 7,000개 메모로 100권 출간!)
최보규
프로필
2. 책

최보규 방탄동기부여 일타강사의 멘토

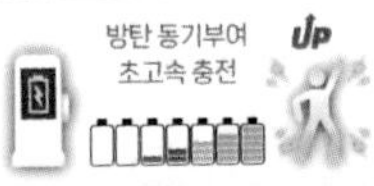

3. 45년 습관 320가지

3. 습관 320가지

처음에는
내가 습관을 만들지만
나중에는
습관이 나를 만든다.
- 존 드라이든 -

45년 방탄 습관 320가지

4 최보규 방탄동기부여 일타강사의 멘토

방탄 동기부여
초고속 충전
UP

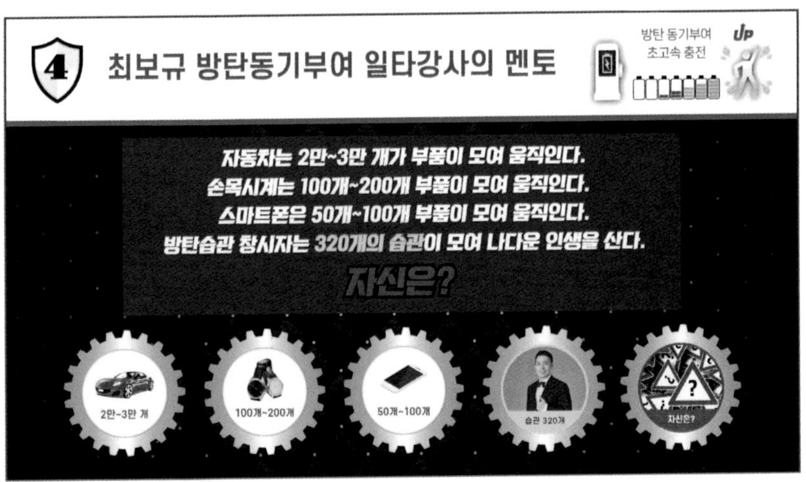

최보규 방탄동기부여 전문가의 습관 320가지 (2008년 ~ 진행 중)

1. 전신 장기기증
2. 유서 써놓기
3. 꿈 목표 설정
4. 영양제 챙기기
5. 꿀 챙기기
6. 계단 이용
7. 8시간 숙면
8. 취침 4시간 전 안 먹기
9. 기상 후, 자기 전 스트레칭 10분
10. 술, 담배 안 하기
11. 하루 운동 30분
12. 밀가루 기름진 음식 줄이기
13. 자극적인 음식 줄이기
14. 얼굴 눈 스트레칭
15. 박장대소 하루 2회
16. 기상 직후 양치질 물먹기
17. 물 7잔 마시기
18. 밥 먹는 중 물 조금만
19. 국물 줄이기
20. 밥 먹고 30후 커피 마시기
21. 기상 직후 책 듣기
22. 한 달 책 15권 보기
23. 책 메모하기
24. 메모 ppt 만들기
25. SNS 캡처 자료수집
26. 강의 자료 항상 찾기
27. 좋은 글 점심때 보내기
28. 사랑의 전화 봉사
29. 주말 유치원 봉사
30. 지인 상담봉사
31. 강의 재능기부
32. 사랑의 전화 후원
33. 강의자료 주기
34. TV 줄이기
35. 부정적인 뉴스 줄이기
36. 솔선수범하기
37. 지인들 선물 챙기기
38. 한 달 한번 등산
39. 몸에 무리 가는 행동 안 하기
40. 하루 감사 기도 마무리
41. 탄산음료, 과일주스 줄이기
42. 아침 유산균 챙기기
43. 고자세
44. 스마트폰 소독 2번
45. 게임 안 하기
46. SNS 도움 되는 것 공유
47. 전단지 받기
48. 긍정, 멘탈 사용설명서 도구 스티커 나눠주기
49. 학습자 선물 주기
50. 강의 피드백 해주기
51. 자일리톨 원석 먹기 하루 3개
52. 찬물 줄이고 물 미온수 먹기
53. 소금물 가글
54. 알람 듣고 바로 일어나기

최보규 방탄동기부여 전문가의 습관 320가지 (2008년 ~ 진행 중)

55. 오전 10시 이후 커피 먹기
56. 믹스커피 안 먹기
57. 강의 족보 주기
58. 강의 동영상 주기
59. 강의 녹음파일 주기
60. 블로그 좋은 글 나누기
61. 인스턴트 음식 줄이기
62. 아이스크림 줄이기
63. 빨리 걷기
64. 배워서 남 주자 실천(PPT)
65. 읽어서 남 주자 실천(책 속의 글)
66. 오른손으로 차 문 열기
67. 오손도손 오손 왼손 캠페인 전파하기
68. 운전 중 스마트폰 안 보기
69. 취침 전 30분 독서
70. 취침 전 30분 스마트폰 안 보기
71. 오늘이 마지막인 것처럼 섬기고 영원히 살 것처럼 배우기
72. 자존심 신발장에 넣어 두고 나오기
73. 내가 받은 상처는 모래에 새기고 내가 받은 은혜는 대리석에 새기기
74. 어제의 나와 비교하기
75. 어제 보다 0.1% 성장하기
76. 세상에서 가장 중요한 스펙? 건강, 태도 실천하기
77. 나방이 되지 않기
78. 마라톤 10주 프로그램 시작
79. 마라톤 5km 도전
80. 마라톤 10km 도전
81. 마라톤 하프 도전
82. 마라톤 풀코스 도전
83. 자기 전 5분 명상
84. 뱃살 스트레칭 3분
85. 아침 동기부여 사진 보내기 8시
86. 저녁 동기부여 사진 보내기 9시
87. 나의 1%는 누군가에게는 100%가 될 수 있다. 실천
88. 150세까지 지금 몸매, 몸 상태 유지 관리
89. 아침 달걀 먹기
90. 운동 후 달걀 먹기
91. 헬스장 등록
92. 오래 살기 위해서가 아니라 옳게 살기 위해 노력하는 사람이 되자
93. 남들이 하는 거 안 하기 남들이 안 하는 거 하기

최보규 방탄동기부여 전문가의 습관 320가지 (2008년 ~ 진행 중)

94. 아침 결명자차 마시기
95. 저녁 결명자차 마시기
96. 폼롤러 스트레칭
97. 어제보다 나은 내가 되자
98. 남들이 안 하는 강의 분야 도전
99. 플랭크 운동
100. 스쿼터 운동
101. 계산할 때 양손으로 주고받고 인사
102. 명함 거울 선물 주기
103. 40살 되기 전 책 출간
104. 반 100년 되기 전 책 5권 집필하기
105. 유튜브[나다운TV] 강사심폐소생술
106. 유튜브[나다운TV] 나다운심폐소생술
107. 아.원.때.시.후.성.실 말 줄이기
108. 나다운 강사 책 유튜브 올려 함께 잘 되기
109. 리플렛으로 동기부여 시켜주기
110. 아침 8시 동기부여 메시지 만들어 보내기
111. 저녁 9시 동기부여 메시지 만들어 보내기
112. 어플 책 속의 한 줄에 책 내용 올리기
113. 책 내용 SNS 오픈
114. 3번째 책 원고 작업 시작
115. 4번째 책 자료수집
116. 뱃살관리 스트레칭 아침, 저녁 5분
117. 3번째 책 기획출판계약
118. 최보규강사사관학교 시작
119. 최보규강사사관학교 지회 원장 임명
120. 올 노(올바른 노력)공식 오픈
121. 행복, 방탄멘탈 공식 자자자자멘습금 오픈
122. 생화 네 잎 클로버 선물 주기
123. 세바시를 통해 극단적인선택 예방 전파!
124. 세바시를 통해 자자자자멘습금 사용설명서 전파!
125. 4번째 책 원고 시작 2021년 1월 출간 목표!
126. 전염성이 강한 상황 왔을 때 대처하기 위한 준비!
127. 코로나19 극복을 위한 공적 마스크 독고 어르신들 주기!

최보규 방탄동기부여 전문가의 습관 320가지 (2008년 ~ 진행 중)

128. 아내를 위해 앉아서 소변보기
129. 들어라 하지 말고 듣게 하자
130. 좋은 사람이 되지 말고 좋은 사람 되어주자.
131. 좋아하게 하지 말고 좋아지게 하자
132. 보여주는(인기)인생을 사는 것보다 보여지는(인정)인생을 살아가자.
133. 나 이런 사람이야 말하지 않아도 이런 사람이구나 느끼게 하자.
134. 마음을 얻으려 하지 말고 마음을 열게 하자.
135. 믿으라 하지 말고 믿게 하자
136. 나에 행복 0순위는 아내의 행복이다! 일어나서 자기 전까지 모든 것 아내에게 집중!
137. 아내 말을 잘 듣자! 하는 일이 잘 된다!
138. 아버지가 어머니에게 이렇게 대했으면 하는 남편이 되겠습니다. 매형들이 누나들에게 이렇게 대했으면 하는 남편이 되겠습니다.
139. 내 몸은 아내거다. 빌려 쓰는 거다! 담배, 술, 몸에 무리가 가는 모든 것 자제 하고 건강관리, 자기관리 하겠습니다.
140. 아내의 은혜를 보답하기 위해 머리, 가슴, 몸, 돈으로 실천하겠습니다!
141. 아내에게 받은 사랑(내조) 보답하기 위해 머리, 가슴, 몸, 돈으로 실천하겠습니다.
142. 아내를 몸, 마음, 돈으로 평생 웃게 해서 호강시켜주겠습니다.
143. 아내를 존경하겠습니다. 세상에 아내 같은 여자 없습니다.
144. 아내 빼고는 모든 여자는 공룡이다! 정신으로 살겠습니다.
145. 많은 사람들에게 인정받는 남편이 아닌 아내에게 인정받는 남편이 되기 위해 먼저 맞춰가는 남편이 되겠습니다.
146. 아내에게 무조건 지겠습니다. 이기려 하지 않겠습니다. 아내 앞에서는 나직성자체를 내려놓겠습니다. (나이, 직급, 성별, 자존심, 체면)
147. 지저분한 것(음식물 쓰레기, 화장실 청소)다 하겠습니다.
148. 함께하는 한 가지를 위해 개인 생활 10가지를 감수하겠습니다.
149. 최강자 학습지 시작 (최보규의 강사학습지, 자기계발학습지)
150. 홈코 시작(집에서 화상 1:1 케어)
151. 불자의 인생 시작
152. 나는 복덩어리다. 나는 운이 좋은 사람이다.
153. 베스트셀러 3권 달성 노하우 책쓰기 교육 시작
154. 유튜브, 유튜버 100년 하는 노하우 교육 시작

최보규 방탄동기부여 전문가의 습관 320가지 (2008년 ~ 진행 중)

155. 방탄멘탈마스터 양성 시작
156. 나다운 방탄멘탈 책으로 극단적인 선택 줄이기
157. 아침 8시, 저녁 9시 방탄멘탈공식 SNS 공유
158. 5번째 책 2022년 나다운 방탄사랑
159. 2023 나다운 방탄멘탈 2
160. 2024 나다운 책 쓰기(100년 가는 책)
161. 2025 유튜버가 아니라 나튜버 (100년 가는 나튜버)
162. 2026 나다운 강사3(Q&A)
163. 2027 나다운 명언
164. 2029 나다운 인생(50살 자서전)
165. 줌 화상 기법 강의, 코칭(최보규줌사관학교)
166. 언택트(비대면)시대에 맞게 아날로그 방식 80%를 디지털 방식 80%로 체인지
167. 변기 뚜껑 닫고 물 내리기
168. 빨래개기
169. 요리하기, 요리책 내기 위한 자료 수집
170. 화장실 물기 제거
171. 부엌 청소, 집 청소, 화장실 청소
172. 사랑해 100번 표현하기
173. 아내에게 하루 마무리 안마 5분 해주기
174. 헌혈 2달에 1번
175. 헌혈증 기부
176. 네 번째 책 행복 히어로 책 출간
177. 극단적인 선택률, 이혼율 낮추기 위한 교육 시작
178. 행복률 높이기 위한 교육 시작
179. 다섯 번째 책 원고 작업 시작
180. 여섯 번째 책 자료 수집
181. 운전 중 양보 해 줄 때, 받을 때 목례로 인사하기.
182. 다섯 번째 책 나다운 방탄습관블록 출간
183. 습관사관학교 시스템 완성
184. 습관 코칭, 교육 시작
185. 아침 8시, 저녁 9시 습관 메시지 sns 공유
186. 습관 전문가 되어 무료 케어 상담 시작
187. 습관 콘텐츠 유튜브<행복히어로>에 무료 오픈 시작

최보규 방탄동기부여 전문가의 습관 320가지 (2008년 ~ 진행 중)

188. 여섯 번째 책 원고 작업 시작
189. 최보규상(대한민국 노벨상) 버킷리스트 설정
190. 2037년까지 운영진, 자금(상금), 시스템 완성 목표 설정
191. 최보규상을 1,000년 동안 유지하기 위한 공부
192. 일곱 번째 자존감 책 원고 작업
193. 여덟 번째 책 쓰기 책 자료 수집, 공부
194. 앉아서 일할 때 50분의 한번 건강 타이머 누르기
195. 세계 최초 자기계발쇼핑몰(www.자기계발아마존.com)
196. 온라인 건물주 분양 시작(월세, 연금성 소득 올릴 수 있는 시스템)
197. 일곱, 여덟 번째 책 출간(나다운 방탄자존감 명언 Ⅰ, Ⅱ)
198. 자기계발코칭전문가 1급, 2급 자격증 교육 시작
199. 방탄자기계발사관학교 Ⅰ, Ⅱ, Ⅲ, Ⅳ 4권 출간
200. 2021년 목표였던 9권 책 출간 달성!
201. 하루 3번 호흡 스펙 습관 쌓기 시작
    (코 8초 마시고, 5초 멈추고, 입으로 8초 내뱉기)
202. 장모님께 출간 한 책 12권 드리기
203. 2022년 최보규의 책 쓰기9 원고 작업 시작
204. 100만 프리랜서들 도움주기 위한 프로젝트 시작
205. 방탄 자존감 코칭 기술
206. 방탄 자신감 코칭 기술
207. 방탄 자기관리 코칭 기술
208. 방탄 자기계발 코칭 기술
209. 방탄 멘탈 코칭 기술
210. 방탄 습관 코칭 기술
211. 방탄 긍정 코칭 기술
212. 방탄 행복 코칭 기술
213. 방탄 동기부여 코칭 기술
214. 방탄 정신교육 코칭 기술
215. 꿈 코칭 기술
216. 목표 코칭 기술
217. 방탄 강사 코칭 기술
218. 방탄 강의 코칭 기술
219. 파워포인트 코칭 기술
220. 강사 트레이닝 코칭 기술
221. 강사 스킬UP 코칭 기술
222. 강사 인성, 멘탈 코칭 기술

최보규 방탄동기부여 전문가의 습관 320가지 (2008년 ~ 진행 중)

223. 강사 습관 코칭 기술
224. 강사 자기계발 코칭 기술
225. 강사 자기관리 코칭 기술
226. 강사 양성 코칭 기술
227. 강사 양성 과정 코칭 기술
228. 퍼스널브랜딩 코칭 기술
229. 방탄 리더십 코칭 기술
230. 방탄 인간관계 코칭 기술
231. 방탄 인성 코칭 기술
232. 방탄 사랑 코칭 기술
233. 스트레스 해소 코칭 기술
234. 힐링, 웃음, FUN 코칭 기술
235. 마인드컨트롤 코칭 기술
236. 사명감 코칭 기술
237. 신념, 열정 코칭 기술
238. 팀워크 코칭 기술
239. 협동, 협업 코칭 기술
240. 버킷리스트 코칭 기술
241. 종이책 쓰기 코칭 기술
242. PDF 책 쓰기 코칭 기술
243. PPT로 책 출간 코칭 기술
244. 자격증 교육 커리큘럼으로 책 출간 코칭 기술
245. 자격증 교육 커리큘럼으로 영상 제작 코칭 기술
246. 책으로 디지털콘텐츠 제작 코칭 기술
247. 책으로 온라인 콘텐츠 제작 코칭 기술
248. 책으로 네이버 인물 등록 코칭 기술
249. 책으로 강의 교안 제작 코칭 기술
250. 책으로 민간 자격증 만드는 코칭 기술
251. 책으로 자격증 과정 8시간 제작 코칭 기술
252. 책으로 유튜브 콘텐츠 제작 코칭 기술
253. 유튜브 시작 코칭 기술
254. 유튜브 자존감 코칭 기술
255. 유튜브 멘탈 코칭 기술
256. 유튜브 습관 코칭 기술
257. 유튜브 목표, 방향 코칭 기술
258. 유튜브 동기부여 코칭 기술

최보규 방탄동기부여 전문가의 습관 320가지 (2008년 ~ 진행 중)

259. 유튜브가 아닌 나튜브 코칭 기술
260. 유튜브 영상 제작 코칭 기술
261. 유튜브 영상 편집 코칭 기술
262. 유튜브 울렁증 극복 코칭 기술
263. 유튜브 썸네일 디자인 제작 코칭 기술
264. 유튜브 콘텐츠 제작 코칭 기술
265. 유튜브 수입 연결 제작 코칭 기술
266. 유튜브 영상 홍보 코칭 기술
267. 홈페이지 무인시스템 연결 제작 코칭 기술
268. 홈페이지 자동 결제 시스템 제작 코칭 기술
269. 홈페이지 비메오 연결 제작 코칭 기술
270. 홈페이지 렌탈 시스템 제작 코칭 기술
271. 홈페이지 디자인 제작 코칭 기술
272. 홈페이지 제작 코칭 기술
273. 재능마켓 크몽 PDF 입점 코칭 기술
274. 재능마켓 크몽 강의 입점 코칭 기술
275. 재능마켓 크몽 이미지 디자인 제작 코칭 기술
276. 재능마켓 크몽 입점 영상 제작 코칭 기술
277. 재능마켓 크몽 입점 영상 편집 코칭 기술
278. 재능마켓 크몽 VOD 입점 코칭 기술
279. 클래스101 영상 입점 코칭 기술
280. 클래스101 PDF 입점 코칭 기술
281. 클래스101 이미지 디자인 제작 코칭 기술
282. 클래스101 영상 제작 코칭 기술
283. 클래스101 영상 편집 코칭 기술
284. 탈잉 영상 입점 코칭 기술
285. 탈잉 PDF 입점 코칭 기술
286. 탈잉 이미지 디자인 제작 코칭 기술
287. 탈잉 영상 제작 코칭 기술
288. 탈잉영상 편집 코칭 기술
289. 탈잉 VOD 입점 코칭 기술
290. 클래스U 영상 입점 코칭 기술
291. 클래스U 영상 제작 코칭 기술
292. 클래스U 영상 편집 코칭 기술
293. 클래스U 이미지 디자인 제작 코칭 기술
294. 클래스U 커리큘럼 제작 코칭 기술

최보규 방탄동기부여 전문가의 습관 320가지 (2008년 ~ 진행 중)

295. 인클 입점 코칭 기술
296. 자신 분야 콘텐츠 제작 코칭 기술
297. 자신 분야 콘텐츠 컨설팅 코칭 기술
298. 자기계발코칭전문가 1시간 ~ 1년 코칭 기술
299. 강사코칭전문가, 리더십코칭전문가 1시간 ~ 1년 코칭 기술
300. 온라인 건물주 되는 코칭 기술
301. 강사 1:1 코칭기법 코칭 기술
302. 전문 분야 있는 사람 1:1 코칭 기법 코칭 기술
303. CEO, 대표, 리더, 협회장 품위유지의무 코칭 기술
304. 은퇴 준비 코칭 기술
305. 2023년 나다운 방탄리더십 1, 2, 3, 4, 5 출간
306. 나다운 방탄리더십 아침, 저녁 메시지 시작
307. 강사코칭전문가 자격증 시스템 시작
308. 방탄 리더십 원고 작업 시작
309. 방탄 리더 자존감 원고 작업 시작
310. 방탄 리더 멘탈 원고 작업 시작
311. 방탄 리더 습관 원고 작업 시작
312. 방탄 리더 행복 원고 작업 시작
313. 방탄 리더 자기계발 원고 작업 시작
314. 방탄 리더 코칭 원고 작업 시작
315. 마트에서 구입한 물건들 바코드 정렬해서 올리기
316. 장모님 머리 염색해 주기
317. 처남 금연, 금주 도와주기
318. 한 해 시작할 때 습관 영상 업로드
319. 결혼기념일 뺏지, 명찰 제작
320. 뒤꿈치 들기 운동 시작

세상에서 가장 강력한 동기부여는 사람이다!
멘토의 중요성!

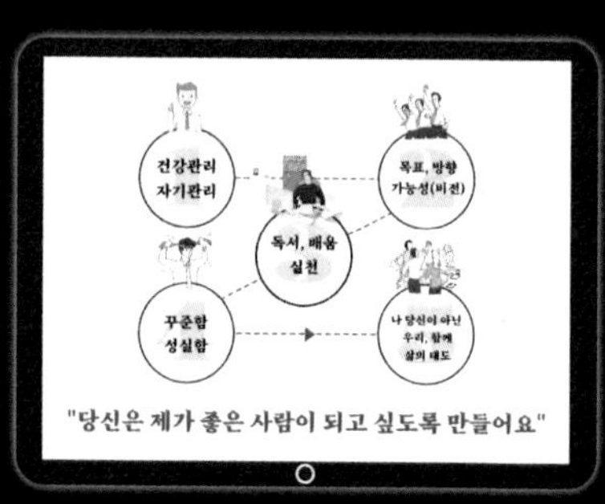

한 분야 전문성으로 힘든 시대다. 이제는 포트폴리오 커리어 시대다. (포트폴리오 커리어: 한 분야 전문성 외 다수에 전문성이 있는 사람) 자신 경력을 왜 썩히고 있는가! 자신 경력을 활용해서 6가지 수입을 발생시킬 수 있는 방탄book기술력! 언제까지 몸(노동)으로 일할 것인가? 자신 경력이 일하게 하자! 자신 콘텐츠가 일하게 하자! 시스템이 일하게 하자!

직장은 자신 인생을 책임져 주지 않지만
방탄book기술력은 자신 인생을 책임져 준다.
직장은 자신을 배신하지만
방탄book기술력은 자신을 배신하지 않는다.

– 방탄 리더 동기부여 교육 PPT 목차 5

· [출간 한《방탄 리더 동기부여》책 내용]

다음은 지금 은퇴 현실을 알려주는 내용이다. 현실을 알아야 목표, 방향을 다시 잡고 행동할 수 있다.

55세~79세 1,500만 명, 은퇴했지만 생활비 벌려고...
[앵커]
만으로 쉰다섯 살에서 일흔아홉 살까지. 이미 은퇴를 했거나 은퇴를 앞두고 있는 나이죠. 이 나이의 인구가 처음으로 1,500만 명을 넘어섰습니다. 10년 만에 5백만 명이나 늘어났는데요. 하지만 이들의 경제 상황은 좋지가 않습니다. 연금을 받는 비율이 절반밖에 안 되고, 액수도 너무 적습니다. 배주환 기자가 전해드리겠습니다.

[리포트]
1943년부터 1967년까지. 이 사이에 태어난 인구는 1,500만 명입니다. 만 55세에서 만 79세까지입니다.
직장에서는 은퇴를 앞뒀거나 이미 은퇴한 나이지만, 절반은 지난 1년 동안 연금을 한 푼도 못 받았습니다.

연금을 받은 나머지 절반도, 한 달 연금이 평균 69만 원에 불과했습니다. 올해 1인 가구 최저 생계비가 116

만 원이니까 절반 조금 넘는 정도입니다. 150만 원 이상 받는 사람은 10명 중 한 명에 불과했습니다.

[김OO]
"지원이라는 건 거의 없어요. 국가에서 노령연금하고 연금 조금 나오는 거 있어요." 생활이 안 되니 일자리를 찾아 나섭니다.

[리포트]
일하고 있는 고령층은 877만 명. 고용률은 58%입니다. 둘 다 역대 최고입니다. 10명 중 7명은 계속 일하고 싶다고 답했습니다. 생활비에 보태고 싶어서가 가장 많았고, 일하는 즐거움이 뒤를 이었습니다.

[정OO]
"자식들한테 부담 안 주려고 놔두는 거예요. 있으나 마나예요. 솔직히 지들 살아야 하니까 하나도 안 보태줘요."

[리포트]
이 사람들은 평균 73세까지 일하길 희망했지만, 현실은 거리가 멉니다. 가장 오래 다닌 직장에서 그만둔 나이는 평균 49세. 사업 부진, 휴·폐업, 권고사직이나 명예퇴직

등 10명 중 4명은 자기 뜻과 상관없이 그만뒀습니다. 그렇게 오래 다니던 직장을 그만두고 난 뒤, 20년 넘게 불안정한 일자리를 찾아다녀야 한다는 뜻입니다.

<KBC뉴스 배주환 기자>

통계청에 의하면 희망퇴직 73세이고 은퇴 현실은 49세다. 권고사직, 명예퇴직 10명 중 4명은 자신의 뜻과 상관없이 그만둔다. 이런 현실 속에서 은퇴준비인 은퇴십까지 미리 준비하지 않는 것은 "목표가 없는 배에는 순풍이 불지 않는다."라는 말과 같다. 은퇴준비인 은퇴십까지 미리 준비한다면 기댈 곳, 기대 심리가 생겨 지금 하는 일을 불안, 걱정, 고민이 아닌 안정적으로 더 집중하게 만든다. "모르는 게 약인데, 나이가 몇인데 벌써 은퇴 준비야?" 이런 말 하는 사람들이 있다.

20,000명 심리 상담, 코칭 하면서 많이 물어보는 것이 "미리 준비하면 걱정을 미리 하는 거 아닌가요? 앞으로의 걱정을 당겨서 할 필요는 없잖아요?" 불안한 부정의 걱정이 아닌 변화, 성장, 희망인 긍정의 걱정을 하자는 말이다. 걱정도 부정의 걱정, 긍정의 걱정이 있기에 상황에 따라 해석을 잘해야 한다. 모르는 게 약이 되는 상황이 있고 미리 아는 게 약이 되는 상황도 있다. 은퇴준비인 은퇴십 준비는 긍정적인 걱정이라는 것이다. 예

시를 하나 더 들어주겠다. 자존심 내세울 때(부정의 걱정)가 있고 자존심 내려놓을 때(긍정의 걱정)가 있다. 자존심 부릴 때가 언제인가? 명품 차, 가방을 가지고 다니는 사람들을 볼 때 인가? "아 자존심 상하네. 난 소형차인데 난 명품 가방도 아닌데..."

리더가 자존심을 내세울 때는 리더 보다 존중, 인정, 배려를 잘하는 리더를 봤을 때, 리더 자신이 멋져 보이려고 하는 게 아닌 따르는 사람을 멋지게 만들어 주는 리더를 봤을 때, 나눔의 실천을 잘 하는 리더를 봤을 때, 한참 나이가 어린 리더에게 보고 배울 게 있을 때...등이다.

멋진 리더가 되려 하지 말고 따르는 사람들을 멋지게 만들어 주는 리더가 되어야 한다.

리더가 은퇴 준비를 어떻게 하느냐에 따라 멋진 리더가 아닌 따르는 사람들을 멋지게 만들어 줄 수 있다.

★ 20대 은퇴 예정자? 30대 은퇴 확정자? 40대 은퇴 위험군? 은퇴십 골든타임!

누구에게나 오는 은퇴를 어떻게 받아들이고 은퇴 준비, 시기를 단계별로 나누어서 깨닫게 해주는 내용이다.

은퇴 준비는 선택이 아니라 필수이다.
흔히 요즘은 '백세 시대'라고들 한다. 아마도 인생을 30+30+30 '트리플 서티Triple thirty'라 표현하여 3단계로 나눈다면 훨씬 더 설득력이 있어 보인다. 처음 30년은 신체적으로 성장하여 교육을 받고 독립을 준비하는 시기이고, 다음 30년은 독립해서 한 가정을 이루어 경제활동을 하는 시기이며, 나머지 30년은 퇴직 후 제2의 인생을 살아가는 시기로 우리는 이 마지막 시기를 '인생 2막'이라 부르고 있다.

어쨌든 우리의 인생은 100세이든 90세든 분명 수명이 길어짐에 따라 마지막 인생 2막에 대한 관심이 커지고 있으며 이에 대한 준비도 새롭게 가져가야 될 것이다. 즉 우리들의 퇴직 후의 품격 있는 삶을 위해서는 무엇보다도 준비가 필수적이라 할 수 있다.
은퇴 준비가 잘되어 있는 사람은 은퇴가 불안을 야기하거나 무기력해지는 시기가 아닌 행복하고 품격 있는 생활을 가져 올 것이다. 자신이 선택한 여러 가지 여가 생활을 즐기는 시기이고, 또한 새로운 일이나 직업을 가질 수도 있는 여유로운 시기로 받아들일 수 있다.
하지만 은퇴 준비가 제대로 되지 못한 사람은 퇴직으로 인한 일상의 변화로 우울감, 대인관계 단절에 따른 외로움, 역할 변화에 따른 자기 정체감의 혼돈, 고립감 등을 느끼면서 은퇴를 부정적으로 받아들이게 될 것이다. 그런 사람은 지금까지 아무리 열심히 살아왔다 하더라도 '트리플 서티Triple thirty'의 마지막 30년을 망치게 되는 것이다. 그렇지 않기 위해서는 은퇴에 대한 준비는 반드시 필요한 것이다. ≪은준인≫ 김관열, 와일드북, 2019

<미래한국 김민성 기자>

평균 은퇴 나이 49세이다. 앞으로 은퇴 나이가 더 낮아지는 상황에서 은퇴십을 학습, 연습, 훈련해야만 리더십이 단단해져서 방탄리더십이 된다. 은퇴에는 그 누구에게도 자유롭지 않다. 20대 은퇴 예정자? 30대 은퇴 확정자? 40대 은퇴 위험군? 은퇴십 골든타임을 놓치지 않기 위한 은퇴십 학습, 연습, 훈련해야 한다.

리더라는 자동차에 브레이크는 은퇴십이다. 자동차의 브레이크는 어떤 역할인가? 사람 생명과, 자동차의 생명과

직결 되어있다. 리더의 은퇴준비는 가족, 팀원, 조직체원들을 끌어가는 브레이크 역할을 한다. 모든 도로에는 규정 속도가 있다. 속도를 줄이기 위해서는 브레이크를 활용해야 하듯 리더의 길이라는 도로에서 가족, 팀원, 조직체원들의 속도를 조절시켜줘야 한다. 은퇴십을 준비하는 것이 은퇴준비다.

리더여, 은퇴십을 지금 준비하지 않으면 은퇴 후 50년 인생은 후퇴하게 되어 50년 불행한 인생을 살 것이다. 은퇴 후 50년 행복하게 살고 싶다면 더 늦기 전에 은퇴십을 준비하자.

은퇴준비는 미래 준비이며 리더의 목표, 방향이다. 리더의 비전은 목표, 방향에서 나온다.

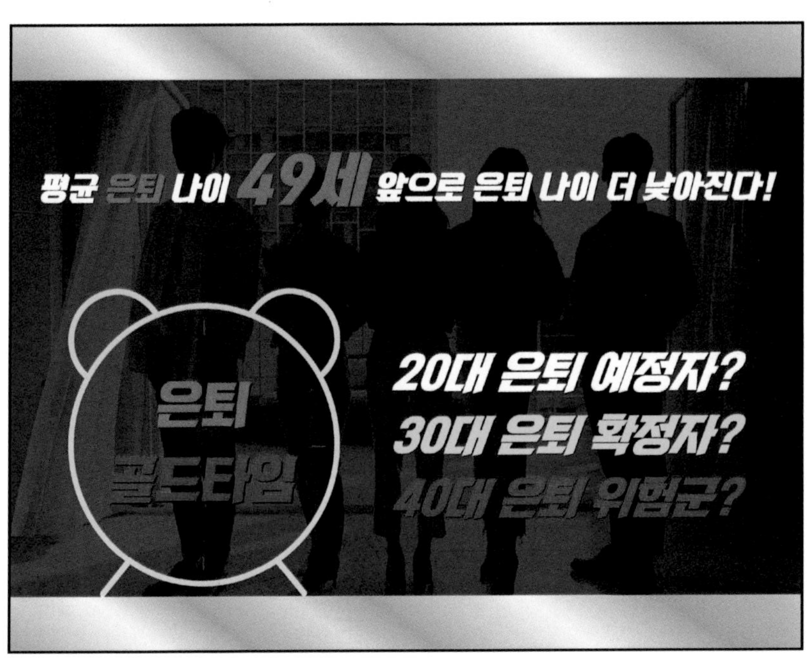
평균 은퇴 나이 49세 앞으로 은퇴 나이 더 낮아진다!
은퇴
골드타임
20대 은퇴 예정자?
30대 은퇴 확정자?
40대 은퇴 위험군?

희망퇴직 73세 / 은퇴 현실 49세
권고사직, 명예퇴직
10명 중 4명 자신 뜻과 상관없이 그만둔다.

방탄book기술력(6가지 수입을 창출) 시스템의 핵심은 일반 사람이 습득하는 기술력이 아니라 리더급이 습득하는 기술력이다. 누구나 방탄book기술력을 배울 수 있지만 아무나 지속하지 못한다. 그 만큼 수준이 높은 방탄book기술력이다 보니 일반 사람들도 배울 수는 있지만 리더들이 배우길 추천한다.

지금 시대는 은퇴 나이가 점점 더 빨라지고 있다. 통계청에 의하면 희망퇴직 73세이고 은퇴 현실은 49세다. 권고사직, 명예퇴직 10명 중 4명은 자신의 뜻과 상관없이 그만둔다. 평균 은퇴 나이 49세다. 앞으로 은퇴 나이가 더 낮아지는 상황에서 20대는 은퇴 예정자? 30대는 은퇴 확정자? 40대는 은퇴 위험군? 은퇴 준비는 빠를수록 좋다는 것이다.

3고 시대, AI 시대, 챗 GPT 시대... 이제는 한 분야 전문성으로는 힘든 시대다. 이제는 리더도 포트폴리오 커리어 리더(한 분야 전문성이 있는 것이 아닌 다수에 전문성이 있는 사람)가 되어야 한다. 다음으로 나오는 포트폴리오 커리어 개념을 참고하자.

한 분야 전문성으로는 힘든 시대! 앞으로 포트폴리오 커리어 시대에는 포트폴리오 커리어 인재만 살아남는다!

1970년대 인재, 1980년대 인재, 1990년 대 인재, 2000년 대 인재, 2010년 대 인재... 2010년 대부터 인재상이 580도로 확 달라졌다. 그 이유는 스마트폰이 보급화되어 빠른 기술 변화로 인해 이전 새대와 차원이 다른 인재로 업그레이드되었다는 것이다. 하지만 많은 리더들이 시대에 맞는 인재상이 아닌 이전 새대에 인재상으로 리더십을 발휘하니 인재가 오래 버티지 못하는 것이다. 인재상도 시대에 맞게 업데이트해야 한다.

지금 시대는 포트폴리오 커리어 인재라고 한다. 다음은 포트폴리오 커리어 인재가 어떤 인재인지 깨닫게 해주는 내용이다.

포트폴리오 커리어 시대
'포트폴리오 커리어의 시대'는 세계 최고의 경영사상가 찰스 핸디가 이미 오래전에 예측한 바 있다. 그는 포트폴리오 커리어의 시대에는 대부분의 생활이 일에 포함된다고 본다.
2가지 또는 그 이상의 영역에서 일을 하는 사람들이 늘어나는 현상에 따른 것이다.

'멀티-커리어리즘' (Multi-careerism)과도 연결된다. 이런 포트폴리오 커리어는 하나의 직무만으로 평생 먹고 살기가 힘들어진다. 그런 미래가 우리 앞에 이미 현실화되었음을 시사한다.
이광호의《아이에게 동사형 꿈을 꾸게 하라》중에서

* 하나의 일, 하나의 직업으로
살아가는 시대는 지났습니다. 모든 것이
일이 되고 모든 일이 직업이 되는 시대를 맞고 있습니다. 여러 일을 동시에 할 수 있는 '멀티 플레이어'가 되어야 살아남을 수 있습니다. 이런 시대에 요구되는 가장 중요한 것은 자기 관리, 자기 준비입니다. 새로운 기술과 지식, 유연한 사고와 창의적 발상으로 언제든 능숙하게 대응해야 합니다. 포트폴리오 커리어 시대입니다.

(2020년 8월 11일 앙코르메일)

<고도원의 아침편지>

포트폴리오 커리어 시대를 준비하자
우리가 살아가는 세상은 커리어 세상이다. 그리고 현대사회는 포트폴리오 커리어 시대이다.

우리는 예전에 "한 우물을 파야 된다"는 어르신들의 말씀을 듣고 살았다. 즉, 단일경로 시대인 커리어 패스 시대 였다. 마치 사다리를 오르듯 한 단계씩 더 큰 책임과 승진으로 가는 모습이었다.

이에 반해 요즘은 포트폴리오 커리어 시대다.
포트폴리오 커리어란 다양한 자신의 역량과 경험을 횡으로 개발하고 펼쳐놓아 어떤 커리어가 필요할 때 이들을 유연하게 조합하는 것을 의미한다. 세상이 바뀌어서 정보시대이고 그러고는 세상이 눈 깜빡할 사이에 많은 것이 변하고 있다.

그래서 한 가지 직업으로는 살아남기가 무척 어렵기에 자신의 다양한 포트폴리오를 활용하여 변화하는 상황과 필요로 하는 직업에 유연하게 대응하는 것이다.

과거는 대개 한 두 회사에서 퇴직까지 근무하거나 회사를 옮겨도 한 업종 안에서 왔다 갔다 할 뿐이었다. 이에 커리어 패스가 중요했다. 한 두 회사에서의 커리어 패스란 사실상 승진이라는 단일경로 외에는 대안이 없다.

이에 대부분의 교육과 역량개발은 승진의 단계마다 초점이 맞추어졌다. 그러나 인간의 수명이 점점 길어져 100세 시대가 되었다. 그리고 하나의 일, 하나의 식업으로 살아가는 시대는 지났다. 모든 것이 일이 되고 모든 일이 직업이 되는 시대를 맞고 있다. 여러 일을 동시에 할 수 있는 '멀티 플레이어'가 되어야 살아남을 수 있다.

이런 시대에 요구되는 가장 중요한 것은 자기 관리, 자기 준비이다. 새로운 기술과 지식, 유연한 사고와 창의적 발상으로 언제든 능숙하게 대응해야 한다. 기업도 생존주기는 점점 짧아져 간다. 젊은 세대들은 과거와 달리 한 회사에 평생 머물기를 원하지 않는다. 이제 몇 번의 동종업계 이직뿐 아니라 전혀 새로운 커리어 도전도 하게 될 것이다.

직장생활을 하는 직장인들도 야간이나 주말을 활용하여 자신의 또 다른 부캐를 이용하여 유튜브 등의 콘텐츠를 생성하고 투자활동도 한다. 기업 또한 빠르고 예측 불가능한 환경변화, 디지털 전환에 따른 기회와 위협에 대응하기 위해 인재관을 새롭게 정립하고 있다.

이런 시대는 어떤 인재가 필요할까?
미래의 인재들은 과거와 달리 박스나 사일로에 갇혀 있거나 특정 비즈니스만을 잘하는 사람들보다는 이를 넘어 사고를 확장할 수 있고 다양한 경험과 유연성을 갖춘 사람일 가능성이 높다. 그러므로 앞으로는 포트폴리오 커리어가 더 중요해질 것이라는 주장이다. 포트폴리오 커리어를 구축하기 위해 노력하는 사람들은 현재의 직업에 머물지 않는다.

호기심을 가지고 다양한 경험을 해본다. 다양한 기술들을 습득한다. 또한 습득한 다양한 기술과 직무에 필요한 기술을 창의적으로 연결하는데 숙련되어 있다. 이에 새로운 기회를 위해 자신을 홍보하고 심지어 만들 수 있는 준비가 더 잘 되어 있는 것이다. 전문가들은 산업혁명이 시작된 이래 유지되어오던 '일자리 시대'가 산업혁명 이전의 '일거리 시대'로 다시 회귀하는 추세라고 말한다.

유엔미래포럼 한국대표인 박영숙의 저서 '메이커의 시대(미래 일자리)'라는 유엔보고서 책자에서 "2030년대 즈음에 일자리의 시대에서 일거리의 시대로 바뀐다"라고 말한다.
혹시 개인적으로 부담이 된다면, '일거리'를 '일자리로 가기 위한 경험을 부여해줄 징검다리 활동'으로 보면 좋다.

따라서 오랫동안 일하면서 비교적 높은 보수를 받았던 안정된 형태의 '주된 일자리'에서 벗어난 이후에도 재취업 등을 통해서 일해야 할 필요성이 있는 신중년들은 이제 기존에 유연하지 않은 생각에서 벗어나 세상의 변화에 따르는 방법론도 좋은데 그 중 하나가 바로 '포트폴리오 커리어'이다. 또한, 자신이 직장인들이라면 빈 백지 하나를 꺼내서 자신의 포트폴리오 커리어를 하나씩 원으로 표시해보자.

지금까지 내가 경험한 것이 무엇일까? 내가 잘하는 것은 무엇일까? 두 번째, 이들을 연결해보라. 이들을 연결함으로써 어떤 새로운 가능성을 만들 수 있을까? 마지막으로는 여기에 추가하고 싶은 포트폴리오가 무엇인지 더해보라. 어댑터블하고 유연한 포트폴리오 커리어를 구성해 나가보라. 이것이 예측이 어려운 미래를 효과적으로 대응하는 방법이 될 것이다.

인생 1막을 마치고 난 이후에도 안정된 일자리에서 일하고픈 인간의 욕구는 당연하지만, 베이비붐 세대의 본격적인 퇴직이 시작되는 현시점의 높은 재취업 경쟁률 속에서 이전과 달리 질적이고도, 안정된 일자리를 찾기는 점점 어려워진다.

아래 변화의 시간이 빨라진 현시점에서 여러 가지 장애물을 넘어야만 하는 재취업보다는 '혼자 하는 일', 혹은 여러 개의 '파트타임 일'을 묶어서 동시에 해보라고 조언한다. 이전과 달리 장기간의 고용을 제공하는 일자리는 점점 줄어들기 때문이다. 특히 안정된 일자리만 희망하면서 장기간에 걸친 구직기간을 허비할 수 없는 처지라면 평소에 생각하지 않던 '파트타임 일' 등에 관심을 가져보면 어떨까? - 강성남 칼럼위원(담양문화원장)-

<담양뉴스>

한마디로 포트폴리오 커리어 인재는 한 분야 전문성이 있는 것이 아닌 다수에 전문성이 있는 사람을 말한다.
한 가지 일만 잘 하는 사람이 아닌 다수에 일을 할 수 있는 사람이다. 지금은 포트폴리오 커리어 인재 한 명이 10명의 가치를 창출하는 시대다.

《방탄 리더 인재양성 1》

3고 시대에 포트폴리오 커리어 리더가 되는 것은 선택이 아닌 필수다.
6가지 수입을 창출하기 위한 본질은 리더자질을 갖추어야만 시너지 효과가 난다. 리더 자질도 일반 리더십이 아닌 방탄리더이다. 4차 산업시대는 4차 리더십인 방탄리더십 자질이 있어야만 방탄book기술력(6가지 수입을 창출) 시스템이 극대화된다. 다음으로 나오는 포트폴리오 커리어 리더(방탄 리더) 6가지 수입 창출 비교 참고하자.

1. 포트폴리오 커리어 리더 작가
2. 포트폴리오 커리어 리더 강사
3. 포트폴리오 커리어 리더 유튜버
4. 포트폴리오 커리어 리더 오프라인, 온라인, 디지털 콘텐츠
5. 포트폴리오 커리어 리더 무인 시스템
6. 포트폴리오 커리어 리더 코칭

포트폴리오 커리어 리더
VS
강사 수입만 발생!
강사 외 5가지 수입 발생!
강사
강사
책 인세
강사
유튜버
온, 오프라인 디지털 콘텐츠
무인 시스템
코칭

포트폴리오 커리어 리더
VS
유튜버 수입만 발생!
유튜버 외 5가지 수입 발생!
유튜버
유튜버
책 인세
강사
유튜버
온, 오프라인 디지털 콘텐츠
무인 시스템
코칭

포트폴리오 커리어 리더
VS
디지털 수입만 발생!
디지털 외 5가지 수입 발생!
50000
디지털
디지털
책 인세
강사
유튜버
온, 오프라인 디지털 콘텐츠
무인 시스템
코칭

포트폴리오 커리어 리더
VS
무인 시스템 수입만 발생!
무인 시스템 외 5가지 수입 발생!
50000
무인 시스템
무인 시스템
책 인세
강사
유튜버
온, 오프라인 디지털 콘텐츠
무인 시스템
코칭

포트폴리오 커리어 리더
VS
코칭 수입만 발생!
코칭 외 5가지 수입 발생!
코칭
코칭
책 인세
강사
유튜버
온, 오프라인 디지털 콘텐츠
무인 시스템
코칭

출판계의 스티브 잡스!
스마트폰의 혁신!
아이폰
(아이팟 + 인터넷 + 폰)
출판계의 혁신!
방탄book
6가지 수입 창출 책 쓰기 기술력!

방탄book 기술력!
아이팟, 인터넷 , 폰. 이것은
3개의 기기가 아닙니다.
하나의 디바이스입니다.
우리는 이것을 아이폰이라 부릅니다.
책만 출간하고 끝나는 것이 아닌 자신 분야와 출간 한 책을 연결하여 6가지 수입을 창출 할 수 있는 방법이 아닌 기술력을 전수합니다.
우리는 이것을
방탄book 기술력이라 부릅니다.

한 분야 전문성으로는 살아남기 힘든 시대!
기술력 시대! 당신의 선택은?
VS
대한민국 평균(90%) 책 쓰기
책 한 권 쓰고 출간 후 활용 못해서 3개월 뒤에 쓰레기 취급해버리는 책 출간만 하는 책쓰기 교육, 코칭!
세계 최초 6가지 기술력 전수 책쓰기
책 한 권 쓰고 출간해서 100년 지속 할 수 있는 6가지 기술력까지 배워서 6가지 수입을 올리는 책쓰기 기술력 교육, 코칭!

3고 시대, AI 시대, 챗 GPT 시대... 이제는 한 분야 전문성으로는 힘든 시대다. 이제는 리더도 포트폴리오 커리어 리더(한 분야 전문성이 있는 것이 아닌 다수에 전문성이 있는 사람) 자기계발을 해야 한다.

6가지 수익 창출 포트폴리오 커리어 리더 자기계발을 어떻게 할 것인가?

1. 포트폴리오 커리어 리더 작가 자기계발
2. 포트폴리오 커리어 리더 강사 자기계발
3. 포트폴리오 커리어 리더 유튜버 자기계발
4. 포트폴리오 커리어 리더 오프라인, 온라인, 디지털 콘텐츠 자기계발
5. 포트폴리오 커리어 리더 무인 시스템 자기계발
6. 포트폴리오 커리어 리더 코칭 자기계발

3고 시대를 극복하기 위한 6가지 수익 창출 포트폴리오 커리어 리더 자기계발. 희망퇴직 나이 73세이고 대한민국 현실 은퇴 나이 49세를 준비, 극복하기 위한 6가지 수익 창출 포트폴리오 커리어 리더 자기계발.
100세 현역으로 살기 위한 6가지 수익 창출 포트폴리오 커리어 리더 자기계발. 6가지 수익 창출 포트폴리오 커리어 리더 자기계발 매뉴얼, 시스템 세계 최초 공개한다!

- 방탄 리더 동기부여 교육 PPT 목차 5

· [출간 한《방탄 리더 동기부여》책 내용을 방탄 동기부여 교육 PPT로 디자인]

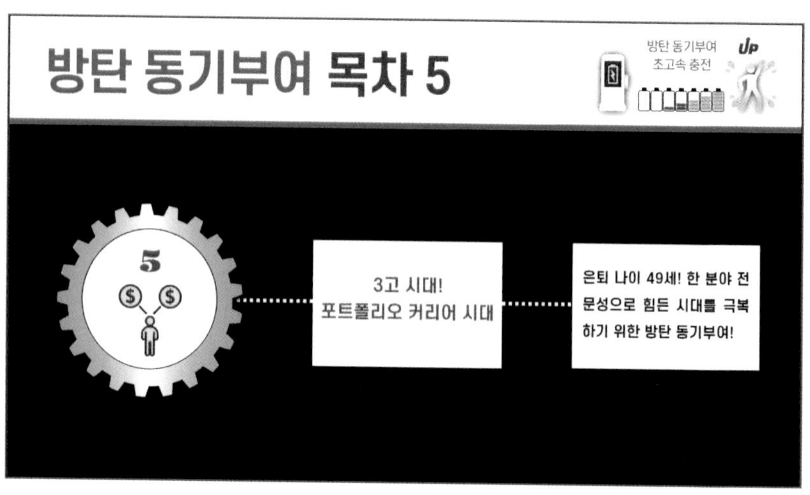

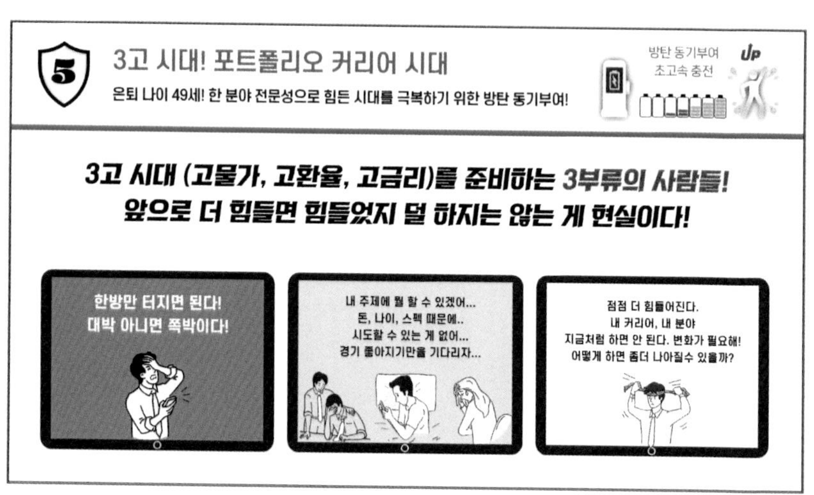

3고 시대! 포트폴리오 커리어 시대

은퇴 나이 49세! 한 분야 전문성으로 힘든 시대를 극복하기 위한 방탄 동기부여!

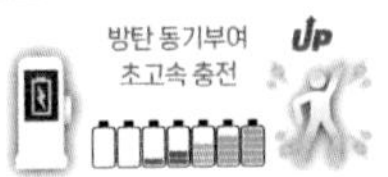
방탄 동기부여
초고속 충전
UP

20대 은퇴 예정자?
30대 은퇴 확정자?
40대 은퇴 위험군?

사람들은 평균 73세까지
일하길 희망했지만,
현실은 거리가 멉니다.
가장 오래 다닌 직장에서
그만둔 나이는 평균 49세.
사업 부진, 휴·폐업, 권고사직이나
명예퇴직 등
10명 중 4명은
자기 뜻과 상관없이 그만뒀습니다.

3고 시대! 포트폴리오 커리어 시대

은퇴 나이 49세! 한 분야 전문성으로 힘든 시대를 극복하기 위한 방탄 동기부여!

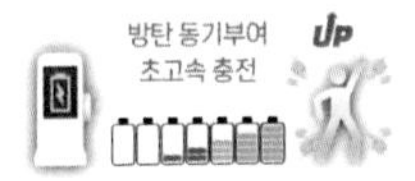
방탄 동기부여
초고속 충전
UP

20대 은퇴 예정자?
30대 은퇴 확정자?
40대 은퇴 위험군?

55살 ~79살 1,500만 명
10년 만에 500만 명이 늘었다.
연금 받는 750만 명
연금을 받더라도 턱없이 부족한
69만 원이다.
1인 가구 최저생계비 116만 원.

- 출처: KBS 뉴스데스크 < 55세~79세 1,500만 명, 은퇴했지만 생활비 벌려고...> -

5 은퇴 나이 49세! 한 분야 전문성으로는 힘든 시대!
- 출처 <뉴스TVCHOSUN> -

▶ 영상 전체 내용!

[앵커]
'나는 언제까지 일할 수 있을까' 한 업체가 조사해봤더니 직장인이 기대하는 정년은 평균 49.7세였습니다. 평균수명은 길어지는데, 직장에서 50세까지도 버티지 못할거라고 생각한다는 거죠..

류주현 기자입니다.

[리포트]
취업한 지 얼마 안 된 20~30대 직장인들. 이들이 예상

하는 퇴직 연령은 몇 살일까요?

최우수 / 20대 직장인
"회사 생활은 한 45세에서 50세 사이 안에는 끝날 것 같은데…"
노주영 / 30대 직장인
"더 낮아질 것으로 예상하고요. 코로나 불황 속에 직업에 대한 미래가 불투명하기 때문에…"
한 온라인 취업포털 사이트 조사 결과, 직장인들이 기대하는 정년은 평균 49.7세였습니다.
특히 젊은 연령층에서 50세 이전 퇴직을 예상했습니다.
30대가 평균 48.6세로 가장 낮았고, 20대도 평균 49.5세에 회사를 나갈 거라고 전망했습니다.
40대 이상은 50세는 넘길 거로 예상했지만, 50대 초반에 그쳤습니다.
4년 전 조사와 비교하면 예상 퇴직 연령은 1.2세 더 낮아지면서 40대까지 떨어진 겁니다.

그러다보니 퇴직 이후에도 일하고 싶은 마음은 더 커졌습니다.

서용구 / 숙명여대 경영학부 교수
"베이머부머보다 밀레니얼 세대가 더 가난해진다고들 얘

기를 많이 하는데, 안정된 고용시장이 만들어지지 못하는 상황에서 나이가 젊으면 젊을 수록 미래에 대한 불안감은 커지기 때문에…"

이번 조사에서 정년퇴직 이후 필요한 한 달 평균 생활비는 평균 177만원으로 나타났습니다.

<TV조선>

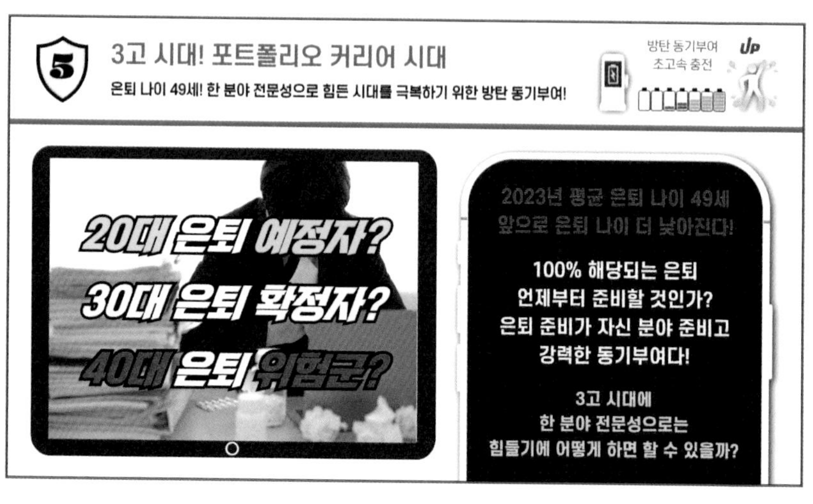

3고 시대! 포트폴리오 커리어 시대

은퇴 나이 49세! 한 분야 전문성으로 힘든 시대를 극복하기 위한 방탄 동기부여!

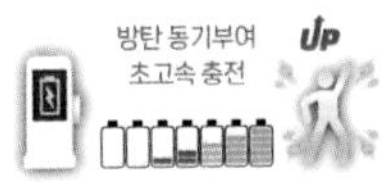

포트폴리오 커리어 시대!

하나의 일, 하나의 직업이 아닌
모든 것이 일이 되고 모든 일이 직업이 되는 시대!
멀티 플레이어가 살아남는다.

앞으로는
'포트폴리오 커리어의 시대'다.
– 세계 최고의 경영사상가 찰스 핸디 –

일을 그만두라는 것이 아니다!

**어떻게 하면 자신 분야 경력을
수입을 창출 시키는 방법과
연결을 시킬 것인가?**

3고 시대! 포트폴리오 커리어 시대

은퇴 나이 49세! 한 분야 전문성으로 힘든 시대를 극복하기 위한 방탄 동기부여!

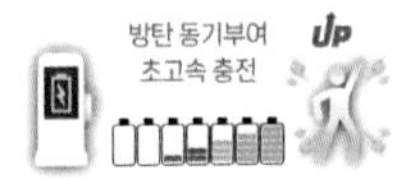

스마트폰의 혁신!
아이폰
(아이팟 + 인터넷 + 폰)

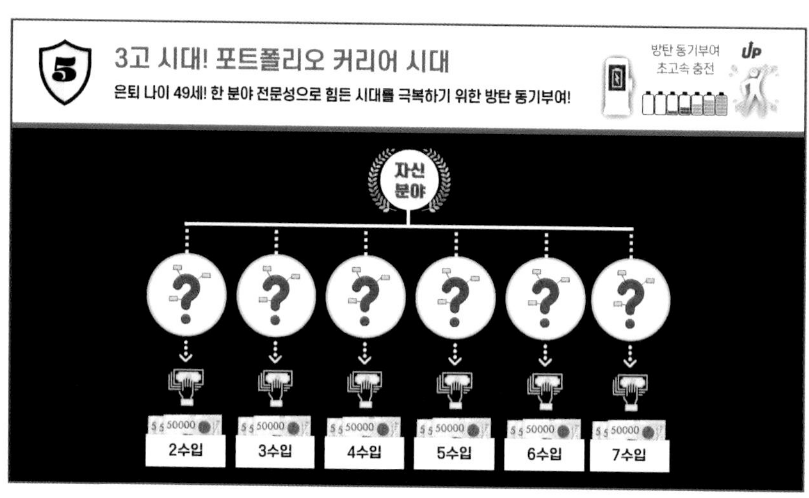
3고 시대! 포트폴리오 커리어 시대
은퇴 나이 49세! 한 분야 전문성으로 힘든 시대를 극복하기 위한 방탄 동기부여!
방탄 동기부여
초고속 충전
UP
자신
분야
2수입
3수입
4수입
5수입
6수입
7수입

자신
분야
연결
세상에서 가장 쉬운 방법은
벤치마킹!

3고 시대! 포트폴리오 커리어 시대
은퇴 나이 49세! 한 분야 전문성으로 힘든 시대를 극복하기 위한 방탄 동기부여!
방탄 동기부여
초고속 충전
UP
포트폴리오 커리어 시대
7G 직업
(출판사 대표, 작가, 심리 상담사, 코칭 전문가, 강사, 유튜버, 한집의 가장)

3고 시대! 포트폴리오 커리어 시대
은퇴 나이 49세! 한 분야 전문성으로 힘든 시대를 극복하기 위한 방탄 동기부여!
방탄 동기부여
초고속 충전
UP
포트폴리오 커리어 시대
VS
강사 직업 수입만 발생!
강사 직업 외 5가지 수입 발생!
강사
강사

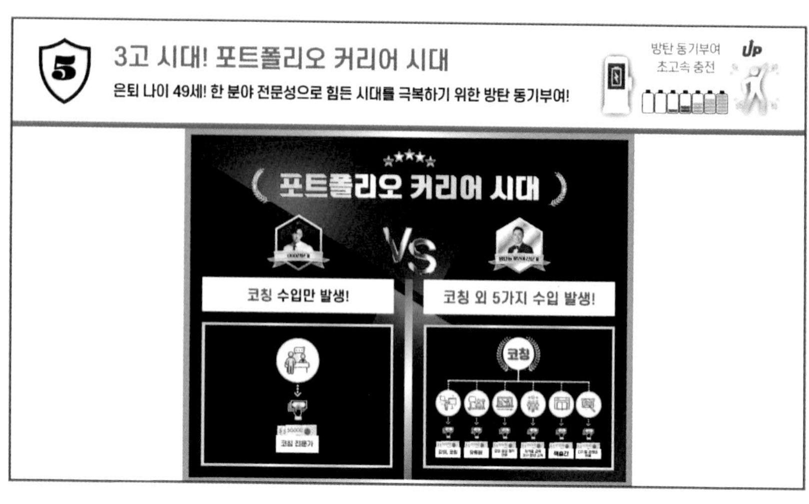
5
3고 시대! 포트폴리오 커리어 시대
은퇴 나이 49세! 한 분야 전문성으로 힘든 시대를 극복하기 위한 방탄 동기부여!
방탄 동기부여
초고속 충전
UP
포트폴리오 커리어 시대
VS
코칭 수입만 발생!
코칭 외 5가지 수입 발생!
코칭 전문가
코칭

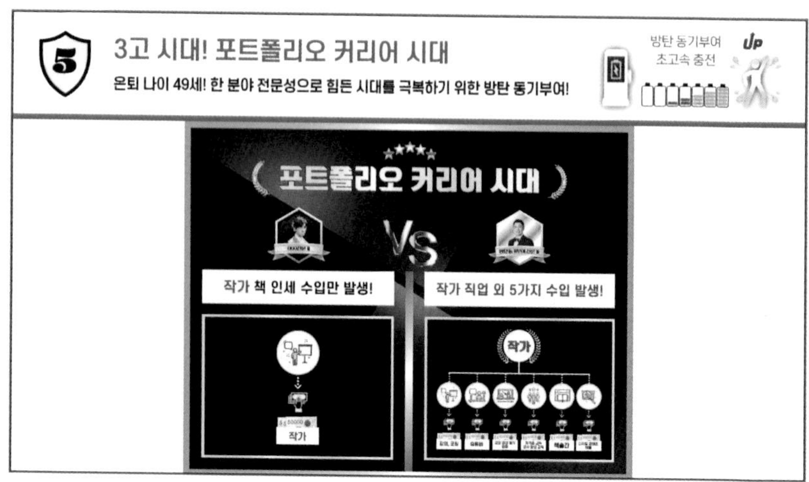
5
3고 시대! 포트폴리오 커리어 시대
은퇴 나이 49세! 한 분야 전문성으로 힘든 시대를 극복하기 위한 방탄 동기부여!
방탄 동기부여
초고속 충전
UP
포트폴리오 커리어 시대
VS
작가 책 인세 수입만 발생!
작가 직업 외 5가지 수입 발생!
작가
작가

5
3고 시대! 포트폴리오 커리어 시대
은퇴 나이 49세! 한 분야 전문성으로 힘든 시대를 극복하기 위한 방탄 동기부여!
방탄 동기부여
초고속 충전
UP
포트폴리오 커리어 시대
VS
출판사 대표 책 발행 수입,
책 출간 인세 발생!
출판사 대표 외 5가지 수입 발생!
출판사
출판사 대표
책출간

5
3고 시대! 포트폴리오 커리어 시대
은퇴 나이 49세! 한 분야 전문성으로 힘든 시대를 극복하기 위한 방탄 동기부여!
방탄 동기부여
초고속 충전
UP
포트폴리오 커리어 시대
VS
유튜버 수입만 발생!
유튜버 외 5가지 수입 발생!
유튜버
유튜버
책출간

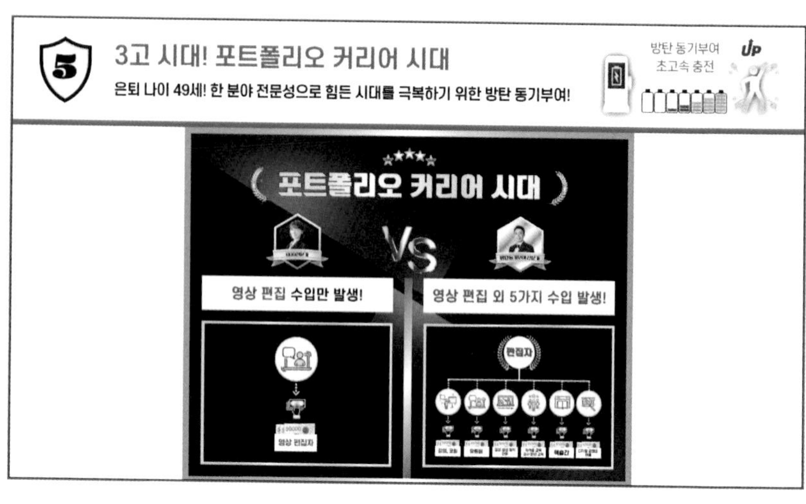
5
3고 시대! 포트폴리오 커리어 시대
은퇴 나이 49세! 한 분야 전문성으로 힘든 시대를 극복하기 위한 방탄 동기부여!
방탄 동기부여
초고속 충전
UP
포트폴리오 커리어 시대
VS
영상 편집 수입만 발생!
영상 편집 외 5가지 수입 발생!
편집자
영상 편집자

5
3고 시대! 포트폴리오 커리어 시대
은퇴 나이 49세! 한 분야 전문성으로 힘든 시대를 극복하기 위한 방탄 동기부여!
방탄 동기부여
초고속 충전
UP
출판계의 스티브 잡스!
스마트폰의 혁신!
아이폰
(아이팟 + 인터넷 + 폰)
출판계의 혁신!
방탄book
6가지 수입 창출 책 쓰기 기술력!

3고 시대! 포트폴리오 커리어 시대

은퇴 나이 49세! 한 분야 전문성으로 힘든 시대를 극복하기 위한 방탄 동기부여!

방탄 동기부여 2시간 강의 강사료 200만 원 교육 PPT 교안 순서

방탄 동기부여
동기부여는 누구나 한다.
다만 방탄 동기부여는 아무나 못한다.

① 방탄 동기부여 라포 형성 기법, 마음을 여는 기법
② 방탄 동기부여 고.틀.선.편 깨기
③ 방탄 동기부여 서론
④ SPOT 기법, 강의 집중 기법, 강의 환기 기법
⑤ 방탄 동기부여 본론
⑥ SPOT 기법, 강의 집중 기법, 강의 환기 기법
⑦ 방탄 동기부여 결론
⑧ SPOT 기법, 강의 집중 기법, 강의 환기 기법
⑨ 방탄 동기부여 총정리
⑩ 방탄 동기부여 피크앤드법칙(The Peak End Rule)

⑧ SPOT 기법, 강의 집중 기법, 강의 환기 기법

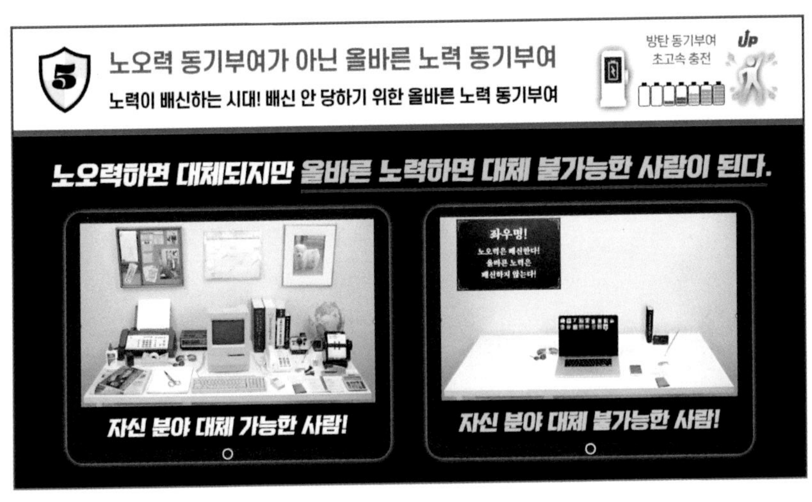

▶ 영상 전체 내용!

선생님은 좋은 의사입니까? 최고의 의사입니까? 지금 여기 누워있는 환자에게 물어보면 어떤 쪽 의사를 원한다고 할 거 갔냐? 최고의 의사요? 아니! 필요한 의사다~~!!

지금 이 환자에게 절실히 필요한 것은 골절을 치료해 줄 의사야. 그래서 나는 내가 아는 모든 걸 총동원해서 이 환자에게 필요한 의사가 되려고 노력 중이다.

답이 됐냐? 네가 시스템을 탓하고 세상을 탓하고 그런 세상 만든 꼰대 탓하는 거 다 좋아. 좋은데...그렇게 남 탓해봐야 세상 바뀌는 건 아무것도 없어. 그래봤자 그 사람들 네 이름 석 자도 기억하지 못할 걸. 정말로 이기고 싶으면 필요한 사람이 되면 돼. 남 탓 그만하고 네 실력으로 네가 바뀌지 않으면 아무것도 바뀌지 않는다.

<SBS 드라마 낭만닥터 김사부>

3고 시대에 필요한 사람! 자신 분야에 필요한 사람!

세상 탓, 현실 탓, 부모탓, 돈 탓, 스펙 탓, 외모 탓...
하기 전에 자신 분야 실력을 쌓자!
내가 바뀌지 않으면 아무것도 바뀌지 않는다!

**내 가족, 소중한 사람들, 내 분야에
필요한 사람이 되기 위해
실력을 쌓아 기댈 곳이 되어 주자!!**

3고 시대에 필요한 사람!

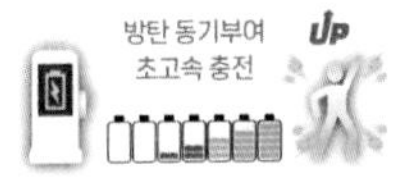

포트폴리오 커리어 시대
7G 직업
(출판사 대표, 작가, 심리 상담사, 코칭 전문가, 강사, 유튜버, 한집의 가장)

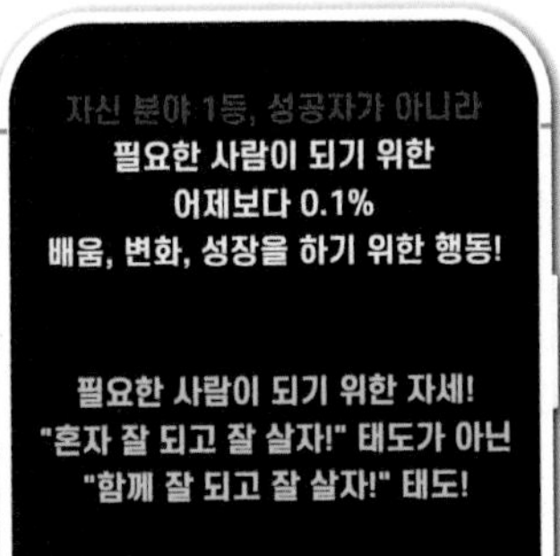

자신 분야 1등, 성공자가 아니라
필요한 사람이 되기 위한
어제보다 0.1%
배움, 변화, 성장을 하기 위한 행동!
필요한 사람이 되기 위한 자세!
"혼자 잘 되고 잘 살자!" 태도가 아닌
"함께 잘 되고 잘 살자!" 태도!

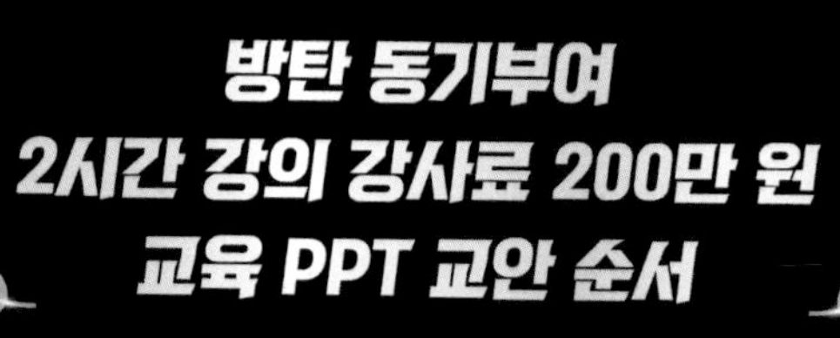

① 방탄 동기부여 라포 형성 기법, 마음을 여는 기법
② 방탄 동기부여 고.틀.선.편 깨기
③ 방탄 동기부여 서론
④ SPOT 기법, 강의 집중 기법, 강의 환기 기법
⑤ 방탄 동기부여 본론
⑥ SPOT 기법, 강의 집중 기법, 강의 환기 기법
⑦ 방탄 동기부여 결론
⑧ SPOT 기법, 강의 집중 기법, 강의 환기 기법
⑨ 방탄 동기부여 총정리
⑩ 방탄 동기부여 피크앤드법칙(The Peak End Rule)

⑨ 방탄 동기부여 총 정리

방탄
동기부여
방탄 동기부여
핵심 총 정리!

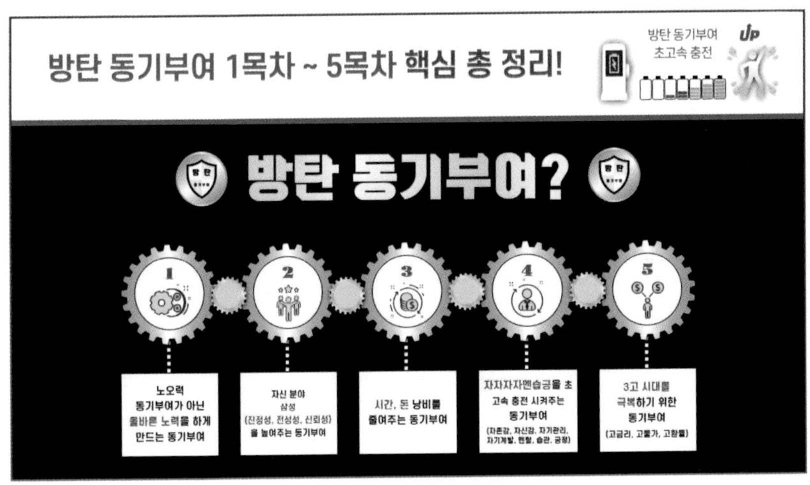
방탄 동기부여 1목차 ~ 5목차 핵심 총 정리!
방탄 동기부여
초고속 충전
UP
방탄 동기부여?
1
2
3
4
5
노오력
동기부여가 아닌
올바른 노력을 하게
만드는 동기부여
자신 분야
삼성
(진정성, 전성성, 신뢰성)
을 높여주는 동기부여
시간, 돈 낭비를
줄여주는 동기부여
자자자자멘습긍을 초
고속 충전 시켜주는
동기부여
(자존감, 자신감, 자기관리,
자기계발, 멘탈, 습관, 긍정)
3고 시대를
극복하기 위한
동기부여
(고금리, 고물가, 고환율)

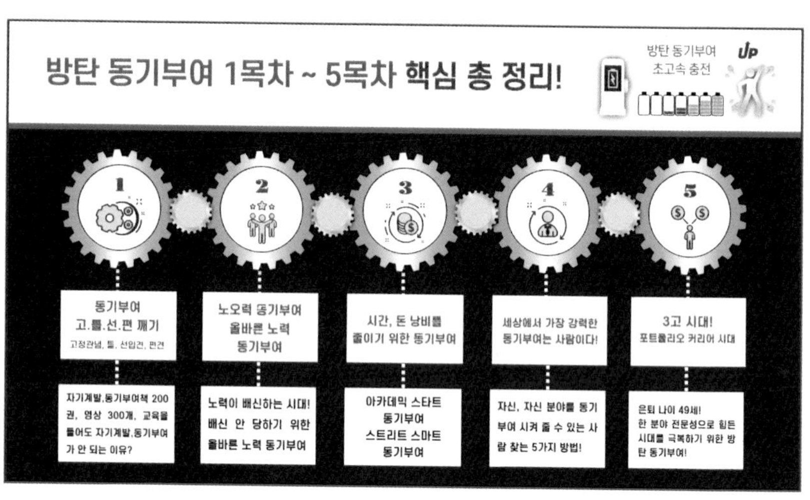

방탄 동기부여 1목차 ~ 5목차 핵심 총 정리!
방탄 동기부여
초고속 충전
동기부여
고.틀.선.편 깨기
고정관념, 틀, 선입견, 편견
자기계발,동기부여책 200권, 영상 300개, 교육을 들어도 자기계발,동기부여가 안 되는 이유?
노오력 동기부여
올바른 노력
동기부여
노력이 배신하는 시대! 배신 안 당하기 위한 올바른 노력 동기부여
시간, 돈 낭비를
줄이기 위한 동기부여
아카데믹 스타트
동기부여
스트리트 스마트
동기부여
세상에서 가장 강력한
동기부여는 사람이다!
자신, 자신 분야를 동기부여 시켜 줄 수 있는 사람 찾는 5가지 방법!
3고 시대!
포트폴리오 커리어 시대
은퇴 나이 49세!
한 분야 전문성으로 힘든 시대를 극복하기 위한 방탄 동기부여!

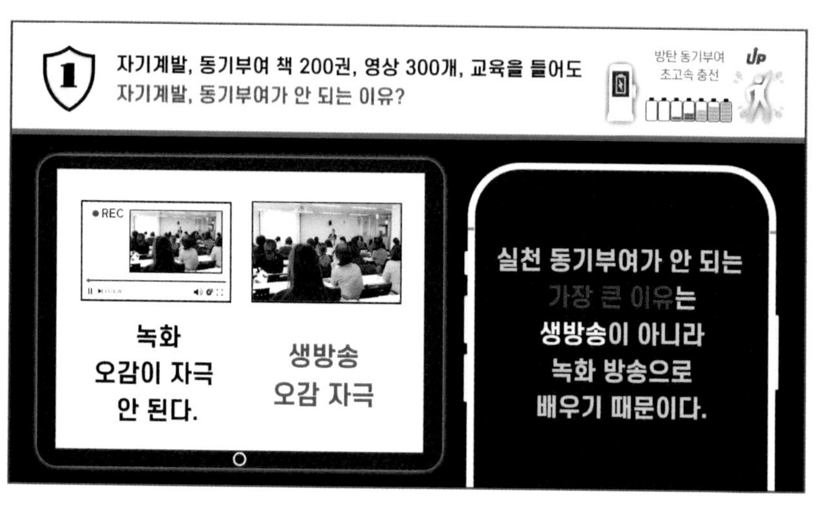

자기계발, 동기부여 책 200권, 영상 300개, 교육을 들어도
자기계발, 동기부여가 안 되는 이유?
방탄 동기부여
초고속 충전
REC
녹화
오감이 자극
안 된다.
생방송
오감 자극
실천 동기부여가 안 되는
가장 큰 이유는
생방송이 아니라
녹화 방송으로
배우기 때문이다.

자기계발, 동기부여 책 200권, 영상 300개, 교육을 들어도
자기계발, 동기부여가 안 되는 이유?

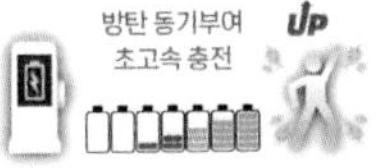

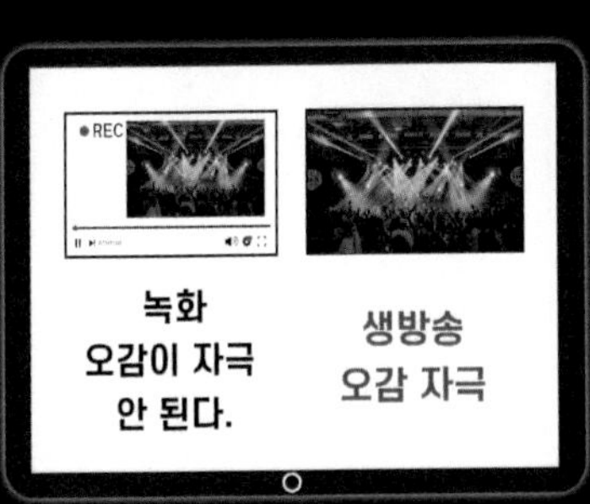

자기계발, 동기부여 책 200권, 영상 300개, 교육을 들어도
자기계발, 동기부여가 안 되는 이유?

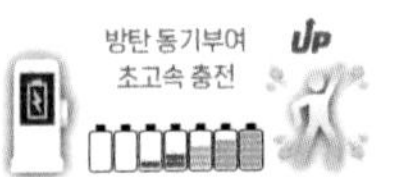

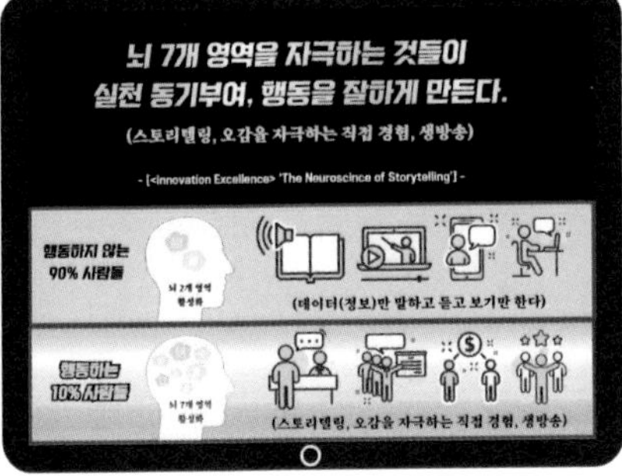

뇌 과학적으로 검증!

데이터로(정보)만 말했을 때
데이터로(정보)만 들었을 때
데이터로(정보)만 봤을 때는
뇌의 2개의 영역만 활성화된다.

데이터가 아닌 스토리로 보고, 스토리로 듣고, 스토리로 말하고, 스토리로 경험을 하면 뇌의 7개의 영역이 활성화(오감을 자극하는 것) 되어 더 행동하게 만들고 더 실천하게 만든다.

50시간 강의 (1,500만 원~5,000만 원)
5분 안에 압축 설명! (2,000만 원 가치)

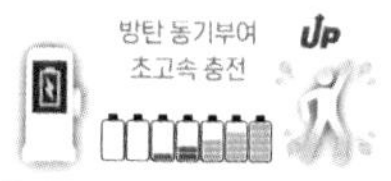

"하지만 오늘 5분간 짧게 설명해볼게요."
40년 세월 동안 상위 자리를 지키고 있는 그가 부정적인 마음을 바로 바꿀 수 있는 두 가지 특별한 방법 동기부여.

- 요약 정리 -

1. 행동으로 감정 상태를 바꾼다.

파워포즈 자세 2분 (과학적 근거)
자신감 호르몬(테스토스테론)20% 증가
스트레스 호르몬(코르티솔)22% 감소
행동 유발 33% 증가

2. 자랑스러운 것, 감사한 것
그때 감정 느껴본다. 원하는 것에 집중!

50시간 강의 (1,500만 원~5,000만 원)
5분 안에 압축 설명! (2,000만 원 가치)

★방탄 동기부여 사용 설명서★

눈에 보인다고
다 행동하지는 않는다.
행동하는 사람들
실천을 잘 하는 사람들
자기계발, 동기부여 잘 하는 사람들은
시각화를 한다.

사람의 심리 눈에 보이면 하고
눈에 안 보이면 하지 않는다.

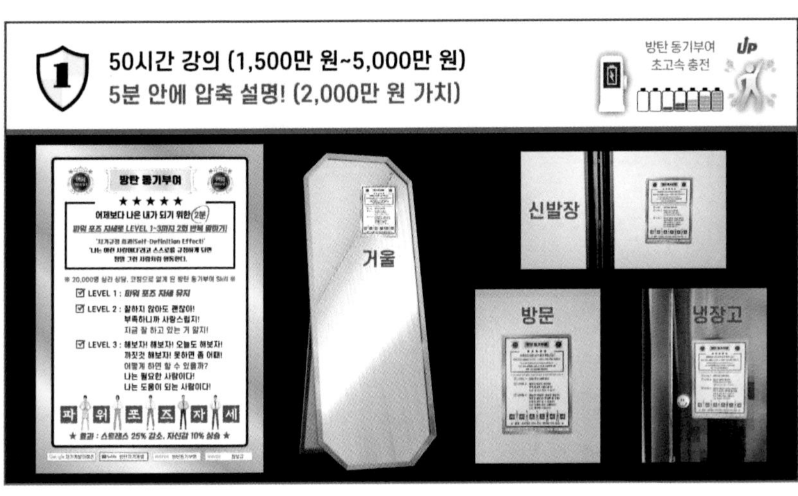
1
50시간 강의 (1,500만 원~5,000만 원)
5분 안에 압축 설명! (2,000만 원 가치)
방탄 동기부여
초고속 충전
UP
방탄 동기부여
★★★★★
어제보다 나은 내가 되기 위한 2분
파워 포즈 자세로 LEVEL 1~3까지 2회 반복 말하기!
※ 20,000명 심리 상담, 코칭으로 알게 된 방탄 동기부여 Skill ※
LEVEL 1 : 파워 포즈 자세 유지
LEVEL 2 : 잘하지 않아도 괜찮아!
부족하니까 사랑스럽지!
지금 잘 하고 있는 거 알지!
LEVEL 3 : 해보자! 해보자! 오늘도 해보자!
까짓것 해보자! 못하면 좀 어때!
어떻게 하면 할 수 있을까?
나는 필요한 사람이다!
나는 도움이 되는 사람이다!
파 워 포 즈 자 세
★ 효과 : 스트레스 25% 감소, 자신감 10% 상승 ★
거울
신발장
방문
냉장고

2
노오력 동기부여가 아닌 올바른 노력 동기부여
노력이 배신하는 시대! 배신 안 당하기 위한 올바른 노력 동기부여
방탄 동기부여
초고속 충전
UP
모든 사람의 24시간은 같지만 질, 농도, 결과를 다르게 만드는 방탄 동기부여!
A 노오력
하던 방식으로 하면서
버티자, 기다리자
비대면 시대
언제 끝나지?
언제까지 기다려야 하나?
B 올바른 노력
극복하기 위한 배움, 변화, 성장
10년 후에 올 것이 지금 왔다!
자신 분야 비대면 콘텐츠,
디지털 콘텐츠 접목하기 위한
학습, 연습, 훈련
A 노오력
노오력만 하는 사람은
핑계를 찾는다.
상황이 어려워서
할 수 없어!
돈 없어, 재능 없어, 스펙 없어...
B 올바른 노력
올바른 노력을 하는 사람은
방법을 찾는다.
나만 어려운 건 아니다.
돈 없어, 재능 없어, 스펙 없지만...
어떻게 하면 할 수 있을까?
VS

노오력 동기부여가 아닌 올바른 노력 동기부여

노력이 배신하는 시대! 배신 안 당하기 위한 올바른 노력 동기부여

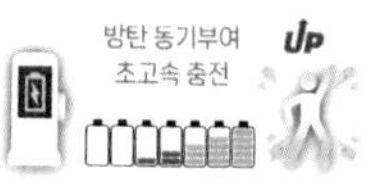

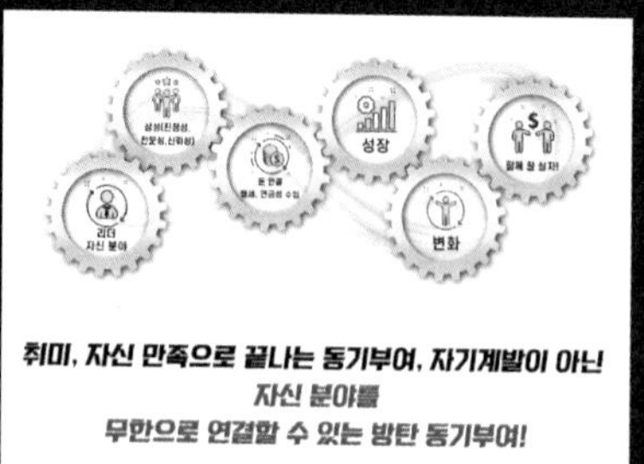

취미, 자신 만족으로 끝나는 동기부여, 자기계발이 아닌
자신 분야를
무한으로 연결할 수 있는 방탄 동기부여!

올바른 노력
자기계발, 동기부여

빠르게 변하는 시대, 흐름에 맞게
자신 분야+자기계발+
삼성(진정성, 전문성, 신뢰성)+
돈 연결(월세, 연금성 수입)+성장+변화+
사람들에게 도움+"함께 잘 살자"가
융합이 될 수 있는
방탄 동기부여, 방탄 자기계발!

3 시간, 돈 낭비를 줄이기 위한 동기부여

아카데믹 스타트 동기부여 / 스트리트 스마트 동기부여

방탄 동기부여
초고속 충전
UP

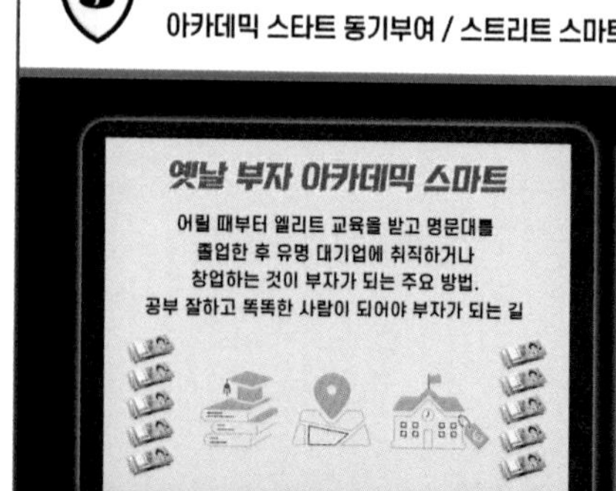

옛날 부자 아카데믹 스마트
어릴 때부터 엘리트 교육을 받고 명문대를
졸업한 후 유명 대기업에 취직하거나
창업하는 것이 부자가 되는 주요 방법.
공부 잘하고 똑똑한 사람이 되어야 부자가 되는 길

현재 부자 스트리트 스마트
자신의 아이디어나 기술, 경험, 열정을 전부 활용해서
사회에 부가가치를 줄 수 있는 존재가 되면 엘리트
교육을 받지 않더라도 돈을 끌어모을 수 있는 시대
You Tube
blog
f

- 출처 《부자의 사고 빈자의 사고》 -

시간, 돈 낭비를 줄이기 위한 동기부여

시대에 맞는 자기계발, 동기부여

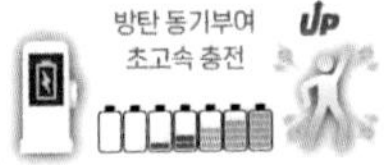

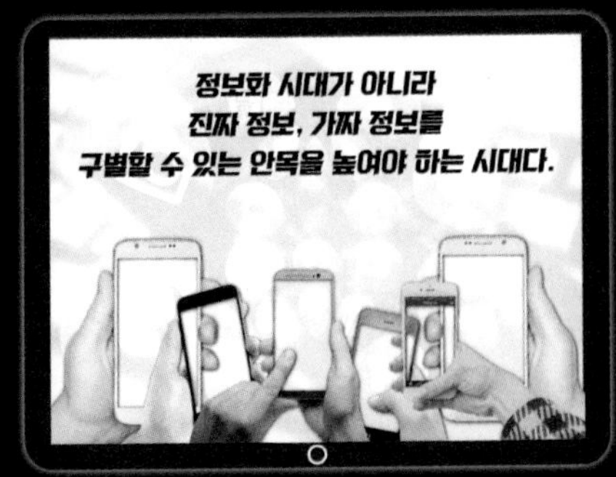

정보화 시대가 아니라
진짜 정보, 가짜 정보를
구별할 수 있는 안목을 높여야 하는 시대다.

몇 초만 전에 알고 있던 것
들이 오류가 있고
가짜일 수도 있다는 것이다.

1초~10초 사이
기존에 알고 있는 것들이
틀릴 수도 있다.

시간, 돈 낭비를 줄이기 위한 동기부여

시대에 맞는 자기계발, 동기부여

자기계발, 동기부여 내용들이 너무 많아
혼동이 된다. 이것저것 많이 해보지만
시간, 돈 낭비만 한다. "이건 다르겠지"라는
마음으로 영상, 교육, 코칭을 받지만
악순환은 계속된다.

자신에게 맞는 자기계발, 동기부여를
만들어 가기 위해서는
시행착오, 대가 지불, 인고의 시간을 통해
자기계발, 동기부여 안목을 키워야 된다.
좀 더 빠르게 자신 분야 자기계발, 동기부여를
하고 싶다면 자기계발, 동기부여를
제대로 하고 있는 멘토를 만나야 한다.

본질을 모르면 시간, 돈 낭비를 한다!

본질 스토리텔링 2

고양이를 무서워하는 생쥐!
마법사님 개로 만들어 주세요!
마법사님 사자로 만들어 주세요!
마법사님 사냥꾼으로 만들어 주세요!

"너의 모습이
아무리 좋게 바뀌어도
생쥐의 가슴을 가지고 있는 한
그때뿐이다."

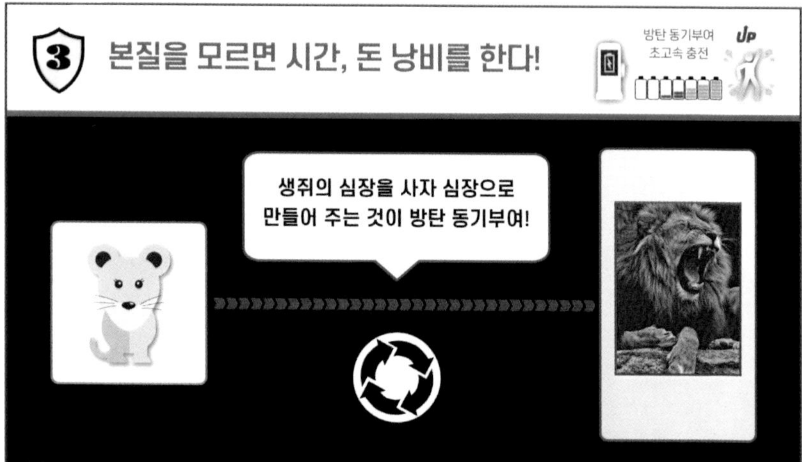

본질을 모르면 시간, 돈 낭비를 한다!
방탄 동기부여
초고속 충전
UP
생쥐의 심장을 사자 심장으로
만들어 주는 것이 방탄 동기부여!

본질을 모르면 시간, 돈 낭비를 한다!

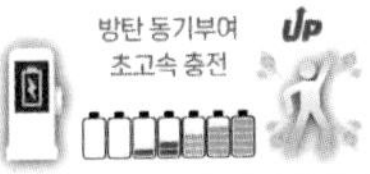

올바른 헬스, 운동 동기부여
헬스, 운동 본질

올바른 직장, 일 동기부여
직장, 일 본질

헬스, 운동의 기본기를 배우지 않는 사람이 좋은 헬스장으로 옮긴다고 헬스, 운동 습관이 만들어지는 것이 아니다.

월급 날짜만 기다리는 사람이 직장을 바꾼다고 일에 대한 의욕이 생기지 않는다.

본질을 모르면 시간, 돈 낭비를 한다!

올바른 연애, 사랑 동기부여
연애, 사랑 본질

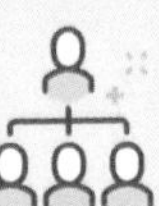

올바른 인간관계 동기부여
인간관계 본질

평상시에 사랑받을 행동을 안 하는 사람은 사랑하는 사람이 생겨도 사랑받을 수가 없다.

내가 좋은 사람이 되기 위해 인간관계 학습, 연습, 훈련을 안 하면 좋은 사람이 생겨도 금방 떠나간다.

본질을 모르면 시간, 돈 낭비를 한다!

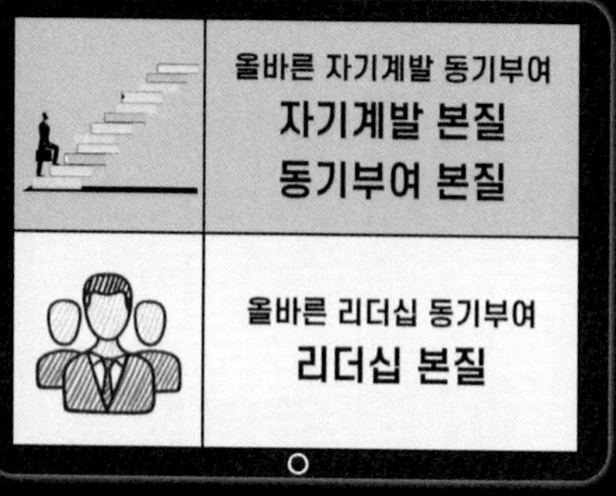

올바른 자기계발 동기부여
자기계발 본질
동기부여 본질
올바른 리더십 동기부여
리더십 본질

"어제 보다 0.1% 나은 사람이 되자."
라는 태도로 꾸준히 안 하면
시간, 돈 낭비를 한다.

경력, 나이를 내세우면서
시대에 맞는 리더십으로
업데이트하지 않으면
리더십이 아닌 꼰대십이 나온다.

본질을 모르면 시간, 돈 낭비를 한다!

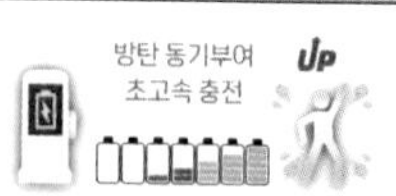

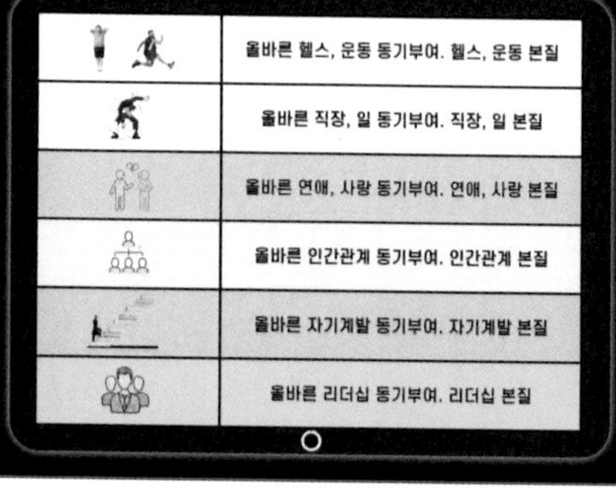

본질(기본기)이
되어 있지 않으면
시간, 돈, 인생 낭비가 되어
악순환이 반복된다.

시간, 돈 낭비를 줄이기 위한 동기부여

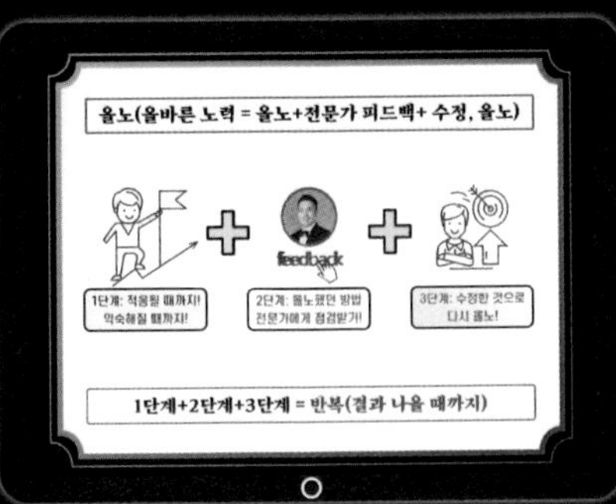

자생능력이 (스스로 할 수 있는 능력)
생길 때까지 꾸준히 해야 한다.

자신 분야 눈뜨는 시기까지
꾸준히 해야 한다.

자신 분야 눈뜨는 시기?

시간, 돈 낭비를 줄이기 위한 동기부여

어떤 능력을 기르기 위해선 절대적인 시간이 필요!
(시간: 시행착오, 대가 지불, 인고의 시간)
눈 10 ~ 20일
귀 20 ~ 30일
눈 7 ~ 14일
귀 15 ~ 20일

자신 분야 눈뜨는 시기
스토리텔링

아들: "다른 동물은 낳자마자 눈을 뜨고 심지어
뛰어다니기까지 하는데 왜 강아지는 눈을 못 떠요?
아빠: "개들은 무엇이 발달되어 있지?"
아들: 냄새를 잘 맡아요. 코가 잘 발달되어 있어요.
아빠: 바로 그거야. 후각을 발달시키기 위해
신이 강아지를 한 달 동안
눈을 뜨지 못하게 한 것이 아닐까?
어떤 능력을 기르기 위해선
절대적인 시간이 필요하단다.

- 책 《그러니까 상상하라》-

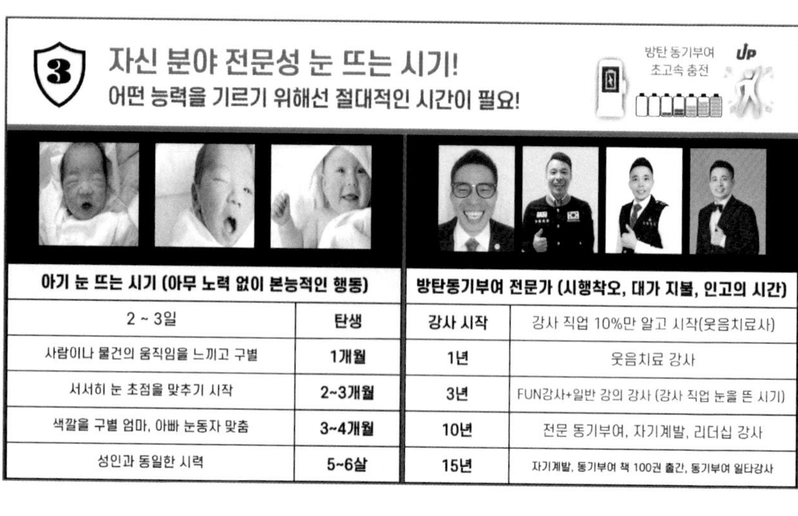

아기 눈 뜨는 시기 (아무 노력 없이 본능적인 행동)	
2 ~ 3일	탄생
사람이나 물건의 움직임을 느끼고 구별	1개월
서서히 눈 초점을 맞추기 시작	2~3개월
색깔을 구별 엄마, 아빠 눈동자 맞춤	3~4개월
성인과 동일한 시력	5~6살

방탄동기부여 전문가 (시행착오, 대가 지불, 인고의 시간)	
강사 시작	강사 직업 10%만 알고 시작(웃음치료사)
1년	웃음치료 강사
3년	FUN강사+일반 강의 강사 (강사 직업 눈을 뜬 시기)
10년	전문 동기부여, 자기계발, 리더십 강사
15년	자기계발, 동기부여 책 100권 출간, 동기부여 일타강사

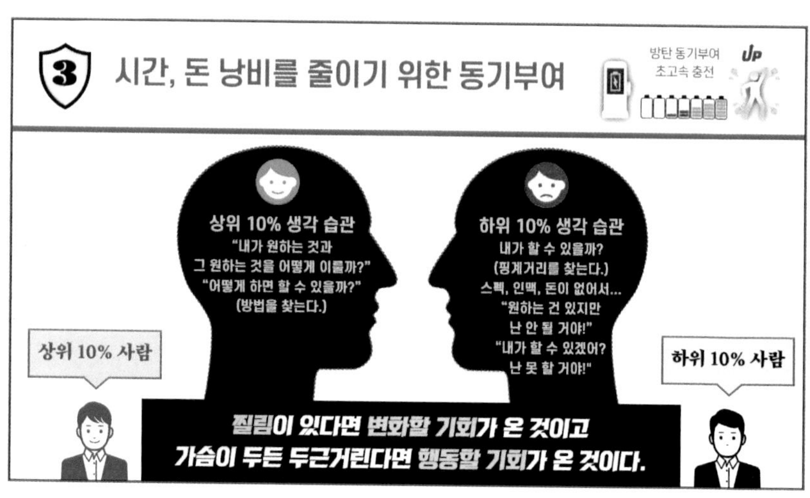

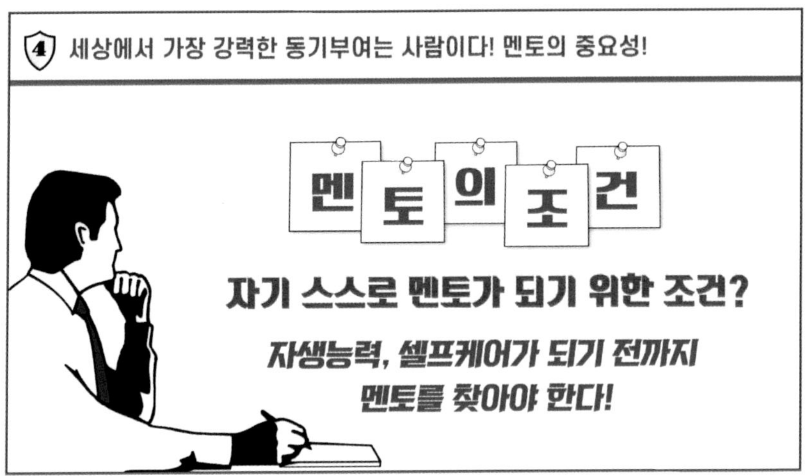

4 세상에서 가장 강력한 동기부여는 사람이다! 멘토의 중요성!
멘토의 조건
자기 스스로 멘토가 되기 위한 조건?
자생능력, 셀프케어가 되기 전까지
멘토를 찾아야 한다!

★ ***자신 동기부여 배터리를 5G 속도로 방전 시키는 것은?***

① 세상, 현실 기준 ② 돈
③ 스펙 ④ 콤플렉스
⑤ 낮은 자존감 ⑥ 낮은 멘탈
⑦ 부정적인 태도 ⑧ 소심한 성격
⑨ 가짜 전문가 ⑩ 자기 자신
⑪ 소중한 사람들 ⑫ 주위 사람들

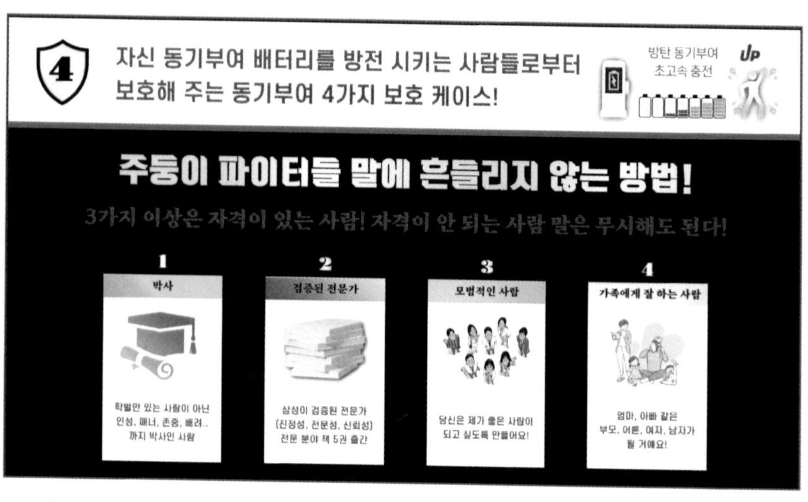
4
자신 동기부여 배터리를 방전 시키는 사람들로부터
보호해 주는 동기부여 4가지 보호 케이스!
방탄 동기부여
초고속 충전
UP
주둥이 파이터들 말에 흔들리지 않는 방법!
3가지 이상은 자격이 있는 사람! 자격이 안 되는 사람 말은 무시해도 된다!
1
박사
학벌만 있는 사람이 아닌
인성, 매너, 존중, 배려..
까지 박사인 사람
2
검증된 전문가
삼성이 검증된 전문가
(진정성, 전문성, 신뢰성)
전문 분야 책 5권 출간
3
모범적인 사람
당신은 제가 좋은 사람이
되고 싶도록 만들어요!
4
가족에게 잘 하는 사람
엄마, 아빠 같은
부모, 어른, 여자, 남자가
될 거예요!

4
자신 동기부여 배터리를 방전 시키는 사람들로부터
보호해 주는 동기부여 4가지 보호 케이스!
방탄 동기부여
초고속 충전
UP
당신은 할 수 없어!
당신 돈 없잖아!
당신 빽 없잖아!
내가 해 봐서 아는데
당신은 못해!
주제를 아세요!
4가지 중
1도 없네?
너나 잘 하세요!
4가지 중
하나 있네?
어디서 멍멍이가 짓나?

세상에서 가장 강력한 동기부여는 사람이다! 멘토의 중요성!

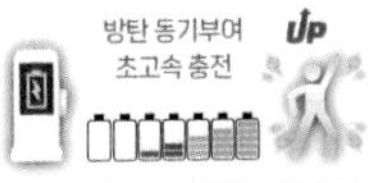

빌게이츠 멘토 = 책, Ed 로버츠
오프라윈프리 멘토 = 책, 메리던킨
스티브잡스 멘토 = 책, 로버트 프리드랜드
워렌버핏 멘토 = 책, 벤저민그레이엄
마이클조던 멘토 = 책, 필잭슨
마크저커버그 멘토 = 책, 스티브잡스

멘토 있다고 무조건 성공하는 건 아니다!
하지만 단언컨대
성공한 사람들은 100% 멘토가 있다.

4
최보규 방탄동기부여 일타강사의 멘토
방탄 동기부여
초고속 충전
UP
세계 최고의 멘토!
최보규 방탄동기부여 전문가의 멘토!
1. 아내
2. 책
3. 습관
320가지

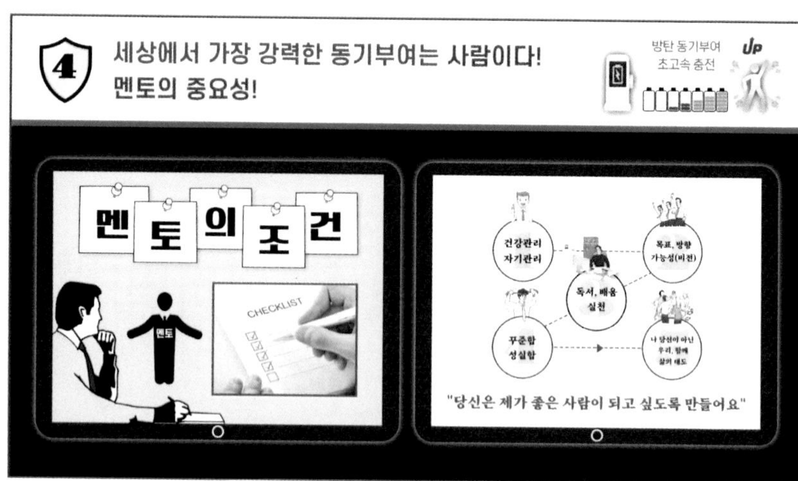
4
세상에서 가장 강력한 동기부여는 사람이다!
멘토의 중요성!
방탄 동기부여
초고속 충전
UP
멘토의 조건
CHECKLIST
멘토
건강관리
자기관리
목표, 방향
가능성(비전)
독서, 배움
실천
꾸준함
성실함
"당신은 제가 좋은 사람이 되고 싶도록 만들어요"

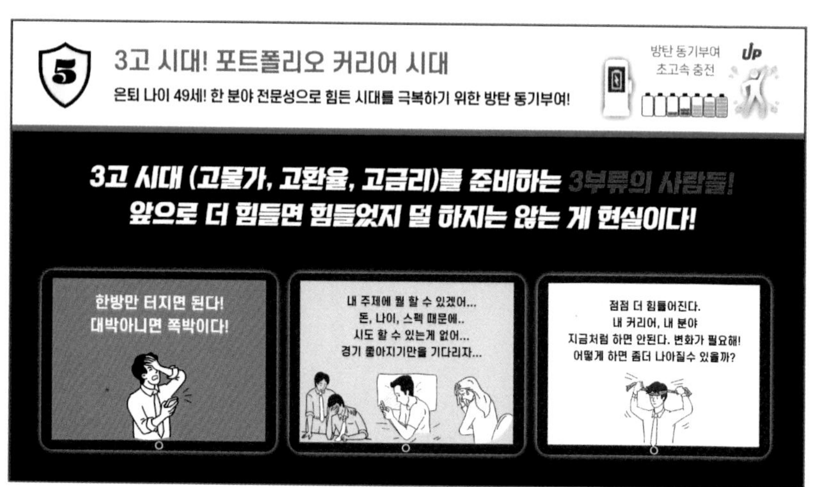
5
3고 시대! 포트폴리오 커리어 시대
은퇴 나이 49세! 한 분야 전문성으로 힘든 시대를 극복하기 위한 방탄 동기부여!
방탄 동기부여
초고속 충전
UP
3고 시대 (고물가, 고환율, 고금리)를 준비하는 3부류의 사람들!
앞으로 더 힘들면 힘들었지 덜 하지는 않는 게 현실이다!
한방만 터지면 된다!
대박아니면 쪽박이다!
내 주제에 뭘 할 수 있겠어...
돈, 나이, 스펙 때문에..
시도 할 수 있는게 없어...
경기 좋아지기만을 기다리자...
점점 더 힘들어진다.
내 커리어, 내 분야
지금처럼 하면 안된다. 변화가 필요해!
어떻게 하면 좀더 나아질수 있을까?

3고 시대! 포트폴리오 커리어 시대

은퇴 나이 49세! 한 분야 전문성으로 힘든 시대를 극복하기 위한 방탄 동기부여!

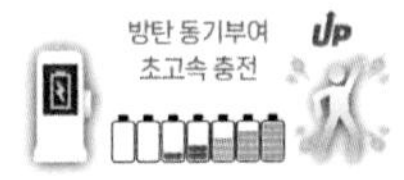
방탄 동기부여
초고속 충전
UP

20대 은퇴 예정자?
30대 은퇴 확정자?
40대 은퇴 위험군?

2023년 평균 은퇴 나이 49세
앞으로 은퇴 나이 더 낮아진다!

100% 해당되는 은퇴
언제부터 준비할 것인가?
은퇴 준비가 자신 분야 준비고
강력한 동기부여다!

3고 시대에
한 분야 전문성으로는
힘들기에 어떻게 하면 할 수 있을까?

3고 시대! 포트폴리오 커리어 시대

은퇴 나이 49세! 한 분야 전문성으로 힘든 시대를 극복하기 위한 방탄 동기부여!

방탄 동기부여
초고속 충전
UP

포트폴리오 커리어 시대!

하나의 일, 하나의 직업이 아닌
모든 것이 일이 되고 모든 일이 직업이 되는 시대!
멀티 플레이어가 살아남는다.

앞으로는
'포트폴리오 커리어의 시대'다.
– 세계 최고의 경영사상가 찰스 핸디 –

일을 그만두라는 것이 아니다!

어떻게 하면 자신 분야 경력을
수입을 창출 시키는 방법과
연결을 시킬 것인가?

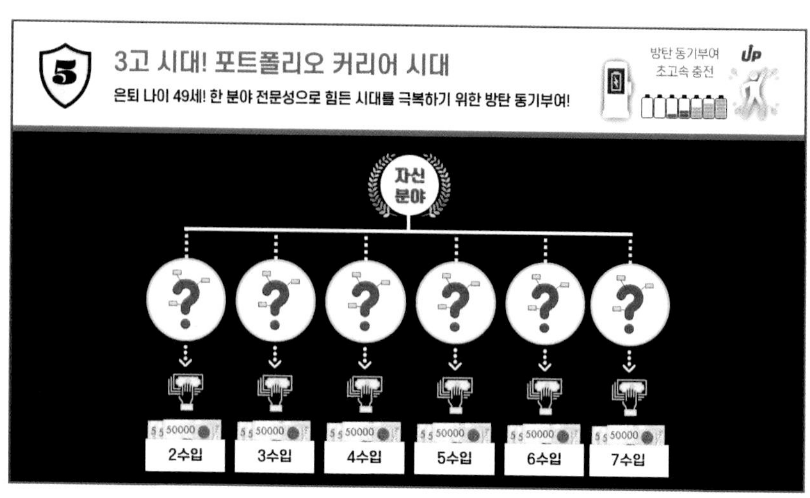
5
3고 시대! 포트폴리오 커리어 시대
은퇴 나이 49세! 한 분야 전문성으로 힘든 시대를 극복하기 위한 방탄 동기부여!
방탄 동기부여
초고속 충전
UP
자신
분야
2수입
3수입
4수입
5수입
6수입
7수입

자신
분야
연결
세상에서 가장 쉬운 방법은
벤치마킹!

3고 시대! 포트폴리오 커리어 시대

은퇴 나이 49세! 한 분야 전문성으로 힘든 시대를 극복하기 위한 방탄 동기부여!

3고 시대! 포트폴리오 커리어 시대

은퇴 나이 49세! 한 분야 전문성으로 힘든 시대를 극복하기 위한 방탄 동기부여!

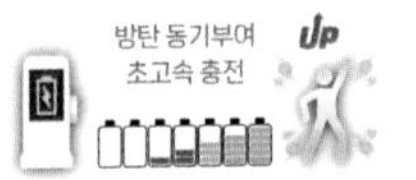

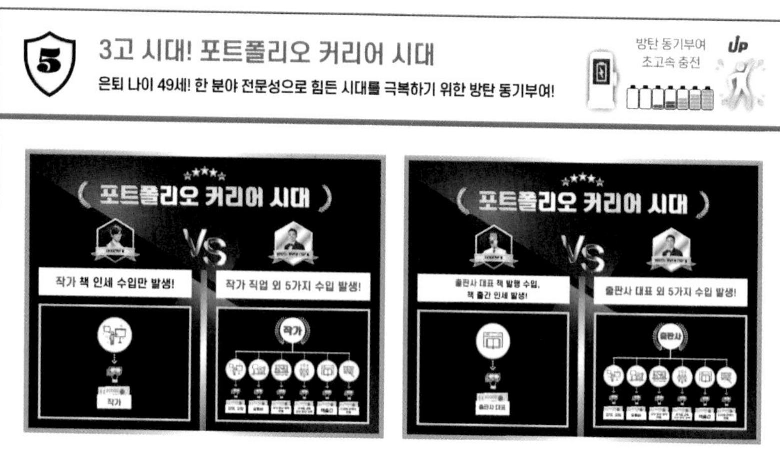
5
3고 시대! 포트폴리오 커리어 시대
은퇴 나이 49세! 한 분야 전문성으로 힘든 시대를 극복하기 위한 방탄 동기부여!
방탄 동기부여
초고속 충전
UP
포트폴리오 커리어 시대
작가 책 인세 수입만 발생!
작가 직업 외 5가지 수입 발생!
작가
포트폴리오 커리어 시대
출판사 대표 외 5가지 수입 발생!
출판사

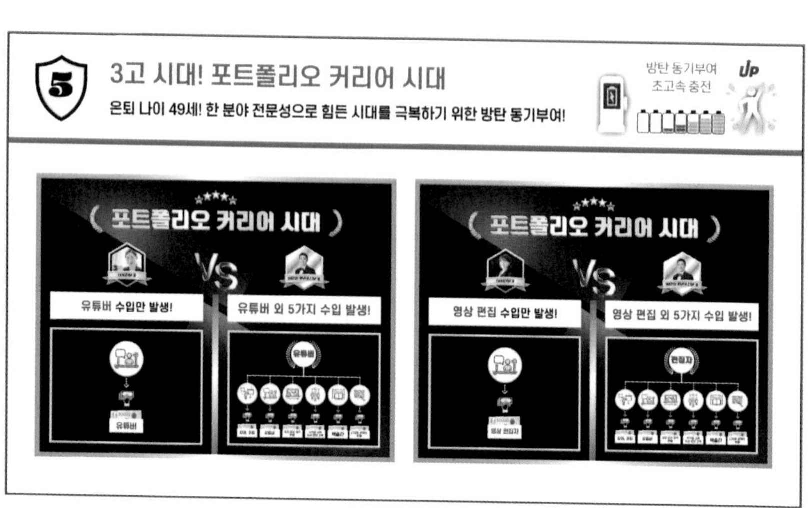
5
3고 시대! 포트폴리오 커리어 시대
은퇴 나이 49세! 한 분야 전문성으로 힘든 시대를 극복하기 위한 방탄 동기부여!
방탄 동기부여
초고속 충전
UP
포트폴리오 커리어 시대
유튜버 수입만 발생!
유튜버 외 5가지 수입 발생!
유튜버
포트폴리오 커리어 시대
영상 편집 수입만 발생!
영상 편집 외 5가지 수입 발생!
편집자

 3고 시대에 필요한 사람! 자신 분야에 필요한 사람!

세상 탓, 현실 탓, 부모탓, 돈 탓, 스펙 탓, 외모 탓…
하기 전에 자신 분야 실력을 쌓자!
내가 바뀌지 않으면 아무것도 바뀌지 않는다!

내 가족, 소중한 사람들, 내 분야에
필요한 사람이 되기 위해
실력을 쌓아 기댈 곳이 되어 주자!!

- 출처 <낭만닥터 김사부> -

방탄 동기부여 2시간 강의 강사료 200만 원 교육 PPT 교안 순서

① 방탄 동기부여 라포 형성 기법, 마음을 여는 기법
② 방탄 동기부여 고.틀.선.편 깨기
③ 방탄 동기부여 서론
④ SPOT 기법, 강의 집중 기법, 강의 환기 기법
⑤ 방탄 동기부여 본론
⑥ SPOT 기법, 강의 집중 기법, 강의 환기 기법
⑦ 방탄 동기부여 결론
⑧ SPOT 기법, 강의 집중 기법, 강의 환기 기법
⑨ 방탄 동기부여 총정리
⑩ 방탄 동기부여 피크앤드법칙(The Peak End Rule)

⑩ 방탄 동기부여 피크앤드법칙(The Peak End Rule)

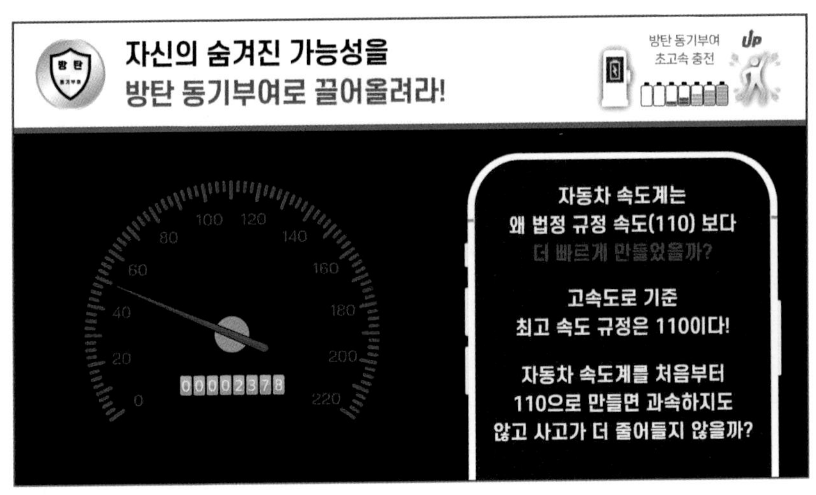

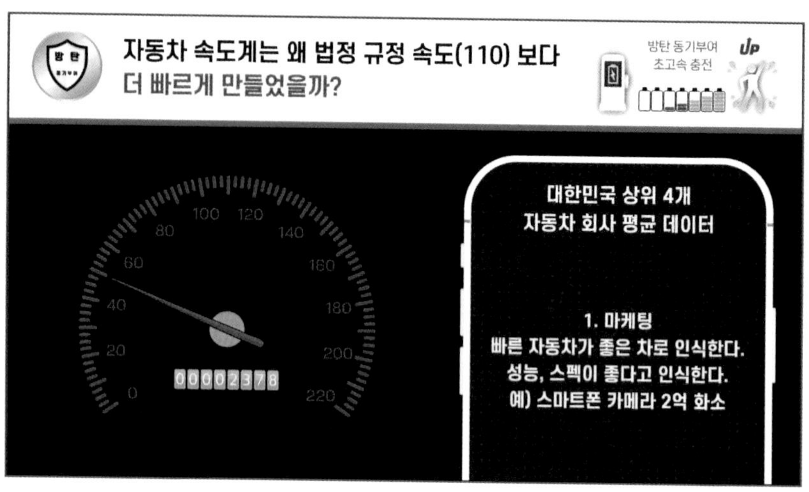
방탄
자동차 속도계는 왜 법정 규정 속도(110) 보다
더 빠르게 만들었을까?
방탄 동기부여
초고속 충전
UP
대한민국 상위 4개
자동차 회사 평균 데이터
1. 마케팅
빠른 자동차가 좋은 차로 인식한다.
성능, 스펙이 좋다고 인식한다.
예) 스마트폰 카메라 2억 화소

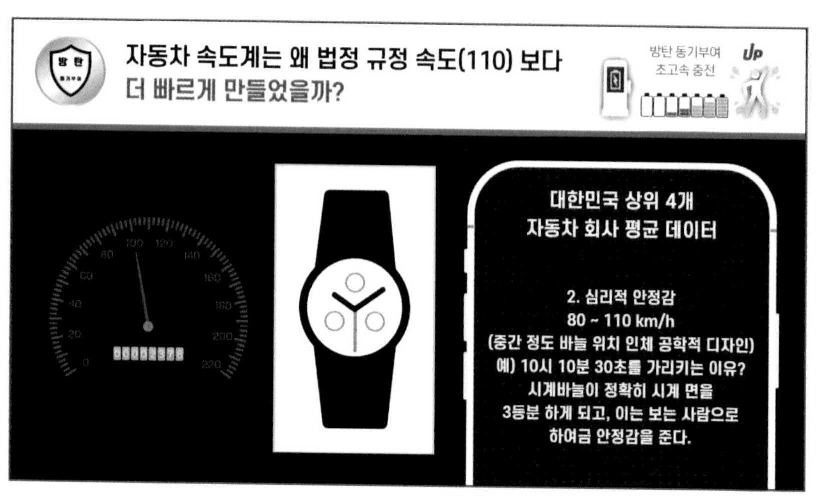
방탄
자동차 속도계는 왜 법정 규정 속도(110) 보다
더 빠르게 만들었을까?
방탄 동기부여
초고속 충전
UP
대한민국 상위 4개
자동차 회사 평균 데이터
2. 심리적 안정감
80 ~ 110 km/h
(중간 정도 바늘 위치 인체 공학적 디자인)
예) 10시 10분 30초를 가리키는 이유?
시계바늘이 정확히 시계 면을
3등분 하게 되고, 이는 보는 사람으로
하여금 안정감을 준다.

자동차 속도계는 왜 법정 규정 속도(110) 보다 더 빠르게 만들었을까?

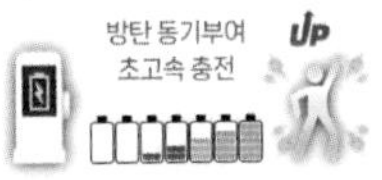

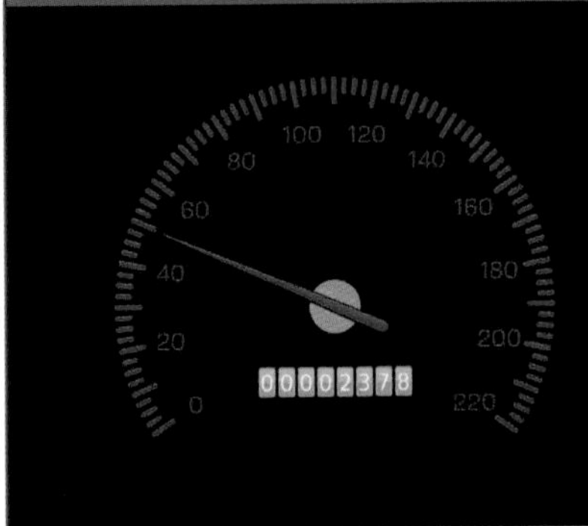

대한민국 상위 4개 자동차 회사 평균 데이터

3. 엔진 과부하 방지
엔지의 과부하를 막기 위해
예) A 자동차 100 km/h 한계
B 자동차 200 km/h 한계
똑같이 100 km/h 달렸을 때
엔지 과부하로 인한 차량 고장 유발.

자동차 속도계는 왜 법정 규정 속도(110) 보다 더 빠르게 만들었을까?

대한민국 상위 4개 자동차 회사 평균 데이터

4. 속도 제한 대응
도로, 국가에 따라 속도 제한 제각각
각 도로, 국가 속도 제한에 맞춰 만들면
비용이 추가적으로 많이 든다.
처음부터 속도계를 넉넉하게 만든다.

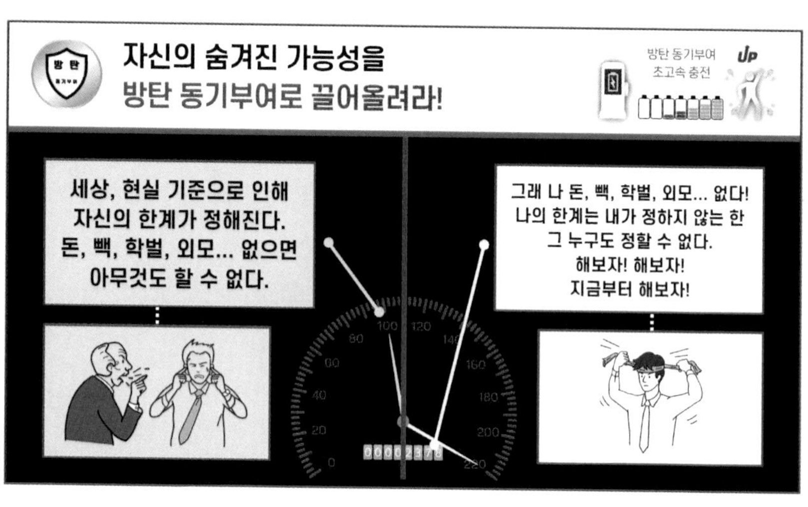
자신의 숨겨진 가능성을
방탄 동기부여로 끌어올려라!
방탄 동기부여
초고속 충전
UP
세상, 현실 기준으로 인해
자신의 한계가 정해진다.
돈, 빽, 학벌, 외모... 없으면
아무것도 할 수 없다.
그래 나 돈, 빽, 학벌, 외모... 없다!
나의 한계는 내가 정하지 않는 한
그 누구도 정할 수 없다.
해보자! 해보자!
지금부터 해보자!

사람은 누구나 가능성(200km/h)을 가지고 태어났다!
어떤 계기로 (교육, 영상, 책, 코칭, 멘토, 시련, 고난, 시행착오, 대가 지불, 인고의 시간...)
자신 가능성을 폭발 시킬 것인가?
자신 가능성

내 가족, 소중한 사람들, 내 분야에 필요한 사람이 되기 위해 실력을 쌓아 기댈 곳이 되어 주자!

▶ 영상 전체 내용!

<기댈 곳 / 가수 싸이>
당신의 오늘 하루가 힘들진 않았나요
나의 하루는 그저 그랬어요
괜찮은 척하기가 혹시 힘들었나요
난 그저 그냥 버틸만했어요
솔직히 내 생각보다 세상은 독해요
솔직히 난 생각보다 강하진 못해요.
하지만 힘들다고 어리광 부릴 순 없어요.
버틸 거야 견딜 거야 괜찮을 거야
하지만 버틴다고 계속 버텨지지는 않네요

그래요 나 기댈 곳이 필요해요
그대여 나의 기댈 곳이 돼줘요
당신의 고된 하루를 누가 달래주나요
다독여달라고 해도 소용없어요
솔직히 난 세상보다 한참 부족해요
솔직히 난 세상만큼 차갑진 못해요
하지만 힘들다고 어리광 부릴 순 없어요
버틸 거야 견딜 거야 괜찮을 거야
하지만 버틴다고 계속 버텨지지는 않네요
그래요 나 기댈 곳이 필요해요
그대여 나의 기댈 곳이 돼줘요
항상 난 세상이 날 알아주길 바래
실은 나 세상이 날 안아주길 바래
괜찮은 척하지만 사는 게 맘 같지는 않네요
저마다의 웃음 뒤엔 아픔이 있어
하지만 아프다고 소리 내고 싶지는 않아요
그래요 나 기댈 곳이 필요해요
그대여 나의 기댈 곳이 돼줘요

기댈 곳을 찾는가?

최고의 기댈 곳은 누군가에게 기댈 곳이 되어 주는 것이다.

어디에 있든 그 곳이 변화, 성장, 배움, 행복의

시작점이다.

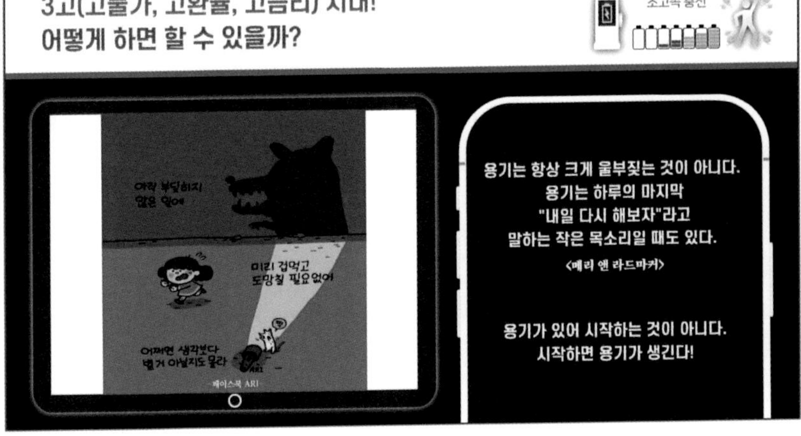

3고(고물가, 고환율, 고금리) 시대!
어떻게 하면 할 수 있을까?
방탄 동기부여
초고속 충전
Up
아직 부딪히지
않은 일에
미리 겁먹고
도망칠 필요없어
어쩌면 생각보다
별거 아닐지도 몰라
-페이스북 ARI
용기는 항상 크게 울부짖는 것이 아니다.
용기는 하루의 마지막
"내일 다시 해보자"라고
말하는 작은 목소리일 때도 있다.
<메리 앤 라드마커>
용기가 있어 시작하는 것이 아니다.
시작하면 용기가 생긴다!

3고(고물가, 고환율, 고금리) 시대!
어떻게 하면 할 수 있을까?

지금 시작하면
내 인생, 소중한 사람들에게
빽이 되어 줄 수 있지만

내일 시작하면
내 인생, 소중한 사람들에게
100% 짐이 될 수 있다.

당신을 믿어주는
소중한 사람들을 믿고 시작합시다.

해보자! 해보자! 지금 부터 해보자!
해보자!
해보자!
자신의 가능성 (사과씨, 도토리, 포도씨) 믿으세요!
사과씨 안에 얼마나 많은 사과가 있는지 모른다!
도토리 안에 얼마나 많은 도토리가 있는지 모른다!
포도씨 안에 얼마나 많은 포도가 있는지 모른다!

어제의 나는 잊어라!
지금처럼 살 것인가? 지금부터 살 것인가!
자신을 못 믿겠다면 자신을 믿어주는
최보규 방탄동기부여 전문가를 믿고 시작합시다!
세상, 현실아 덤벼라!
Body(몸), Head(머리), Mind(마음)
강하게 해드립니다.!
최보규 대표
80억 분의 1
검증된 방탄동기부여 전문가

특허청 등록
최보규 강사책출간 코칭전문가
등록 번호: 제 40-2200794 호
책으로
100년 수입 창출 시스템
PPT 교안 만들기
★★★★★
누군가는 책만 출간한다.
누군가는 출간한 책으로 디지털 콘텐츠
교육, 강의, 코칭 교안을 만들어서
지속적인 수입 창출을 한다!
1
2
3
책으로 PPT 만들기 1
책으로 PPT 만들기 2
책으로 PPT 만들기 3

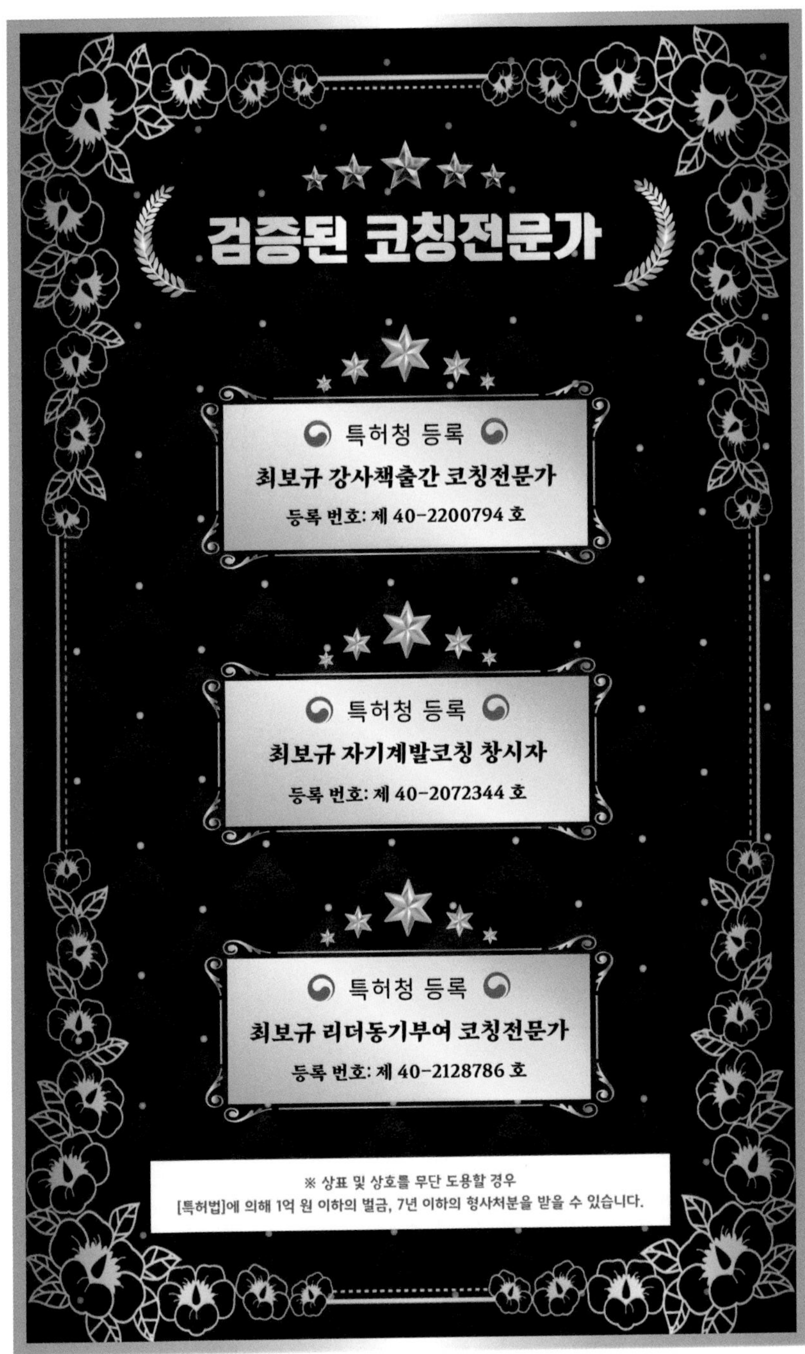
검증된 코칭전문가
특허청 등록
최보규 강사책출간 코칭전문가
등록 번호: 제 40-2200794 호
특허청 등록
최보규 자기계발코칭 창시자
등록 번호: 제 40-2072344 호
특허청 등록
최보규 리더동기부여 코칭전문가
등록 번호: 제 40-2128786 호
※ 상표 및 상호를 무단 도용할 경우
[특허법]에 의해 1억 원 이하의 벌금, 7년 이하의 형사처분을 받을 수 있습니다.

ONLY ONE
"80억 분의 1 검증된 전문가"
특허청 등록
최보규 강사책출간 코칭전문가
등록 번호: 제 40-2200794 호
특허청 등록
최보규 자기계발코칭 창시자
등록 번호: 제 40-2072344 호
특허청 등록
최보규 리더동기부여 코칭전문
등록 번호: 제 -2128786 호
THE BEST COMPANY
대한민국 강사 섭외 NO1 '강사야'
'강사야' "대표 일타 강사 최보규"
GANGSAYA 강사섭외
최보규
로그인 회원가입
전체분야 강사프로필 섭외문의 분야별특강 커뮤니티 추천강사
섭외문의무료등록
최보규강사
특허청 등록으로 검증된 강사!
방탄 동기부여/리더십/자기계발
동기부여/리더십/자기계발 업데이트!
저서 100권의 내공을 통한 세계 최초 1+4를 주는 가성비 강사!
(강의메세지+즐거움+스토리텔링+실천 사용 설명서 제공)
Google 자기계발아마존
YouTube 방탄자기계발
NAVER 강사야
NAVER 최보규

방 탄
book 기술력
전문가
명품
동기부여
명품
자기계발
COACHING
책150권 출간
상담 17,000회
코칭 13,000회
강의 경력 6,200회
Google 자기계발아마존
YouTube 방탄자기계발
NAVER 방탄자기계발사관학교
NAVER 최보규
최보규
네이버 인물정보 등록 34만 명! (2016년 기준)
대한민국 1% 미만 "네이버 명예의 전당" 인물정보 등록!
전체
프로필
최근활동
도서
프로필
소속 방탄자기계발사관학교/방탄북(BOOK)출판사(대표)
수상 2016년 제1회 세계를 빛낸 천사상 대상
경력 방탄자기계발사관학교/방탄북(BOOK)출판사 대표
방탄자기계발사관학교 대표
2012.05~2016.06 사랑의전화 전화상담 자원봉사자
2014.11 행복사관학교 대표
사이트 유튜브, 블로그, 네이버TV, 페이스북, 공식홈페이지
작품 도서, 관련활동

자기계발서 150권, 전자책 250권 출간으로
삼성(진정성, 전문성, 신뢰성)이 검증된 전문가
Google 자기계발아마존
YouTube 방탄자기계발
NAVER 방탄자기계발사관학교
NAVER 최보규

종이책 150권, 전자책 250권
총 400권 무인 콘텐츠

24시간 무인 시스템

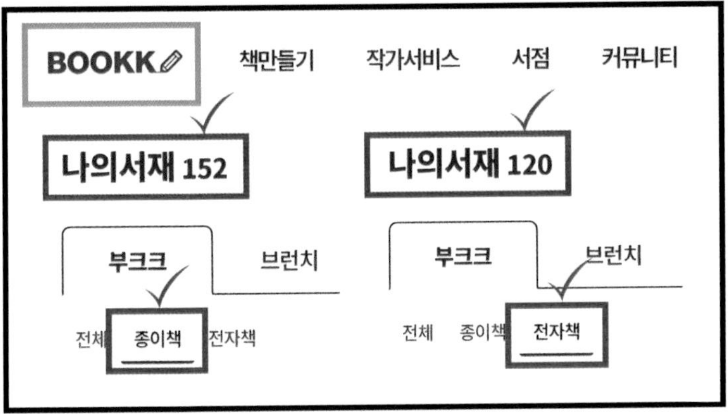

이번 생에 건물주는 힘들어도
온라인 건물주는 가능하다!
400층 온라인 건물주를 가능하게 만든 시스템!

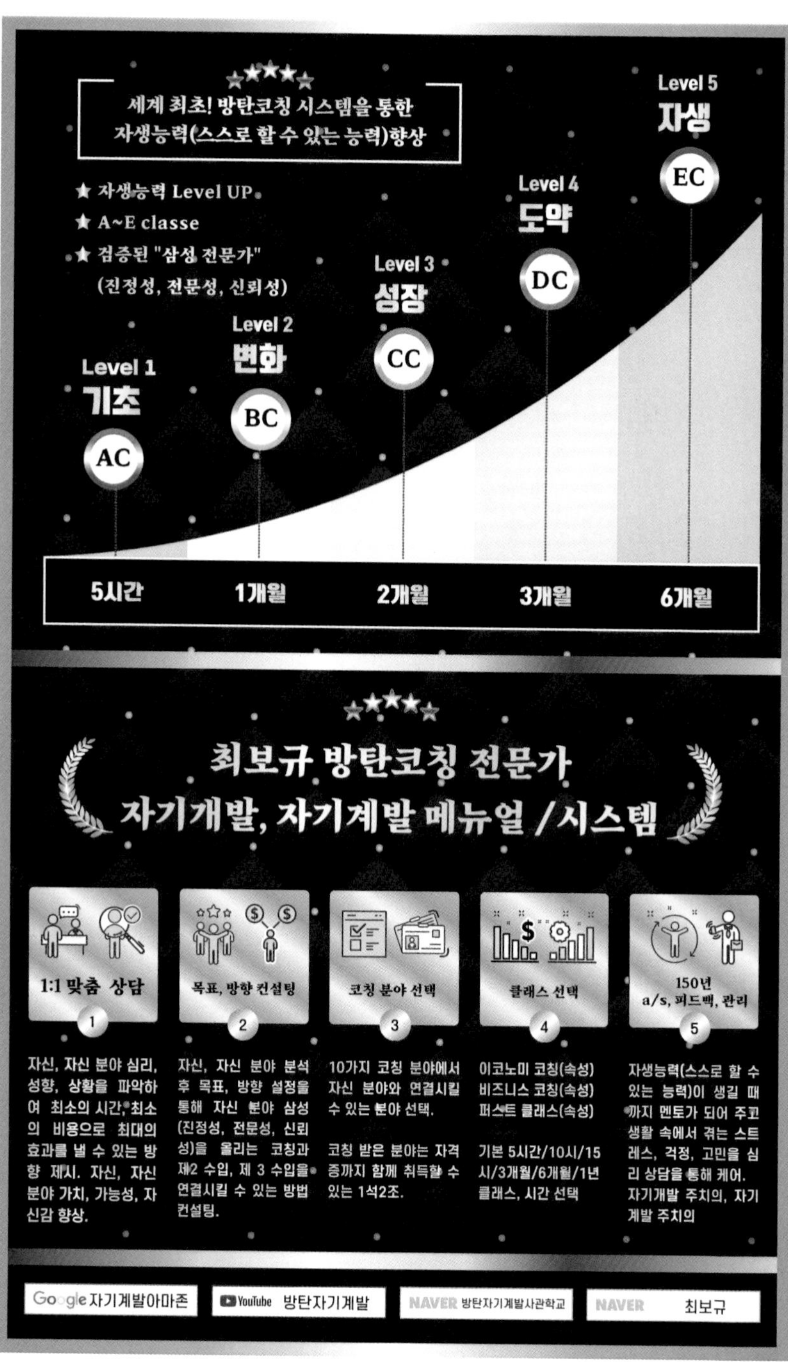

세계 최초! 방탄코칭 시스템을 통한
자생능력(스스로 할 수 있는 능력)향상
★ 자생능력 Level UP
★ A~E classe
★ 검증된 "삼성 전문가"
(진정성, 전문성, 신뢰성)
Level 1
기초
AC
Level 2
변화
BC
Level 3
성장
CC
Level 4
도약
DC
Level 5
자생
EC
5시간
1개월
2개월
3개월
6개월
최보규 방탄코칭 전문가
자기개발, 자기계발 메뉴얼 /시스템
1:1 맞춤 상담
1
자신, 자신 분야 심리, 성향, 상황을 파악하여 최소의 시간, 최소의 비용으로 최대의 효과를 낼 수 있는 방향 제시. 자신, 자신 분야 가치, 가능성, 자신감 향상.
목표, 방향 컨설팅
2
자신, 자신 분야 분석 후 목표, 방향 설정을 통해 자신 분야 삼성(진정성, 전문성, 신뢰성)을 올리는 코칭과 제2 수입, 제 3 수입을 연결시킬 수 있는 방법 컨설팅.
코칭 분야 선택
3
10가지 코칭 분야에서 자신 분야와 연결시킬 수 있는 분야 선택.
코칭 받은 분야는 자격증까지 함께 취득할 수 있는 1석2조.
클래스 선택
4
이코노미 코칭(속성)
비즈니스 코칭(속성)
퍼스트 클래스(속성)
기본 5시간/10시/15시/3개월/6개월/1년 클래스, 시간 선택
150년
a/s, 피드백, 관리
5
자생능력(스스로 할 수 있는 능력)이 생길 때까지 멘토가 되어 주고 생활 속에서 겪는 스트레스, 걱정, 고민을 심리 상담을 통해 케어.
자기개발 주치의, 자기계발 주치의
Google 자기계발아마존
YouTube 방탄자기계발
NAVER 방탄자기계발사관학교
NAVER 최보규

★★★★★

검증된 전문가 교육시스템

회원제를 통한 맞춤 학습, 연습, 훈련
오프라인 전문상담사가 검진 후 특별맞춤 학습, 연습, 훈련

검증된 강사코칭 전문가

세계 최초 강사 백과사전
강사 사용설명서를 만든 전문가!
150년 A/S, 관리, 해주는 책임감!

검증된 책 쓰기 전문가 100권

행복히어로
나다운 강사 1, 2
나다운 방탄멘탈
나다운 방탄습관블록
나다운 방탄 카피 사전
나다운 방탄자존감 명언 I, II
방탄자기계발 사관학교
자기계발코칭전문가 1,2,3,4,5,6
나다운 방탄리더십 1,2,3,4,5
외 100권

검증된 자기계발 전문가

방탄행복 창시자!
방탄멘탈 창시자!
방탄습관 창시자!
방탄자존감 창시자!
방탄자기계발 창시자!
방탄강사 창시자!
방탄리더십 창시자!

검증된 상담 전문가

20,000명 심리 상담, 코칭!
독학하기 힘든 자자자자멘습긍
(자존감, 자신감, 자기관리, 자기계발, 멘탈, 습관, 긍정)
1:1 케어까지 해주며 행복 주치의가 되어주는 전문가!

★★★★★

강력추천

이런 사람들 반드시 상담, 코칭 받으세요!

현재 상황에 가장 필요한 것을 상담 후 가장 효율적인 시스템을 적용합니다.

변화, 성장, 배움, 행동
동기부여, 셀프케어

1

지금처럼이 아니라 지금부터 다시 시작하고 때를 기다리는 사람이 아닌 때를 만들고 싶은 분

자신분야 전문성
(진정성, 전문성, 신뢰성)

2

경력은 스펙이 아니다! 자신 분야 차별화로 부케릭터를(부업)만들어 자신 몸값을 올리고 싶은 분

자신분야 자동
시스템(돈) 연결

3

움직이지 않아도 자동으로 돌아가는 돈 버는 시스템을 만들고 싶은 분

인고의 시간을 거쳐 쌓은 소중한 자신 분야 경력을
왜? 썩히고 있는가?
쌓은 경력으로 온라인 건물주가 될 수 있다?
자신 분야를 방탄자기계발과 연결 수입 창출!
자신 분야
방탄자기계발
몸값 상승
책 출간
(종이책, PDF)
(인세 유산)
멘토가 150년
A/S, 관리
방탄
동기부여
디지털콘텐츠
수입(100년)
불특정 다수와
비즈니스 연결
방탄
자기계발
온라인콘텐츠
수입(100년)
코칭 수입
(100년)
온라인 건물주
(월세, 연금성)
재능 마켓
수입(100년)

80%는 교육으로 만들어진다? 300% 틀렸습니다!

세계 최초! 방탄동기부여
효율적인 교육 시스템!

1단계

교육
= 20%

2단계

스스로
학습, 연습, 훈련
= 30%

3단계

검증된 전문가
a/s,관리,피드백
= 50%
150년
a/s,관리,피드백

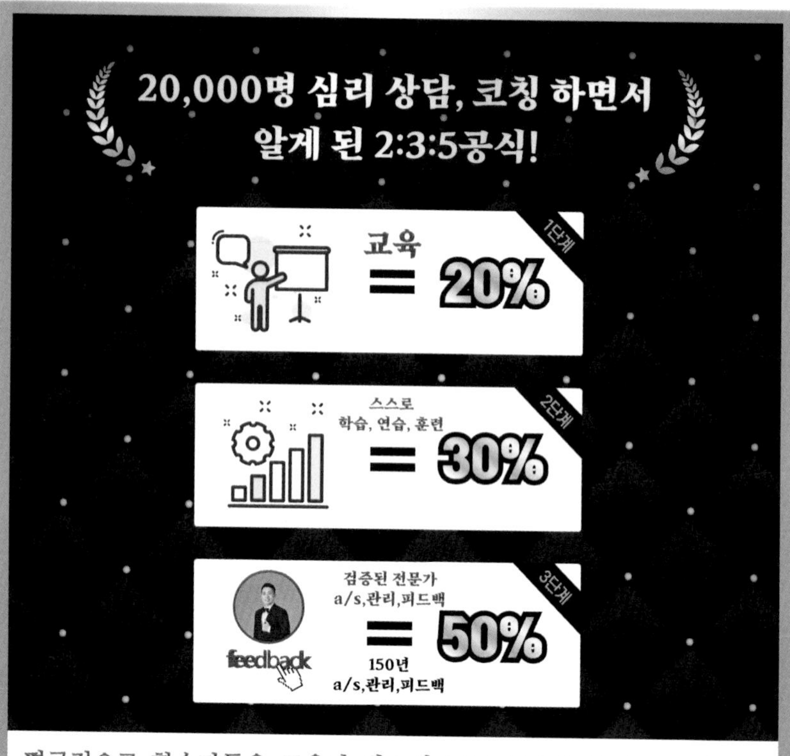

평균적으로 학습자들은 교육만 받으면 80% 효과를 보고 동기부여가 되어 행동으로 나올 것이라고 착각합니다.
그러다 보니 교육받는 동안 생각만큼, 돈을 지불한 만큼 자신 기준의 미치지 못하면 효과를 보지 못할 거라고 지레짐작으로 스스로가 한계를 만들어 버립니다. 그래서 행동으로 옮기지 못하는 것이 상황, 교육자가 아닌 자기 자신이라는 것을 모릅니다.

20,000명 심리 상담, 코칭, 리더 자기계발서 100권 출간, 리더 습관 320가지 만듦, 시행착오, 대가 지불, 인고의 시간을 통해 가장 효율적이며 효과적인 교육 시스템은 2:3:5라는 것을 알게 되었습니다.

교육 듣는 것은 20%밖에 되지 않습니다. 교육을 듣고 스스로가 생활 속에서 배웠던 것을 토대로 30% 학습, 연습, 훈련해야 합니다.
학습, 연습, 훈련한 것을 가장 중요한 50%인 검증된 전문가에게 꾸준히 a/s, 관리, 피드백을 받아야만 2:3:5공식 효과를 볼 수 있습니다.

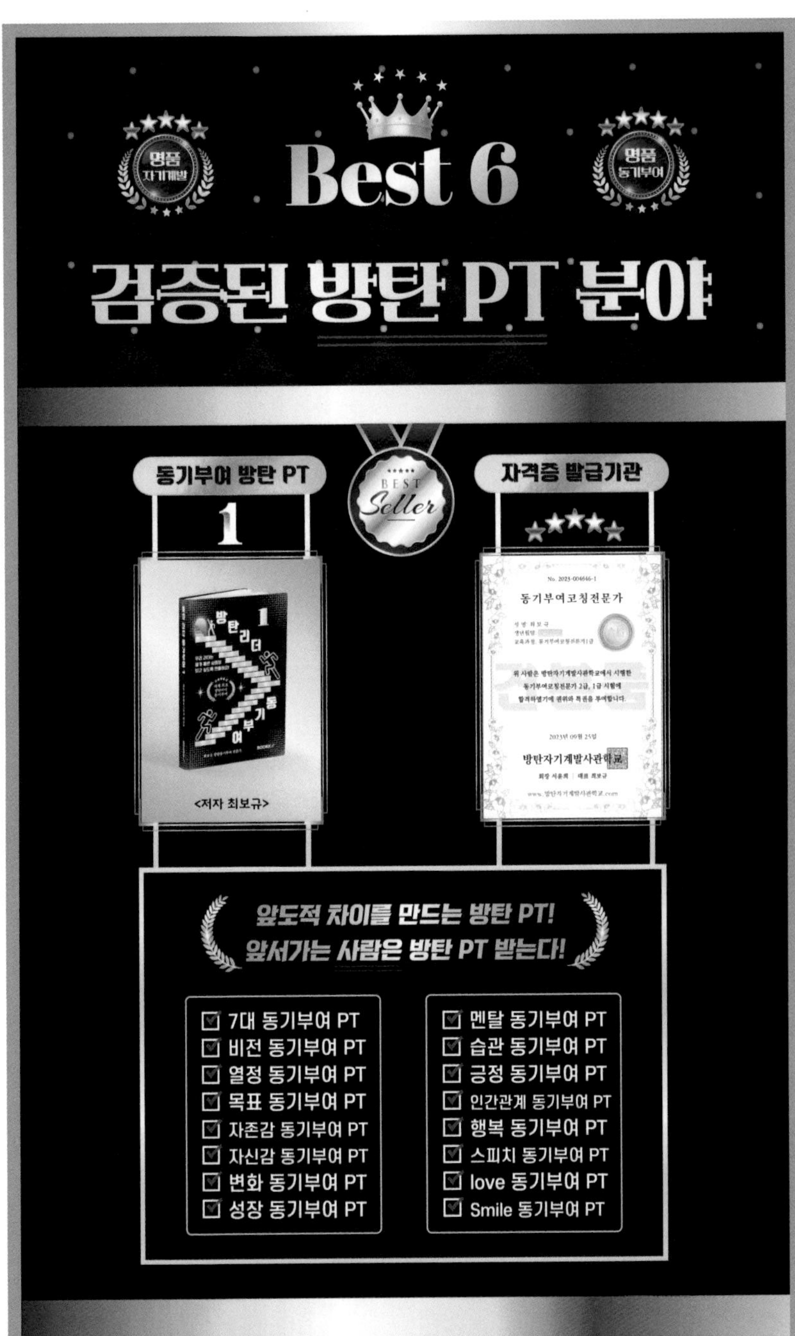
명품 자기계발
Best 6
명품 동기부여
검증된 방탄 PT 분야
동기부여 방탄 PT
1
BEST Seller
자격증 발급기관
<저자 최보규>
동기부여코칭전문가
방탄자기계발사관학교
압도적 차이를 만드는 방탄 PT!
앞서가는 사람은 방탄 PT 받는다!
7대 동기부여 PT
비전 동기부여 PT
열정 동기부여 PT
목표 동기부여 PT
자존감 동기부여 PT
자신감 동기부여 PT
변화 동기부여 PT
성장 동기부여 PT
멘탈 동기부여 PT
습관 동기부여 PT
긍정 동기부여 PT
인간관계 동기부여 PT
행복 동기부여 PT
스피치 동기부여 PT
love 동기부여 PT
Smile 동기부여 PT

명품 자기계발
Best 6
명품 동기부여
검증된 방탄 PT 분야
리더 인간관계 PT
2
BEST Seller
자격증 발급기관
리더의 방탄 인간관계 1
<저자 최보규>
자기계발코칭전문가
방탄자기계발사관학교
압도적 차이를 만드는 방탄 PT!
앞서가는 사람은 방탄 PT 받는다!
7대 인간관계 PT
인간관계 기본기 PT
인간관계 태도 PT
인간관계 사명감 PT
인간관계 자존감 PT
인간관계 자신감 PT
인간관계 자기관리 PT
인간관계 자기계발 PT
인간관계 멘탈 PT
인간관계 습관 PT
인간관계 긍정 PT
인간관계 감정컨트롤 PT
인간관계 행복 PT
인간관계 스피치 PT
인간관계 love PT
인간관계 Smile PT

명품 자기계발
Best 6
명품 동기부여
검증된 방탄 PT 분야
방탄리더십 PT
3
BEST Seller
자격증 발급기관
리더십 PT 1
<저자 최보규>
리더십코칭전문가
방탄자기계발사관학교
앞도적 차이를 만드는 방탄 PT!
앞서가는 리더는 방탄 PT 받는다!
방탄 리더십 PT
리더 동기부여 PT
리더 자기계발 PT
삼성PT
(진정성, 전문성, 신뢰성)
리더 기본기 PT
리더 태도 PT
리더 사명감 PT
리더 자존감 PT
리더 멘탈 PT
리더 습관 PT
리더 행복 PT
리더 상담기법 PT
리더 회복탄력성 PT
리더 감정컨트롤 PT
리더 인재양성 PT

명품 자기계발
Best 6
명품 동기부여
검증된 방탄 PT 분야
자기계발 방탄 PT
4
BEST Seller
자격증 발급기관
<저자 최보규>
자기계발코칭전문가
방탄자기계발사관학교
압도적 차이를 만드는 방탄 PT!
앞서가는 리더는 방탄 PT 받는다!
7대 자기계발 PT
방탄 기본기 PT
방탄 태도 PT
방탄 사명감 PT
방탄 자존감 PT
방탄 자신감 PT
방탄 자기관리 PT
방탄 자기계발 PT
방탄 멘탈 PT
방탄 습관 PT
방탄 긍정 PT
방탄 인간관계 PT
방탄 행복 PT
방탄 스피치 PT
방탄 love PT
방탄 Smile PT

Best 6

검증된 방탄 PT 분야

방탄 강사 방탄 PT

5

자격증 발급기관

<저자 최보규>

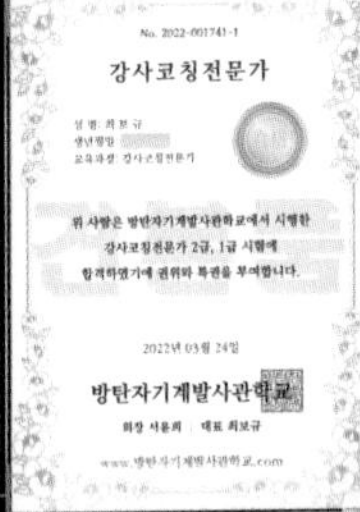

앞도적 차이를 만드는 방탄 PT!
앞서가는 강사는 방탄 PT 받는다!

- ☑ 강사 7대 의무교육 PT
- ☑ 강사 인성, 매너 PT
- ☑ 강사 품위유지의무 PT
- ☑ 강사1~3년차 PT
- ☑ 강사 3~10년차 PT
- ☑ 강사 10~20년차 PT
- ☑ 강사료 UP PT
- ☑ 비수기 극복 PT

- ☑ 강사 스킬UP PT
- ☑ 강사 SPOT 기법 PT
- ☑ 강사 스토리텔링 기법 PT
- ☑ 강사, 작가 트레이닝 PT
- ☑ 강사 양성 매뉴얼 제작 PT
- ☑ 강의 분야 개발 PT
- ☑ 강사 코칭 시스템 제작 PT
- ☑ 강의 영상 제작 PT

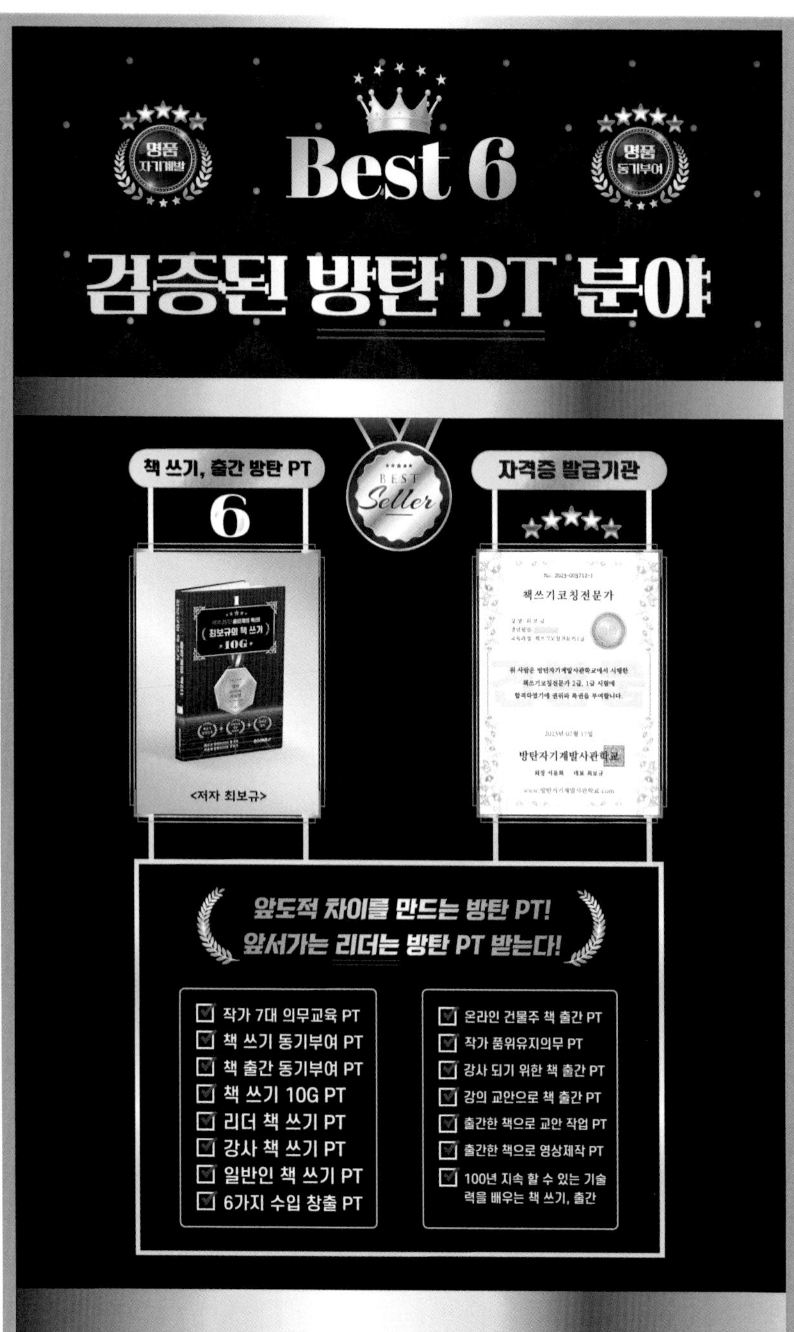
명품 자기계발
Best 6
명품 동기부여
검증된 방탄 PT 분야
책 쓰기, 출간 방탄 PT
6
BEST Seller
자격증 발급기관
<저자 최보규>
책쓰기코칭전문가
방탄자기계발사관학교
압도적 차이를 만드는 방탄 PT!
앞서가는 리더는 방탄 PT 받는다!
작가 7대 의무교육 PT
책 쓰기 동기부여 PT
책 출간 동기부여 PT
책 쓰기 10G PT
리더 책 쓰기 PT
강사 책 쓰기 PT
일반인 책 쓰기 PT
6가지 수입 창출 PT
온라인 건물주 책 출간 PT
작가 품위유지의무 PT
강사 되기 위한 책 출간 PT
강의 교안으로 책 출간 PT
출간한 책으로 교안 작업 PT
출간한 책으로 영상제작 PT
100년 지속 할 수 있는 기술력을 배우는 책 쓰기, 출간

자신 분야 스펙, 내공, 가치, 값어치

카페에 피카소가 앉아 있었습니다. 한 손님이 다가와 종이 냅킨 위에 그림을 그려 달라고 부탁했습니다. 피카소는 상냥하게 고개를 끄덕이곤 빠르게 스케치를 끝냈습니다. 냅킨을 건네며 1억 원을 요구했습니다.
손님이 깜짝 놀라며 말했습니다. 어떻게 그런 거액을 요구할 수 있나요? 그림을 그리는 데 1분밖에 걸리지 않았잖아요. 이에 피카소가 답했습니다.

아니요. 40년이 걸렸습니다. 냅킨의 그림에는 피카소가 40여 년 동안 쌓아온 노력, 고통, 열정, 명성이 담겨 있었습니다. 피카소는 자신이 평생을 바쳐서 해온 일의 가치를 스스로 낮게 평가하지 않았습니다.

《확신》

★★★★★ 차별이 아닌 초월 시스템 ★★★★★

타사와 비교불가 초월 혜택!
자신 분야 온라인 건물주가 되어 100년 수입 창출!

Google 자기계발아마존 | YouTube 방탄자기계발 | NAVER 방탄book기술력 | NAVER 최보규

비지니스 PT

기본10H : 1,000,000원

CHECK POINT

- ☑ 기본 1회(2~3일=10H)
- ☑ 6가지 수입 창출 시스템 실전 훈련
- ☑ 150년 A/S, 피드백

★★★★★ 차별이 아닌 초월 혜택 ★★★★★

Google 자기계발아마존 | YouTube 방탄자기계발 | NAVER 방탄book기술력 | NAVER 최보규

비지니스 PT

기본 10H : 1,000,000원

- ☑ 150년 A/S, 피드백
- ☑ 마스터한 분야 자격증 1종 취득
- ☑ 방탄자기계발사관학교 전임 강사 위촉
- ☑ 방탄자기계발사관학교 전임 마스터 위촉
- ☑ 퍼스트클래스 PT 10% 할인 (30만원 상당)
- ☑ 강사 맞춤 트레이닝 비대면 1회 제공 (50만원 상당)
- ☑ 마스터한 분야 실전 2시간 강의 교안 제공, 1:1 맞춤 교안 설명 (강사료 200만원 / 1:1 맞춤 100만원 상당)

★★★★★ 차별이 아닌 초월 시스템 ★★★★★

타사와 비교불가 초월 혜택!
자신 분야 온라인 건물주가 되어 100년 수입 창출!

Google 자기계발아마존 | YouTube 방탄자기계발 | NAVER 방탄book기술력 | NAVER 최보규

퍼스트클래스 PT

기본 15H : 3,000,000원~

CHECK POINT

- 기본 1회(15H) / (2회 ~ 5회 선택 사항)
- 6가지 수입 창출 **자동 시스템 구축**
- 150년 A/S, 피드백, VIP맞춤 관리

★★★★★ 차별이 아닌 초월 혜택 ★★★★★

Google 자기계발아마존 | YouTube 방탄자기계발 | NAVER 방탄book기술력 | NAVER 최보규

퍼스트클래스 PT

기본 15H : 3,000,000원~

- ☑ 150년 A/S, 피드백, VIP맞춤 관리
- ☑ 자격증 3종 취득 (150만원 상당)
- ☑ 방탄자기계발사관학교 지회장 위촉
- ☑ 종이책, 전자책 출간 후 네이버 인물 등록
- ☑ 20H, 30H, 40H, 50H PT 20% 할인
- ☑ 강사 맞춤 트레이닝 대면 1회 제공 (50만원 상당)
- ☑ 프로필 유튜브 홍보 영상 제작 (100만원 상당)
- ☑ 마스터한 분야 풀 패키지 (교안 제공, 1:1 맞춤 교안 설명, 청강 1회 제공) (강사료 200만원 / 1:1 맞춤 100만원 / 청강 1회 200만원 상당)

특허청 등록
최보규 강사책출간 코칭전문가
등록 번호: 제 40-2200794 호
명품 자기계발
명품 동기부여
차별이 아닌 초월 시스템
타사와 비교불가 초월 혜택!
자신 분야 온라인 건물주가 되어 100년 수입 창출!
Google 자기계발아마존
YouTube 방탄자기계발
NAVER 방탄book기술력
NAVER 최보규
방탄book기술력 전문가 과정 속성 PT
방 탄
book 기술력
전문가
기본 30H : 5,000,000원~
CHECK POINT
기본 1회(5H) / (5회 ~ 10회 선택 사항)
6가지 수입 창출 자동 시스템 구축
150년 A/S, 피드백, VIP맞춤 관리

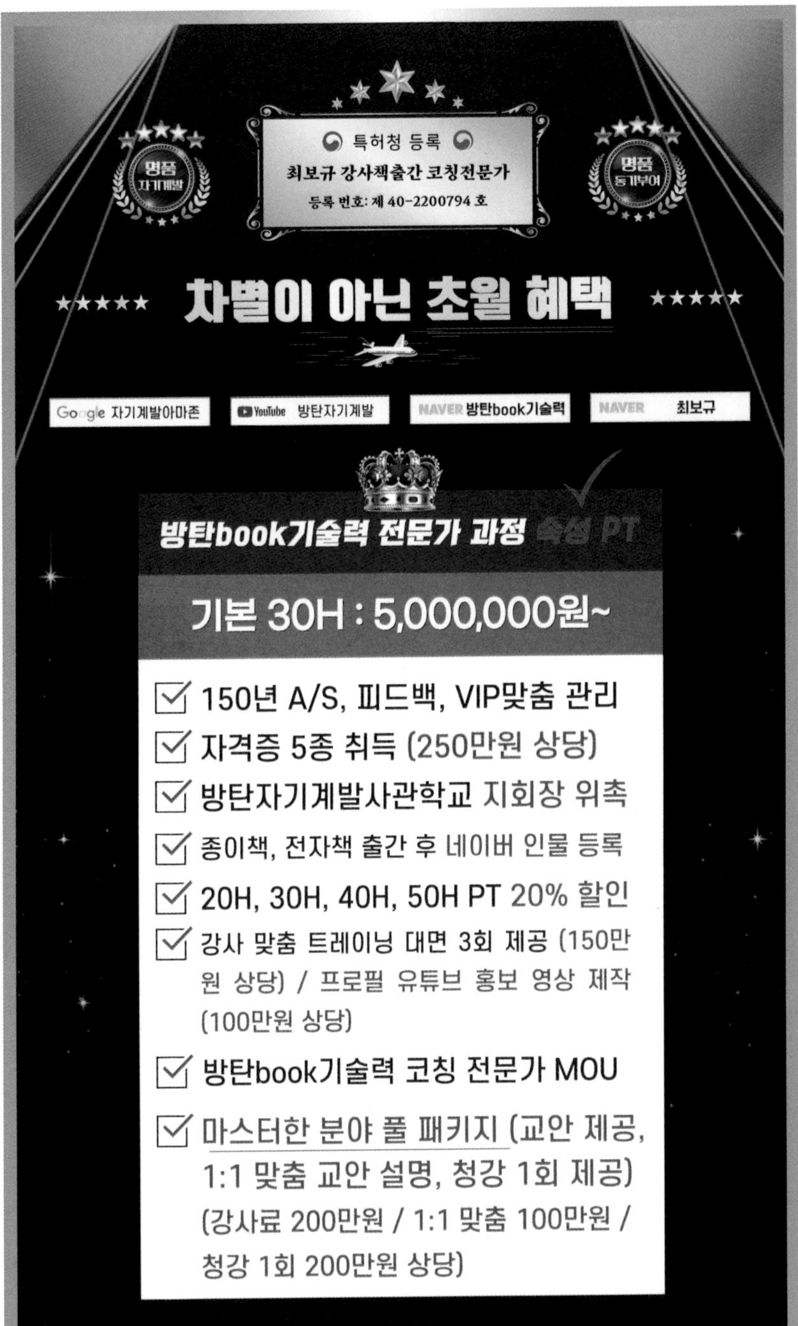
특허청 등록
최보규 강사책출간 코칭전문가
등록 번호: 제 40-2200794 호
명품 자기계발
명품 동기부여
차별이 아닌 초월 혜택
Google 자기계발아마존
YouTube 방탄자기계발
NAVER 방탄book기술력
NAVER 최보규
방탄book기술력 전문가 과정 속성 PT
기본 30H : 5,000,000원~
150년 A/S, 피드백, VIP맞춤 관리
자격증 5종 취득 (250만원 상당)
방탄자기계발사관학교 지회장 위촉
종이책, 전자책 출간 후 네이버 인물 등록
20H, 30H, 40H, 50H PT 20% 할인
강사 맞춤 트레이닝 대면 3회 제공 (150만원 상당) / 프로필 유튜브 홍보 영상 제작 (100만원 상당)
방탄book기술력 코칭 전문가 MOU
마스터한 분야 풀 패키지 (교안 제공, 1:1 맞춤 교안 설명, 청강 1회 제공)
(강사료 200만원 / 1:1 맞춤 100만원 / 청강 1회 200만원 상당)

특허청 등록
최보규 강사책출간 코칭전문가
등록 번호: 제 40-2200794 호
명품 자기계발
명품 동기부여
차별이 아닌 초월 시스템
타사와 비교불가 초월 혜택!
자신 분야 온라인 건물주가 되어 100년 수입 창출!
Google 자기계발아마존
YouTube 방탄자기계발
NAVER 방탄book기술력
NAVER 최보규
방탄book기술력 전문가 과정 6개월 PT
방 탄
book 기술력
전문가
기본 30H : 10,000,000원~
CHECK POINT
기본 1회(5H) / (5회 ~ 10회 선택 사항)
6가지 수입 창출 자동 시스템 구축
150년 A/S, 피드백, VIP맞춤 관리

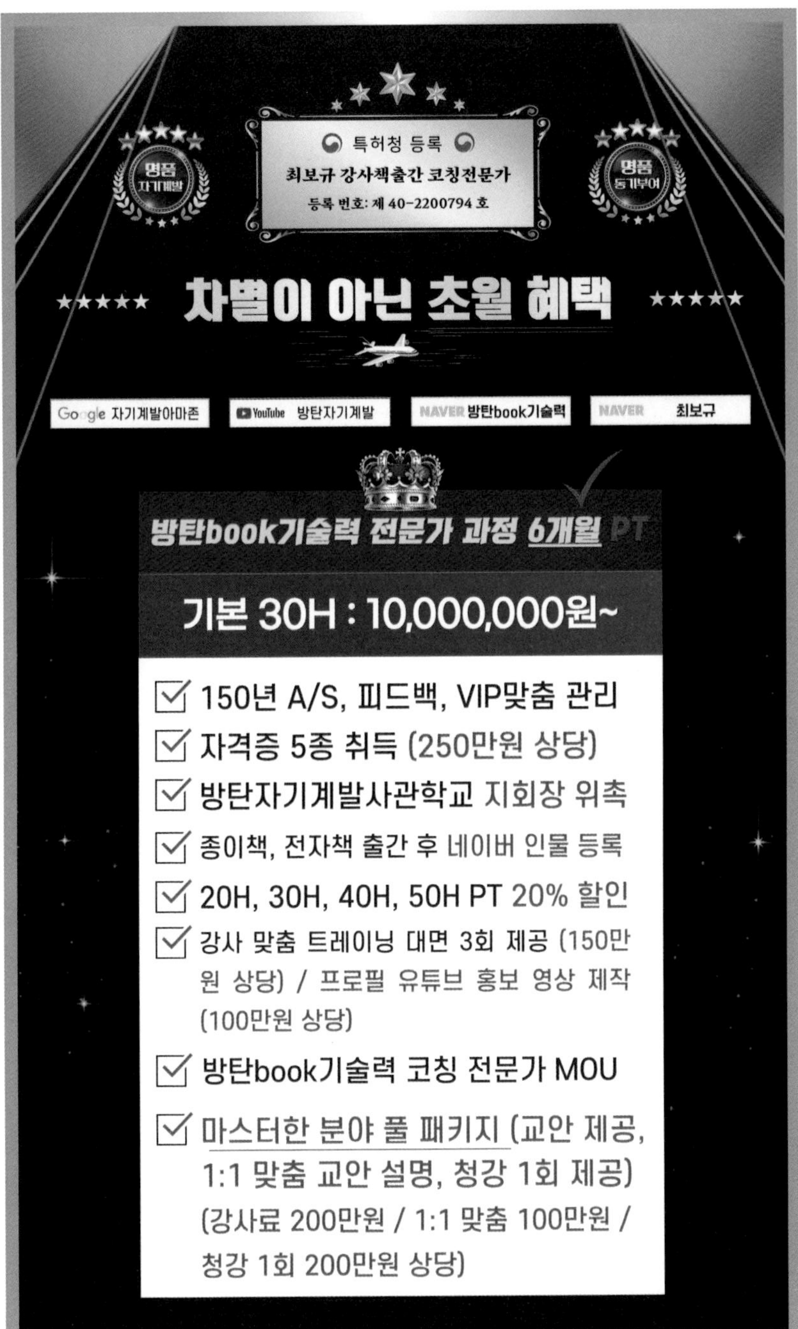

특허청 등록
최보규 강사책출간 코칭전문가
등록 번호: 제 40-2200794 호
명품 자기계발
명품 동기부여
차별이 아닌 초월 혜택
Google 자기계발아마존
YouTube 방탄자기계발
NAVER 방탄book기술력
NAVER 최보규
방탄book기술력 전문가 과정 6개월 PT
기본 30H : 10,000,000원~
150년 A/S, 피드백, VIP맞춤 관리
자격증 5종 취득 (250만원 상당)
방탄자기계발사관학교 지회장 위촉
종이책, 전자책 출간 후 네이버 인물 등록
20H, 30H, 40H, 50H PT 20% 할인
강사 맞춤 트레이닝 대면 3회 제공 (150만원 상당) / 프로필 유튜브 홍보 영상 제작 (100만원 상당)
방탄book기술력 코칭 전문가 MOU
마스터한 분야 풀 패키지 (교안 제공, 1:1 맞춤 교안 설명, 청강 1회 제공)
(강사료 200만원 / 1:1 맞춤 100만원 / 청강 1회 200만원 상당)

CLASS	내용
class 1	자신 분야 연결 6가지 수입 창출 기술력 컨설팅
class 2	자신 분야 삼성(진정성, 전문성, 신뢰성) 향상 책 쓰기, 책 출간 기술력 PT
class 3	자신 전문 분야로 제2수입 창출 기술력 PT
class 4	자신 전문 분야로 제3수입 창출 기술력 PT
class 5	온라인, 디지털 콘텐츠 기획, 제작 기술력 PT (4,5,6 수입 / 100년 지속적인 수입 창출 PT)

최보규 방탄동기부여 전문가
검증된 PT, 강의, 맞춤 코칭, 컨설팅
특허청 등록
최보규 강사책출간 코칭전문가
등록 번호: 제 40-2200794 호
최보규 대표
010-6578-8295
특허청 등록
최보규 자기계발코칭 창시자
등록 번호: 제 40-2072344 호
방탄자기계발사관학교는 국가등록 민간자격증 발급 기관! 명품 인재 양성 기관!
리더십코칭전문가
동기부여코칭전문가
자기계발코칭전문가
강사코칭전문가
책쓰기코칭전문가

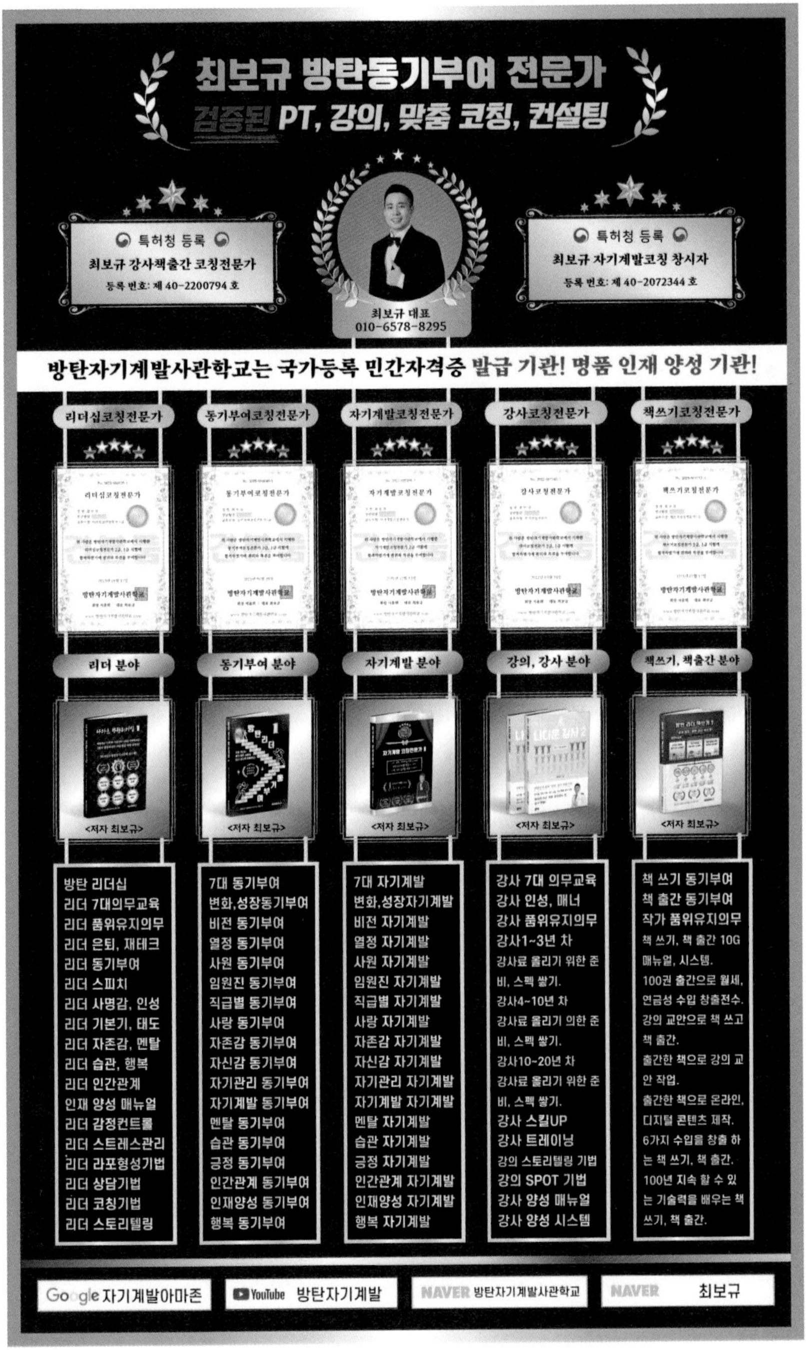

명품 자기계발
방탄 동기부여
명품 동기부여
방탄동기부여 전문가
www.방탄자기계발사관학교.com
최보규 대표
상담, 코칭, 강의, 컨설팅 문의
010-6578-8295
어제의 나는 잊어라!
살아온 날로 살아갈 날단정 짓지 말자!
자신을 못 믿겠다면 자신을 믿어주는
최보규 방탄동기부여 전문가를 믿고 시작합시다!
세상, 현실아 덤벼라!
몸, 머리, 마음을
강하게 해드립니다.!
Google 자기계발아마존
YouTube 방탄자기계발
NAVER 방탄동기부여
NAVER 최보규

명품 동기부여
명품 자기계발
특허청 등록
최보규 자기계발코칭 창시자
등록 번호: 제 40-2072344 호
특허청 등록
최보규 강사책출간 코칭전문가
등록 번호: 제 40-2200794 호
특허청 등록
최보규 리더동기부여 코칭전문가
등록 번호: 제 40-2128786 호
살아온 날로 살아갈 날·단정 짓지 말자!
해보자! 해보자! 지금부터 해보자!
NAVER 최보규
NAVER 방탄자기계발사관학교
YouTube 방탄자기계발
Google 자기계발아마존
자기계발, 미래 걱정과 고민은 이제 그만 하세요!
시간과 돈 낭비하지 마시고 검증된 곳에서 학습, 연습, 훈련!
150년 a/s, 피드백, 관리, 케어 받으세요!
방탄 동기부여
최보규 대표
코칭, PT, 강사, 컨설팅
010.6578.8295
nice5889@naver.com

◈ 참고문헌, 출처

《방탄 리더 동기부여》 최보규, 부크크, 2023
<유튜브 북올림>
<유튜브 터닝포인트 - 위대한 성공의 시작점>
<참사람, 오스틀로이드 부족의 이야기>
<유뷰브 열정의 기름붓기>
《참 행복한 세상》 한상현, 이가출판사, 2007
《부자의 사고 빈자의 사고》 이구치 아키라, 한스미디어, 2015
《통찰의 기술》 신병철, 지형, 2008
<중앙일보 마이크로소프트사 킴킴 "빅데이터와 인공지능, 그리고 명상">
<facebook.com/ggumtalk>
《마음을 밝혀주는 소금 1》 내용 각색
《그러니까 상상하라》 최윤규, 고즈윈, 2012
《당신을 지금 무엇을 생각하는가》 이규성, 라이온북스, 2013
《관계의 힘》 레이먼드 조, 한국경제신문사, 2013
<유튜브 EBS 건강>
《백년허리 1》 정선근, 언탱클링, 2021
<열정에 기름 붓기>
<유튜브 Demirören Haber Ajansı>, <현대카드>
<KBC뉴스 배주환 기자>, <미래한국 김민성 기자>
(2020년 8월 11일 앙코르메일)
<고도원의 아침편지>, <담양뉴스>
《방탄 리더 인재양성 1》 최보규, 부크크, 2023
<TV조선>
<SBS 드라마 낭만닥터 김사부>
<기댈 곳 / 가수 싸이>

책으로 PPT 만들기 1

(책 심폐소생술 100년 수입 창출 시스템)

발 행 | 2024년 07월 15일
저 자 | 최보규, 서윤희
편 집 | 최보규, 서윤희
디자인 | 최보규, 서윤희
마케팅 | 최보규
펴낸이 | 한건희
펴낸곳 | 주식회사 부크크
출판사등록 | 2014.07.15.(제2014-16호)
주 소 | 서울특별시 금천구 가산디지털1로 119 SK트윈타워 A동 305호
전 화 | 1670-8316
이메일 | info@bookk.co.kr

ISBN | 979-11-410-9350-1

www.bookk.co.kr